50 PENSADORES QUE FORMARAM O MUNDO MODERNO

50 PENSADORES QUE FORMARAM O MUNDO MODERNO

Perfis de cinquenta filósofos, cientistas, teóricos políticos e sociais e líderes espirituais marcantes cujas ideias definiram a época em que vivemos

STEPHEN TROMBLEY

LeYa

Título original: Fifty thinkers who shaped the modern world

Assessora editorial: Raquel Maldonado
Tradução: Breno Barreto
Preparação de texto: Beatriz Sarlo
Revisão de texto: Rafael Alverne
Diagramação: Abreu's System
Designer de capa: Ideias com peso

CIP-BRASIL. CATALOGAÇÃO-NA-FONTE
SINDICATO NACIONAL DOS EDITORES DE LIVROS, RJ

Trombley, Stephen
50 pensadores que formaram o mundo moderno: perfis de cinquenta filósofos, cientistas, teóricos políticos e sociais e líderes espirituais marcantes cujas ideias definiram a época em que vivemos / Stephen Trombley; tradução de Breno Barreto. – Rio de Janeiro: LeYa, 2014.
368 p.

Título original: *Fifty thinkers who shaped the modern world*
ISBN 978-85-8044-915-0

1. História 2. Política 3. Pensadores 4. Filosofia moderna I. Título II. Barreto, Breno

14-0002 CDD: 190

2014

LEYA EDITORA LTDA.
Rua Desembargador Paulo Passaláqua, 86
01248-010 – Pacaembu – São Paulo – SP – Brasil
www.leya.com.br

Para Peg Culver

"O lazer é a mãe da *filosofia*."
Thomas Hobbes, *Leviatã* (1651)

Sumário

Introdução

O filósofo inglês Alfred North Whitehead (1861-1947) comentou certa vez que a filosofia ocidental consiste em uma série de notas de rodapé referentes à obra de Platão (428/7-348/7 a.C.). Se isso é verdade, então a filosofia moderna poderia ser descrita mais precisamente como uma série de notas de rodapé referentes à obra de Immanuel Kant (1724-1804). Platão levantou as grandes questões da filosofia – e Aristóteles (384-322 a.C.) criou o primeiro sistema filosófico –, mas Kant é o primeiro grande criador de um sistema do período moderno, levando em consideração o impacto da Revolução Científica e do Iluminismo.

> ... todo pensamento, seja em linha reta (*directe*), seja por meio de um desvio (*indirecte*), em última análise tem de estar relacionado a intuições; em nosso caso, portanto, à sensibilidade, uma vez que não existe outra maneira pela qual objetos nos podem ser dados.
>
> Immanuel Kant, *Crítica da razão pura* (1781)

Para Kant, filosofia diz respeito ao homem tendo atingido a era da maturidade intelectual, quando o universo pode ser explicado por meio do pensamento, e não mais do desvelamento. Ele foi profundamente influenciado pelo filósofo escocês David Hume (1711-76), a quem Kant imputa a responsabilidade por tê-lo feito despertar de um "sono dogmático". Em seu *Prolegômenos a toda metafísica futura* (1783), Kant afirmou que, depois de ler Hume, "pude determinar com segurança, ainda que lentamente, toda a esfera da razão pura, completamente e a partir de princípios gerais, tanto em sua circunferência como em seu conteúdo. Este era um requisito para construir o sistema da metafísica de acordo com um plano confiável". Este fundamento levou Kant à sua obra-prima: sua *Crítica da razão pura* (1781, substancialmente revisada em 1787). Inspirado no pensamento iluminista a respeito da liberdade – e experimentando de perto os efeitos da guerra quando sua cidade natal, Königsberg, foi ocupada pela Rússia durante a Guerra dos Sete Anos (1756–63) –, Kant defendia que conhecimento e liberdade caminhavam de mãos dadas. Ele explorou esses temas em duas outras críticas: a *Crítica da razão prática* (1788) e a *Crítica do julgamento* (1790). A *Crítica da razão pura* identifica as leis que regem a ciência, enquanto preservam o livre-arbítrio. A *Crítica do julgamento* considera os juízos estéticos, assim como questões teleológicas sobre o propósito de sistemas e organismos naturais.

Um dos aspectos mais duradouros da filosofia de Kant é sua ética, com seu *imperativo categórico*. O imperativo categórico diz que eu preciso agir de modo que a ação que escolho deveria se tornar uma lei universal, capaz de ser aplicada a qualquer pessoa que se encontrasse em circunstâncias similares. Aqui Kant argumenta contra uma ética consequencialista, como o utilitarismo. A ética utilitária defende que o percurso correto da ação é aquele que dá a maior quantidade de bem-estar para a o maior número de pessoas. O utilitarismo é consequencialista porque me incita a buscar as melhores consequências, o que, na opinião de Kant, não é mais do que faria o eu animal. Para ele, o utilitarismo não é uma teoria moral, uma vez que deixa de dar a devida atenção à diferença entre animais e pessoas, ou seja, entre animais e mente. Ao buscarmos o imperativo categórico em nossas ações, estamos usando o que Kant chama de *razão prática pura* para chegar a um princípio que ditaria nossas ações. Isso é chamado de ética deontológica: encontrar e obedecer a uma regra moral, em vez de definir o bem a partir de suas consequências.

A filosofia de Kant do idealismo transcendental – segundo a qual o sujeito que apreende atribui somente significado parcial ao mundo externo – viria a determinar os caminhos para o desenvolvimento futuro do idealismo alemão e de grande parte da filosofia continental dos séculos XX e XXI.

A era das revoluções

A era do Iluminismo foi também a era das revoluções. As guerras civis inglesas (1642-51) fizeram confrontar parlamentaristas e monarquistas. A Revolução Americana (1775-83) viu colonos do Novo Mundo rebelarem-se contra o domínio do monarca inglês, inspirados nas ideias do filósofo inglês John Locke e do filósofo francês Jean-Jacques Rousseau (1712-78) a respeito do contrato social; esta foi a criação dos Estados Unidos da América. A Revolução Francesa foi estimulada por ideias políticas iluministas a respeito dos direitos dos cidadãos. O rei Luís XVI (1754-93) foi executado, e hoje a França é uma república democrática, embora tenha havido muitas idas e vindas pelo caminho.

A execução de reis (a Inglaterra executou Carlos I em 1649) foi o último prego no caixão do poder por direito divino. Em 1848, o mundo já tinha adentrado de vez a Era do Homem, mas as primeiras rachaduras na nova organização social pós-Iluminismo começaram a aparecer. Uma nova ciência levou a novas tecnologias e à Revolução Industrial. Máquinas passaram a multiplicar mecanicamente a quantidade de bens antes produzidos à mão. Trabalhadores deixaram seu estilo de vida agrário (assim como o mercado agrícola) e incharam as cidades, onde estavam as fábricas. Como consequência, tiveram de enfrentar superlotação, doenças e crimes – tudo isso estimulado pela pobreza de operários com longas jornadas de trabalho e baixos salários. Eles sofriam um novo tipo de cansaço, novas lesões e novos insultos à sua autoestima. Enquanto isso, proprietários de manufaturas – os capitalistas – enriqueciam cada vez mais. A diferença entre a renda dos industrialistas ricos e a dos trabalhadores, pobres e explorados, tornou o conflito inevitável.

> A doutrina materialista, que supõe que os homens são produtos das circunstâncias e da educação – e que, portanto, homens transformados são produtos de circunstâncias transformadas e educação transformada

> –, esquece-se de que são justamente os homens que transformam as circunstâncias e de que o próprio educador precisa ser educado. Deste modo, essa doutrina acaba, necessariamente, por dividir a sociedade em duas partes, uma das quais é posta acima da sociedade. A coincidência da mudança de circunstâncias com a atividade humana ou mudança de si próprio [*Selbstveränderung*] só pode ser considerada e racionalmente compreendida como prática revolucionária.
>
> Karl Marx, *Teses sobre Feuerbach* (1845)

Para a Europa, 1848 foi um ano de revoluções, com revoltas na França, nos Estados da Itália e Alemanha (que ainda não haviam sido unificados), Hungria e Irlanda. Um dos resultados da filosofia iluminista, que trouxe ciência, tecnologia, política e jurisprudência, foi uma nova classe de proprietários baseada no capital, uma classe média de dirigentes e uma classe operária de trabalhadores explorados. A filosofia deu uma resposta. O socialismo de Karl Marx (1818–83) e Friedrich Engels (1820–95) foi uma contestação direta à miséria que acompanhava o capitalismo e a acumulação de riqueza por parte de poucos em detrimento de muitos.

> Porque o ser da filosofia encontra-se essencialmente no elemento daquela universalidade que abriga em si o particular, o fim ou o resultado final – mais ainda no caso da filosofia do que no de outras ciências – parece ter expressado o próprio fato de modo absoluto, em sua própria natureza.
>
> G. W. F. Hegel, *Fenomenologia do espírito* (1870)

Após um longo período durante o qual Kant foi o mais influente filósofo alemão, tendo sido amplamente interpretado por idealistas – como Johann Gottlieb Fichte (1762-1814) e F. W. J. Schelling (1775-1854) –, G. W. F. Hegel (1770-1831) foi o próximo a erigir um sistema de pensamento completo. Sua atenção estava focada na criação de uma teoria unificada de tudo por meio da razão; seu historicismo e sua preocupação com as inter-relações entre entidades e questões políticas e sociais influenciaram grandemente Karl Marx e Max Weber (1864-1920).

Essa vertente de pensamento era uma das quatro que viriam a dominar o século XX: (1) ideologia política; (2) biologia e genética; (3) psicologia e (4) física pós-newtoniana.

Fascismo

Os nacional-socialistas alemães, ou nazistas, constituíam um partido fascista – eram diametralmente opostos aos socialistas inspirados em Karl Marx. O fascismo é algumas vezes considerado mais uma tendência do que um programa sistemático, e, de fato, é difícil identificar uma explicação *filosófica* coerente para a ideologia nazista (algumas tentativas são mero catálogo de preconceitos). O fascismo, da maneira como se desenvolveu em diferentes países – Itália, Alemanha, Espanha –, foi uma reunião desorganizada de crenças extremistas, popularizadas em um período de profunda crise financeira. Para os alemães, que sofriam com o peso do Tratado de Versalhes, o fascismo se definiu por suas escolhas de bodes expiatórios: judeus, socialistas e o consumismo dos Estados Unidos. Componentes importantes do fascismo alemão incluem um nacionalismo extremo, a ideia dos arianos como "raça superior" e uma perseguição militarista do império. O líder nazista Adolf Hitler (1889-1945) não enxergava a economia como prioridade, talvez porque as exigências industriais da dominação do mundo significassem abundante trabalho em fábricas, assim como garantido consumo de seus produtos por parte das forças militares (após a apropriação das riquezas das nações conquistadas). O economista libertário, Sheldon Richman, definiu o fascismo como "socialismo com uma máscara capitalista".

Socialismo na prática

O trabalho de Karl Marx e Friedrich Engels culminou com a filosofia política e econômica do socialismo. O socialismo foi adotado por Vladimir Ilitch Lênin (1870-1924), que o implementou em uma forma que se tornaria o socialismo oficial posto em prática pela União Soviética após a Revolução Russa de outubro de 1917. Marx e Engels viam a organização social como o resultado de relações econômicas historicamente determinadas. Para eles, a história do homem moderno era definida pelo conflito entre trabalho e capital, o que necessariamente exigia uma política radical. O paraíso dos trabalhadores que Marx e Engels tinham em mente quando escreveram *O manifesto comunista*, em 1848, provou-se no século XX ser uma utopia. A ascensão de Joseph Stálin (1879-1953) à liderança da União Soviética levou quase 20 milhões de pessoas à morte, um resultado da fome, dos expurgos e das deportações.

> A história de toda a sociedade até o presente é a história da lutas de classes.
>
> Karl Marx e Friedrich Engels, *O manifesto comunista* (1848)

Os cidadãos soviéticos tinham trabalho garantido, mas sua qualidade de vida, em termos de confortos materiais, estava muito longe daquela desfrutada no Ocidente, onde o capitalismo produzia lucros recordes, inaugurando um novo mundo de prosperidade para os americanos e, com o tempo, também para os europeus. Além disso, enquanto os Estados Unidos e grande parte da Europa desfrutavam eleições democráticas, a liderança na União Soviética era imposta às massas. A filiação ao Partido Comunista era restrita a uma minoria privilegiada, e um elaborado Estado Policial mantinha a população em ordem.

O preço do totalitarismo

Com o estabelecimento de regimes totalitários na Rússia e na Alemanha, intelectuais destes países viram-se em perigo. Seu papel passou a ser, muitas vezes, o de simplesmente concordar com um sistema que era ao mesmo tempo moralmente falido e intelectualmente desonesto. Quando os nazistas começaram a perseguir os judeus na Alemanha em 1933, preparando o terreno para os horrores da Segunda Guerra Mundial, tanto os Estados Unidos como a Grã-Bretanha se beneficiaram com a chegada em suas terras de filósofos e cientistas que fugiam na tentativa de salvar suas vidas. Anos depois, os Estados Unidos seriam a primeira nação a desenvolver uma arma nuclear, utilizando a ciência trazida por refugiados alemães, incluindo Albert Einstein (1879-1955). Quando a guerra terminou e os americanos e soviéticos vencedores chegaram à Alemanha para selecionar os melhores cientistas nazistas para trabalharem com eles, os Estados Unidos ficaram com Wernher von Braun (1912-77). Braun era o físico e engenheiro de lançadores que havia criado o mortal foguete de longo alcance V-2, que espalhara morte e destruição por Londres. Mas ele não era somente um projetista de foguetes; era também um membro do Partido Nazista e oficial da Schutzstaffel (SS). Os americanos o pegaram antes que os soviéticos pudessem fazer o mesmo, o que lhes rendeu um conhecimento privilegiado a respeito de mísseis balísticos, permitindo-lhes projetar armas termonucleares com alvos a milhares de quilômetros de distância. Braun foi responsável pela ciência por trás dos foguetes que fizeram dos Estados Unidos a primeira nação a pôr o homem sobre a superfície da Lua.

> Comunidades, menos que indivíduos, tendem a ser guiadas por consciência e um senso de responsabilidade. Quanta infelicidade este fato causa à humanidade! Ele é a fonte de guerras e de todo tipo de opressão, que enchem o planeta de dor, suspiros e amargura.
>
> Albert Einstein, *Como vejo o mundo* (1934)

A filosofia contra o fascismo

Em oposição aos pensadores que projetaram a guerra, quatro exemplos podem ser mencionados, dois dos quais foram alunos de Edmund Husserl, que definiu o núcleo moral da filosofia alemã em crise e demonstrou como ela podia ser desenvolvida. São eles: Edith Stein, Hannah Arendt, Karl Jaspers e Dietrich Bonhoeffer. Bonhoeffer foi um teólogo luterano cujo livro póstumo, *Ética* (1955) – grande parte do qual escrito durante o período nazista –, imagina um mundo no qual a ordem política e social é de natureza cristã. Agindo como agente duplo para a resistência alemã dentro da Abwehr (polícia secreta alemã), Bonhoeffer fez parte de um plano para matar Hitler. Como cristão, ele justificou sua ação reconhecendo sua culpa e se sacrificando em um ato que, embora constituísse um pecado, foi cometido em nome do bem maior. Ele foi preso, encarcerado por dezoito meses e, finalmente, enforcado no campo de concentração de Flossenbürg.

Edith Stein lutou tanto como mulher quanto como judia no sistema universitário alemão. Ela se tornou assistente pessoal de Edmund Husserl e prometia se tornar uma fenomenologista de destaque, mas se converteu ao catolicismo romano e tornou-se freira. Por algum tempo, ela conseguiu evitar a deportação devido ao status de freira; mas pouco depois de ser transferida para um convento nos Países Baixos, a SS a encontrou (assim como à sua irmã, que estava com ela) e a deportou para Auschwitz, onde ela morreu em 1942. Seu trabalho sobre a empatia foi influenciado não somente por Husserl e pela tradição agostiniana, mas também por sua experiência como enfermeira assistente na Primeira Guerra Mundial e pelas mortes nesse conflito de pessoas que ela amava.

> A luta por dominação total de toda a população do mundo, a eliminação de toda realidade não totalitária concorrente, é inerente aos próprios regimes totalitários; se não perseguirem o comando global como objetivo último, é muito provável que eles percam qualquer poder já conquistado.
>
> Hannah Arendt, *As origens do totalitarismo* (1951)

Karl Jaspers é o herói desconhecido da filosofia de meados do século XX – um Mahler para o Wagner de Heidegger. Sua filosofia existencialista era, como aquela de Stein e Bonhoeffer, baseada na comunicação por meio do amor e em movimentos empáticos para com o outro. Ele resistiu com firmeza aos nazistas e protegeu sua esposa judia, ao lado da qual sobreviveu à guerra. Também assumiu a supervisão de Hannah Arendt, ex-aluna e amante de Heidegger. Também no trabalho dela, aparece o tema agostiniano do amor. Depois de fugir da Alemanha, e então da França, Arendt fixou-se em Nova York, onde se tornou a mais eminente filósofa política, trabalhando na tradição fenomenológica segundo as modificações realizadas por Heidegger. Em 1948, Jaspers deixou a Alemanha para assumir um cargo na Basileia, onde permaneceu até a morte.

A ciência em aceleração

A teoria da relatividade de Einstein nos deu um ponto de vista privilegiado, a partir do qual podemos enxergar o progresso do pensamento em nossa época. Ao longo dos dois mil anos em que os homens olharam para o mundo pelos olhos de Aristóteles, Ptolomeu (90-168), Copérnico (1473-1543) e Galileu (1564-1642), o conhecimento foi acumulado por meio de rápidos *insights* que davam aos cientistas algo sobre que pensar por várias centenas de anos. Mas o mundo pós-newtoniano já não era assim. Desde a divisão do átomo, as descobertas da física, da química, da engenharia e de suas subsequentes contribuições à tecnologia ocorreram em ritmo vertiginoso. A crescente especialização das ciências físicas deixou para trás a era de amadores iluministas como Isaac Newton (1642–1727); somente especialistas podem acompanhar o ritmo e os detalhes do avanço de uma área como a física de partículas ou a astrofísica. O perigo desta abordagem extremamente precisa, que evidencia com clareza problemas científicos individuais, é que o contexto mais amplo pode sair de foco. Corremos o risco de nos perdermos. Ao buscarmos conhecimento e excelência na ciência tendo em vista somente o conhecimento, deixamos para trás o contexto no qual a ciência é realizada – por pessoas, em comunidades. Um dos papéis da filosofia é lembrar a ciência desse contexto sociopolítico mais amplo.

É preciso lembrar ainda que o conhecimento é hoje adquirido e financiado por aqueles que se interessam em possuí-lo. Na verdade, foi sempre assim. No início da era científica, os monarcas – e, depois, as democracias – eram os senhores e os beneficiários do conhecimento científico. Hoje, corporações controlam grande parte das descobertas científicas, assim como suas futuras aplicações, gozando de um poder não limitado pelos regulamentos que pertencem ao governo. O poder das corporações é menos visível que o dos governos, e elas pouco podem ser responsabilizadas. A ciência se tornou, como nunca antes, um ato político.

A virada genética

Enquanto os físicos estavam ocupados explodindo o mundo e, ao mesmo tempo, descobrindo como se dera sua existência, biólogos e geneticistas estavam voltando-se para o mundo interno. A física explora o mundo que está além de nós, seja ele diminuto ou enorme. A biologia – particularmente a genética – entra em nossos corpos para descobrir como eles funcionam. E com a genética temos a possibilidade de alterar o que acontece dentro de nossos corpos ao manipularmos o DNA, que reúne os blocos de construção de toda a vida. Charles Darwin (1809-82) inaugurou uma tendência que teria um impacto sobre a humanidade comparável ao da obra de Karl Marx.

> Se a humanidade evoluiu de acordo com a seleção natural de Darwin, foi um acaso genético e uma necessidade ambiental que criaram as espécies, e não Deus. A divindade ainda pode ser buscada na origem das unidades últimas da matéria, em quarks e cascas de elétrons (Hans Kung estava certo ao perguntar aos ateístas por que há algo em vez de nada), mas não na origem das espécies. Por mais que embelezemos esta simples conclusão com metáforas e imaginação, ela continua sendo o legado filosófico do último século de pesquisa científica.
>
> E. O. Wilson, *Da natureza humana*, (1978)

A teoria de Darwin da seleção natural – que, popularmente, significa que os humanos descenderam dos macacos – continua a insuflar debates e a evidenciar a distância que existe entre conhecimento e crença mítica. Essa disjunção gerou um clima anti-intelectual no final do século XX que faz o progresso desde a Inquisição parecer duvidoso.

Enquanto isso, a ciência segue em frente em ritmo extraordinário. O trabalho que começou com a catalogação empreendida por Aristóteles de plantas e animais de acordo com gêneros e espécies foi levada adiante com a publicação de *Sobre a origem das espécies através da seleção natural* (1859), de Darwin, e com o trabalho de Gregor Mendel (1822-84) e outros geneticistas, o que levou à descoberta do mecanismo de características hereditárias. A explosão de pesquisas estimulada por essas descobertas – nos campos da biologia, química e genética (e combinações dessas áreas) – conduziu ao isolamento do DNA como conjunto de blocos constituintes da vida e, finalmente, ao trabalho do Projeto Genoma Humano (1990-2003), que mapeou os genes que compõem o genoma humano.

A viagem interior

Enquanto ideologias políticas, física pós-newtoniana, biologia e genética lidam com o mundo físico, seja dentro de nós mesmos ou tão longe quanto as estrelas, a psicologia – última importante vertente do pensamento moderno – está preocupada com nossa existência interior, nossos pensamentos, e emoções e comportamento. A história do pensamento moderno, no que diz respeito a metafísica, ética, estética (e, por vezes, até lógica), é marcada por diversas tentativas de entender a psicologia humana. Filósofos têm ficado fascinados e confusos com a parte de nós que não podemos enxergar, seja ela chamada de mente, alma, psique ou Eu.

A tradição filosófica idealista envolve psicologia em cada pensamento, uma vez que a mente exerce um papel na constituição do mundo para além do sujeito; ela é igualmente importante para o empirismo, que considera a mente um recipiente para as impressões do sentido. A contribuição mais vigorosa para a psicologia no século XX foi a elaboração feita por Sigmund Freud (1856-1939) do papel do inconsciente no comportamento humano. Freud criou um mapa – uma descrição topográfica – da mente humana que comporta três partes: id, ego e superego. Essa classificação dos "assentos" correspondentes aos diversos comportamentos humanos foi instrumental em seu desenvolvimento da psicanálise, um tipo de tratamento para a neurose e outras doenças por meio do qual o paciente relata seus pensamentos ao terapeuta em uma viagem de descobrimento, revelando os mecanismos escondidos da repressão em um esforço de autoconhecimento.

> Evidentemente, cada um deve responsabilizar a si mesmo pelos maus impulsos de seus sonhos. De que outra maneira pode-se lidar com eles? A não ser que o conteúdo do sonho corretamente entendido seja inspirado por espíritos extraterrestres, ele é parte do meu próprio ser.
>
> Sigmund Freud, *A interpretação dos sonhos* (edição de 1925)

Qualquer que seja a base científica da psicanálise, ela contribuiu tanto quanto o marxismo para insuflar a investigação filosófica, sobretudo na França. A psicanálise e o marxismo foram o motor de grande parte da filosofia e do pensamento filosófico nos séculos XX e XXI, porque, ao mesmo tempo em que ambos abrangem um conteúdo técnico, podem ser apreendidos com relativa facilidade por uma ampla gama de leitores, e os filósofos os usaram como ferramentas para contextualizar e responder a questões filosóficas. O freudianismo e o marxismo foram, ainda, forças vitais no desenvolvimento de teorias críticas e de desconstrução, ambos oferecendo coerência teórica para a explicação de textos, tanto literários quanto artísticos ou políticos.

Por outro lado, a biologia, a genética e a física exigem uma prática rigorosa e disciplinada que normalmente insere estudantes em carreiras de caminho estritamente técnico: é um simples fato econômico. (Sua natureza altamente técnica garante ainda uma audiência restrita.) No entanto, o trabalho desses cientistas é extremamente relevante para os filósofos, uma vez que gera questões que a filosofia está singularmente preparada para formular e responder. A pergunta mais importante que a psicologia levanta aos filósofos é fundamental e tem estado conosco desde tempos imemoriais: seria a mente um mero amontoado de nervos e vasos carregados com eletricidade e regidos por substâncias químicas complexas? Ou seria algo mais, o mistério final, a invisível, indivisível, indefinível essência da humanidade?

Os primeiros filósofos batalharam com o conflito conhecimento *versus* fé. Hoje, filosofia e ciência compreendem dois incontestáveis fatos sobre nosso mundo: (1) em vez de terem sido criados por Deus em seis dias, os humanos são descendentes de outros mamíferos; e (2) o universo tem 13,75 bilhões de anos de idade, e não 6 mil. Conhecemos o primeiro desses fatos por conta de registros fósseis e o segundo, porque um satélite mediu flutuações na radiação cósmica de fundo em micro-ondas – calor remanescente do Big Bang. Estes são avanços extraordinários. Tanto Copérnico quanto Darwin sofreram censuras por parte da Igreja em razão de suas descobertas. Ambos, no entanto, eram cristãos e não consideravam seu conhecimento recém-adquirido uma ameaça à sua fé; ele informava sua fé. Hoje, os principais expoentes da teoria evolucionária e da teoria do Big Bang – E. O. Wilson (1929-) e Stephen Hawking (1942-) – são ateus. A fé religiosa é possível em uma era do conhecimento? Em um texto escrito em 1931, Albert Einstein, ecoando a visão de Sócrates de que a filosofia nasce do questionamento, mencionou o mistério ao mesmo tempo como o objetivo da filosofia da ciência e como a mais bela experiência disponível à humanidade.

> A mais bela experiência que podemos ter é o misterioso. É a emoção fundamental que repousa no berço da verdadeira arte e da verdadeira ciência. Qualquer um que não o saiba e que já não seja capaz de questionar, ou de se maravilhar, é como se já estivesse morto, e seus olhos estão esmaecidos. Foi a experiência do mistério – mesmo se misturada ao medo – que deu origem à religião. Um conhecimento da existência de algo em que não podemos penetrar, nossas percepções da mais profunda razão e da mais radiante beleza, que somente em suas formas mais primitivas são acessíveis às nossas mentes: são esse conhecimento e essa emoção que constituem a verdadeira religiosidade. Neste sentido, e somente nele, eu sou um homem profundamente religioso... Estou satisfeito com o mistério da eternidade da vida e com um conhecimento, um sentido, da maravilhosa estrutura da existência – assim como a humilde tentativa de entender ao menos uma porção minúscula da Razão que se manifesta na natureza.
>
> Albert Einstein, *Como vejo o mundo* (1934)

Assim como Copérnico colocou o sol como centro do sistema solar, Kant coloca o homem como cenário da possibilidade de conhecer o mundo, ou seja, não é mais o objeto que determina o que é conhecido, mas as capacidades cognitivas humanas de conhecer tal objeto

Será que é possível a metafísica como ciência? ciência x filosofia

É preciso fazer que a filosofia resolva problemas objetivos como a ciência

As ciências avançam a partir de proposições sintéticas a priori, então a filosofia deve fazer o mesmo. Mas quais as condições de possibilidade p/ este conhecimento?

→ A Filosofia pode explicar como funciona o entendimento?

como se houvesse uma verdade a ser acessada

+ Razão (metafísica: Deus, Alma, Liberdade) como representarão de coisas numéricas, inacessível em si mesmas

1

Immanuel Kant

22 de abril de 1724 – 12 de fevereiro de 1804

Filósofo alemão que é a figura central no pensamento moderno; sua filosofia crítica sintetizou fé religiosa e autonomia humana, e influenciou todas as áreas da investigação filosófica, da matemática à estética.

Durante o ano de 1927-8, em que atuou como professor, o matemático e filósofo inglês Alfred North Whithead (1861-1947) deu a prestigiosa palestra *Process and Reality* [Processo e Realidade], durante as Gifford Lectures, na Universidade de Edimburgo. Nessa palestra, ele fez uma declaração que se tornou famosa: "A caracterização mais geral da tradição filosófica europeia é que ela consiste em uma série de notas de rodapé referentes à obra de Platão". Uma caracterização mais precisa da filosofia europeia *moderna* poderia ser que ela consiste em uma série de notas de rodapé referentes à obra de Kant. Não há sequer uma área da filosofia moderna – de lógica matemática à fenomenologia – que Kant não explore. Todos os que seguem seus passos precisam, em algum ponto de suas carreiras, definir-se como favoráveis ou contrários a posições kantianas. O pensamento moderno começa com Kant. Se Platão introduziu os temas eternos do questionamento filosófico e Aristóteles (384-322 a.C.) concebeu o primeiro sistema filosófico, Kant construiu o mais abrangente e detalhado sistema de filosofia desde a revolução científica. Seu trabalho coloca perguntas que continuam fixas na imaginação dos filósofos de hoje. Sua influência é sentida em todas as áreas da filosofia e transborda para outras disciplinas tão diversas quanto o direito e a astronomia.

O amadurecimento do homem

Em 1784, Kant abordou a questão de Deus e o pós-Iluminismo em seu ensaio "Resposta à pergunta: o que é o Iluminismo?" Nele, Kant questionou: qual é o papel atual da autoridade da Igreja e do Estado em relação à liberdade individual? Que papel as autoridades religiosas e seculares deveriam exercer nas vidas dos cidadãos? Em sua resposta, Kant traçou um resumo sucinto de sua filosofia altamente complexa e sistemática, preocupada acima de tudo com a questão da liberdade humana: "O Iluminismo é a emergência do homem de sua imaturidade autoimposta. Imaturidade é a incapacidade do indivíduo de usar a compreensão sem orientação alheia. Esta imaturidade é autoimposta quando sua causa reside não na ausência de compreensão, mas na falta de determinação e coragem para usá-la sem a orientação de um outro." Ele seguiu resumindo toda a sua filosofia do conhecimento e da liberdade: "A preguiça e a covardia são as razões pelas quais uma proporção tão extensa dos homens, mesmo quando a natureza já os emancipou há muito de orientação externa, permanece alegremente imatura durante toda a vida. Pelos mesmos motivos, é sempre muito fácil para outros colocarem-se como seus guardiões."

Conhecimento e liberdade

Na concepção de Kant, os problemas do conhecimento e da liberdade andam de mãos dadas. Além disso, ambos levantaram as questões filosóficas mais profundas para ele: se, por meio do conhecimento, descobrirmos regras ou leis que regem o mundo natural, como o homem pode ser livre? As ações do homem não são governadas pelas regras de causa e efeito? Elas podem até mesmo ser predeterminadas? Trabalhando com essas questões, Kant publicou seus três principais tratados: *Crítica da razão pura* (1781; fez revisões importantes para a segunda edição de 1787), *Crítica da razão prática* (1788) e *Crítica da faculdade de julgar* (1790).

Em sua *Crítica da razão pura*, Kant tenta fornecer uma base para as leis da ciência, ao mesmo tempo em que estabelece o sujeito humano como um agente racional caracterizado pelo livre-arbítrio. Na *Crítica da razão prática*, ele argumenta que o livre-arbítrio do homem, embora possa ser teoricamente comprovado, somente resulta, *de fato*, da nossa consciência desse livre-arbítrio emanando de dentro de nós. É a nossa consciência que nos liga à lei moral, e nosso conhecimento da lei moral não é imposto a partir do exterior por Deus ou qualquer outro agente. Na *crítica da faculdade de julgar*, Kant está preocupado com juízos estéticos e questões teleológicas, como: "Qual o propósito de sistemas ou organismos naturais?" Com isso, ele deixa a porta aberta para o questionamento ético e teológico. Por exemplo, que papel Deus exerce no mundo?

Qualquer um desses três tratados seria considerado a conquista de toda uma vida para um filósofo, mas Kant publicou muitos outros livros, desde os primeiros tratados sobre ciências naturais (sobretudo astronomia) até trabalhos sobre filosofia da história e estética.

A "virada copernicana" de Kant

Kant nasceu em circunstâncias modestas em Königsberg, na Prússia Oriental, mas teve uma educação muito boa antes de entrar na universidade, aos 16 anos. A essa altura, Kant havia absorvido os principais textos da filosofia grega, assim como, por diversão, da história do latim e da poesia. Sua educação foi rigorosamente pietista,* e, embora o ele-

* Movimento reformista dentro da Igreja luterana, o pietismo enfatizava a devoção religiosa individual. Em seu livro sobre Kant, o filósofo inglês Roger Scruton (1944-) argumentou que "a visão do pietismo da soberania da consciência exerceu influência duradoura no pensamento moral de Kant".

mento principal de seu legado filosófico tenha sido colocar o homem no centro do nosso mundo, ele mantinha um lugar para Deus no mundo do homem.

A contribuição de Kant para o pensamento ocidental foi o equivalente filosófico da demonstração feita por Nicolau Copérnico de que o Sol, e não a Terra, é o centro do nosso sistema solar. A afirmação kantiana de que o homem foi o criador de seu mundo era tão chocante para seus contemporâneos quanto a teoria heliocêntrica havia sido para os de Copérnico, e é muitas vezes chamada de sua "virada copernicana". Na *Crítica da razão pura*, Kant alegou que espaço, tempo e relações causais não têm existência se apartados das nossas mentes, que os percebem.

A insistência de Kant no papel exercido pelo homem na construção do seu próprio mundo e na autonomia em vez das consolações da religião pode ser uma resposta às mortes precoces de sua mãe (quando ele tinha 13 anos) e de seu pai (quando tinha 22). A mãe de Kant, Regina, havia encorajado sua curiosidade, explorando o mundo em longas caminhadas ao seu lado e explicando as coisas tão bem quanto podia. Kant contou ao seu aluno e amigo Reinhold Bernhard Jachmann (1767-1843): "Nunca me esquecerei da minha mãe, pois foi ela quem implantou e nutriu em mim o primeiro embrião da bondade; ela abriu meu coração para as impressões da natureza; despertou e expandiu minhas ideias, e suas doutrinas tiveram uma influência contínua e benéfica na minha vida." Talvez a crença de Kant no homem como criador do seu mundo e seu sentido de autonomia tenham estimulado nele a qualidade de persistência. Ele modificou e atualizou seu pensamento constantemente, de modo que cada uma das três *Críticas* é um desenvolvimento mais à frente do seu pensamento.

Depois de se formar na Universidade de Königsberg, onde estudou filosofia e física, Kant trabalhou como tutor particular. Ele só obteve um posto de professor na universidade aos 31 anos de idade e então ministrou uma gama e um número surpreendentes de cursos, incluindo mineralogia, antropologia, filosofia moral, direito natural, geografia, teologia natural, lógica, pedagogia, matemática, física e metafísica. Ele só fez isso porque estava em circunstâncias desconfortáveis e precisava do dinheiro: segundo o sistema que vigorava então, os professores universitários eram pagos de acordo com o número de alunos que se inscreviam em suas aulas. Ele só foi nomeado para um cargo de professor (em lógica e matemática) em 1770, quando tinha 41 anos de idade.

Guerra e pobreza

No início dos anos 1760, durante a Guerra dos Sete Anos, Königsberg estava ocupada pela Rússia. Economicamente, a vida era difícil, e, para conseguir pagar as contas, Kant assumiu um segundo emprego: tornou-se sub-bibliotecário da coleção de história natural na Biblioteca Real. Ele também passou a ter inquilinos e foi forçado a vender livros de sua biblioteca. Mas, à medida que o mundo se transformava à sua volta, Kant permanecia um homem de hábitos e confiança. Sua rotina de caminhadas diárias, segundo o poeta Heinrich Heine (1797-1856), era tão confiável que os moradores de Königsberg acertavam seus relógios por ela.

O ego transcendental

Mesmo que Kant tenha incluído na segunda edição de *Crítica da razão pura* (1787) um capítulo intitulado "A refutação do idealismo", a ideia central da sua filosofia continua sendo a doutrina do idealismo transcendental. Por isso, Kant não se refere ao idealismo no sentido dado por George Berkeley (1685-1753), que não acreditava na existência da matéria – a teoria de Berkeley recebeu uma crítica famosa de Samuel Johnson (1709-84), que chutou uma pedra e exclamou: "Refuto-a, portanto!" Kant tampouco segue o conceito de idealismo problemático de René Descartes (1596-1650), que alega que a única existência que podemos provar por experiência imediata é a nossa própria.

Kant argumenta que o ego transcendental (sua ideia de eu humano) impõe categorias sobre as impressões do sentido e, assim, constrói conhecimento acerca deles. Ele resumiu essa concepção em seu último trabalho, *Opus postumum* (1804), ao dizer que o próprio homem "cria os elementos de conhecimento do mundo, *a priori*, a partir dos quais – na condição, ao mesmo tempo, de habitante do mundo – ele constrói uma visão de mundo na ideia". O que isso significa, em essência, é que os elementos do conhecimento, as categorias pelas quais entendemos o mundo, existem *a priori*, ou seja, sem referência à experiência. O conhecimento *a priori* está *em* nós, como um dado. Então, Kant afirma na *Crítica da razão pura*: "É perfeitamente justificável dizermos que somente aquilo que está em nós pode ser imediata e diretamente percebido e que somente minha própria existência pode ser objeto de uma mera percepção".

Como consequência disso, "a existência de um objeto real fora de mim nunca pode ser dada direta e imediatamente à percepção, mas pode apenas ser acrescentada em pensamento à percepção, o que constitui uma alteração do sentido interno, inferido, portanto, como sua causa externa". Kant afirma que jamais percebemos realmente coisas externas, mas apenas inferimos sua existência, embora objetos externos sejam a causa aproximada da inferência de sua existência. Portanto, o idealismo transcendental de Kant difere daquele formulado por Berkeley ou por Descartes. Também não é um absurdo, Kant adverte seus críticos, uma visão de mundo contestadora. "Não se deve supor", escreve ele na *Crítica da razão pura*, "que um idealista é alguém que nega a existência externa de objetos dos sentidos; tudo que ele faz é negar que eles são conhecidos por percepção imediata e direta".

Imperativo categórico

A preocupação de Kant com questões de conhecimento e liberdade o levou naturalmente à ética e à pergunta final: "O que é a coisa certa a fazer?" Kant rejeitava a ética utilitarista de Jeremy Bentham e John Stuart Mill, que sustenta que as boas ações são aquelas que levam à maior quantidade de felicidade (o "cálculo hedonista" de Bentham) para o maior número de pessoas. Em *A metafísica dos costumes* (1785), Kant contestou o utilitarismo ao propor que, se permitirmos que nosso comportamento seja regido por motivos utilitaristas, poderemos valorizar outras pessoas sob a luz do "bem" para o qual elas podem ser usadas – tratando-as, portanto, como meios para um fim, e não como fins em si. Ele também refutou a doutrina do absolutismo moral, que sustenta a existência de normas absolutas de conduta que resultam em comportamentos "certos" e "errados", qualquer que seja o contexto. A resposta de Kant ao utilitarismo e ao absolutismo moral foi o desenvolvimento do imperativo categórico, uma regra segundo a qual o homem deveria agir eticamente: "Aja somente conforme aquela máxima que, ao mesmo tempo, você possa desejar que se torne uma lei universal". O imperativo categórico é bem ilustrado pela famosa distinção ética "é /deveria ser". Para Kant, nosso comportamento ético ("deveria ser") não necessariamente deveria resultar de um estado particular de coisas ("é"). Nosso sentido de dever ético jamais deveria incluir o que nos é impossível fazer; neste sentido, "deveria ser" implica "pode ser". A ética deontológica de Kant é um caso de "poder fazer": se eu *deveria* fazer isso e aquilo, então me é logicamente possível fazê-lo; e, deste modo, eu *posso* fazê-lo.

Kant como cientista

Se Kant nunca houvesse escrito seus três grandes tratados nem nenhum de seus outros trabalhos importantes, como os *Prolegômenos a toda metafísica futura* (1783), os *Primeiros princípios metafísicos da ciência natural* (1786) ou *A metafísica dos costumes* (1797), ele teria encontrado um lugar na história da ciência pelo desenvolvimento da teoria Kant-Laplace, que descreve a formação do universo. Somente se menciona isso para mostrar que a influência de Kant é sentida em *todos* os campos do pensamento moderno. Em *Ideia de uma história universal de um ponto de vista cosmopolita* (1784), ele teorizou que nosso sistema solar foi formado como resultado de uma nebulosa rotativa, cuja força gravitacional a comprimiu em um disco giratório, lançando para fora o Sol e os planetas. A teoria de Kant foi amplamente ignorada ao longo de sua vida. Até que em 1796 o astrônomo e matemático francês Pierre-Simon Laplace (1749-1827) desenvolveu uma teoria similar, de forma independente do trabalho de Kant. Mais tarde, cientistas notaram o precedente de Kant e chamaram a teoria de "hipótese Kant-Laplace". É a base para a hipótese de nebulosa geralmente aceita pelos cientistas como explicação para a formação do sistema solar. Na *Crítica da Razão Prática*, Kant disse: "Duas coisas preenchem a mente com admiração e espanto sempre novos, quanto mais frequente e firmemente refletimos sobre elas: os céus estrelados sobre mim e a lei moral dentro de mim". Estas palavras estão esculpidas em sua lápide.

O legado de Kant

Kant representa o ponto culminante, a perfeição do Iluminismo. Em Kant, todos os traços do pensamento medieval religioso são postos de lado, e o homem é trazido para a dianteira de sua própria situação. Sua liberdade se estende como a partir de sua percepção de si mesmo como um agente autônomo; e desta compreensão flui seu papel como ator político e ser ético. Com sua teoria do idealismo transcendental, Kant demonstrou como o homem *cria* seu mundo; como conhecimento e experiência não existem separados dele, mas sim por causa e por meio dele. Sua importância e influência não têm como ser superestimadas.

> A experiência é sem dúvida o primeiro produto que nosso entendimento traz adiante... No entanto, está longe de ser o único campo ao qual nosso entendimento pode ser restringido. Ela nos diz, para ter certeza, o que é, mas nunca que é preciso ser assim, e não de outra maneira. Justamente por esta razão, ela não nos dá qualquer universalidade verdadeira, e a razão – que é tão desejosa desse tipo de cognições – é mais estimulada do que satisfeita por ela. Agora, tais cognições universais, que ao mesmo tempo têm o caráter de necessidade interna, precisam estar claras e seguras por conta própria, independentemente da experiência, motivo pelo qual são chamadas de cognições *a priori*: considerando que aquilo que é meramente tomado de empréstimo da experiência é, como colocado, processado pela cognição somente *a posteriori*, ou empiricamente.
>
> Immanuel Kant, *Crítica da razão pura* (1781/1787)

A filosofia antiga adotou um ponto de vista totalmente inadequado do ser humano no mundo, pois transformou-o em uma máquina, que – como tal – era completamente dependente do mundo ou de coisas e circunstâncias externas; ela fez do homem, assim, nada mais que uma parte meramente passiva do mundo. Agora a crítica da razão apareceu e determinou para o homem um lugar totalmente ativo no mundo. O próprio ser humano é o criador original de todos os seus conceitos e representações, e deve ser o autor único de todas as suas ações.

Immanuel Kant, *O conflito das faculdades* (1798)

2

John Stuart Mill

20 de maio de 1806 – 8 de maio de 1873

Filósofo britânico que definiu a aplicação de princípios utilitaristas do empirismo britânico do século XIX em questões políticas, econômicas e sociais.

John Stuart Mill foi um defensor do utilitarismo, a doutrina desenvolvida por Jeremy Bentham (1748-1832), que afirmava que o maior bem para o maior número de pessoas deveria ser a força orientadora na ética e no governo. O utilitarismo de Mill diferia do de Bentham, que focava na *quantidade* de prazer como medida de justiça social; Mill, por outro lado, enfatizava a qualidade de felicidade como um índice melhor. (Sua posição veio a ser conhecida como o "princípio da maior felicidade".) Seu livro *Sistema de lógica* (1843) dominou o período entre Immanuel Kant e Gottlob Frege. Sua lógica formava a base para uma teoria sobre como as leis da ciência são descobertas, uma ideia que foi promovida (mas não reconhecida) por Karl Popper (1902-94). Ele também prefigurou a visão de T. S. Kuhn (1922–96) de que a ciência procede por uma série de revoluções ou rupturas que alteram paradigmas predominantes. As contribuições duradouras de Mill para o discurso político são sua clássica defesa liberal da liberdade individual, em *Sobre a liberdade* (1859), e sua defesa dos direitos das mulheres, em *A sujeição das mulheres* (1869).

Colapso nervoso e recuperação por meio da poesia

Tendo decidido não estudar em Oxbridge, porque se recusara a tomar as ordens sacras (como era então requisitado), Mill foi educado em casa por seu pai, o filósofo escocês James Mill (1773-1836), que era o maior apoiador de Bentham. A educação de Mill foi excepcionalmente rigorosa e bem-sucedida, uma vez que ajudou a formar o mais importante filósofo britânico do período. Mas foi também excessivamente dura, o que fez com que Mill sofresse um colapso nervoso quando tinha vinte anos de idade, um acontecimento que ele descreve em sua *Autobiografia* (1873). Mill se tornaria, anos depois, avô de Bertrand Russell (1872-1970), colocando-o no epicentro de uma dinastia filosófica britânica.

As influências de Mill são diversas e, para um lógico, anormalmente amplas. A poesia de William Wordsworth (1770-1850), com sua ênfase em consciência transcendental, foi um auxílio em sua recuperação do colapso nervoso. De fato, a devoção de Mill a Wordsworth fez dele um filósofo com coração; considerando todo o seu conhecimento em lógica e empirismo, o trabalho de Mill mostra uma profunda simpatia com seu companheiro. Embora Mill e Kant representem tradições filosóficas distintas, a afinidade de Mill com Wordsworth – cujo longo poema *The Prelude* [O Prelúdio] (1789-1850) pode ser considerado uma reflexão sobre o idealismo transcendental de Kant – indica certa predisposição ao *espírito kantiano*.

Mill era também francófilo e passava muito tempo lá (de fato, ele morreu e foi enterrado na França, em Saint-Véran). Ele acompanhou de perto o trabalho do pai do positivismo, Auguste Comte (1798-1857), mas não concordou com suas ideias na medida em que Comte desejava. Em Paris, Mill entrou em contato com as primeiras ideias socialistas de Henri de Saint-Simon (1760-1825). Conheceu ainda o economista político inglês David Ricardo (1772-1823), que era amigo íntimo de seu pai, e observou seu pensamento, que desenvolvia a primeira teoria econômica sistemática, incluindo a teoria do valor-trabalho (que sustenta que os valores das *commodities* são medidos pelo custo de trabalho da sua produção) – uma ideia que influenciou Karl Marx em grande medida.

Mill, por sua vez, fez uma importante contribuição para a economia política com seu livro *Princípios de economia política*, publicado em 1848, o ano das revoluções europeias.

Um sistema de lógica

Subjacente ao seu pensamento popular está um corpus de trabalho mais especializado em lógica, do qual *Sistema de lógica* (1843) é o mais importante. Mill era um empirista radical e acreditava que as verdades da lógica e da matemática – o que ele chamava de "verdades necessárias" – podiam ser derivadas da experiência e do processo psicológico do *associacionismo*.

Associacionismo é uma doutrina epistemológica que afirma que a associação de ideias ou experiências a coisas ou acontecimentos na memória é a responsável por nossa compreensão deles. A psicologia associacionista de Mill, que sustentava seu sistema de lógica, foi herdada de seu pai, principal expoente no século XIX de uma ideia primeiramente desenvolvida por Platão e Aristóteles, e então pelos empiristas britânicos John Locke (1632-1704) e David Hume (1711-76). Mill fazia distinção entre conotação (significado "real") e denotação (função atributiva, que se refere a uma descrição como um livro *bom*, uma bebida *gelada*). Então, Mill separou as preposições entre as verbais/analíticas e as reais/sintéticas, rejeitando qualquer apelo a suposições *a priori*. Para Mill, a matemática podia ser reduzida a generalizações de experiências anteriores.

A política de Mill: liberalismo e radicalismo

O assunto de Mill em *Sobre a liberdade* é "a natureza e os limites do poder que podem ser legitimamente exercidos pela sociedade sobre o indivíduo". Para Mill, cada indivíduo é soberano "sobre si mesmo, sobre seu próprio corpo e sua mente". Ele identificava diversas manifestações de tirania que ameaçavam a liberdade individual, incluindo a tirania dos governantes, a tirania social e a tirania da maioria. Mesmo onde a sociedade se protege da tirania dos governantes, a liberdade individual pode ser ameaçada pela tirania social: "A sociedade pode executar e executa seus próprios mandatos: e se ela emitir mandatos errados no lugar de corretos, ou quaisquer mandatos que sejam a respeito de coisas em que não deveria se intrometer, ela pratica uma tirania social mais formidável que muitas espécies de opressão política". Mill estabeleceu a visão de que indivíduos deveriam ser livres para agir como quisessem, com a condição de não causarem mal aos outros. A pedra angular de seu liberalismo era o conceito de liberdade de expressão, do qual era um defensor apaixonado. Seus pontos de vista foram considerados tão fundamentais pelos autores da Constituição dos Estados Unidos (1789) que eles formam a Primeira Emenda ao documento: "O Congresso não fará lei alguma no sentido de estabelecer religiões ou proibindo seu livre exercício; ou cerceando a liberdade de expressão, ou de imprensa; ou o direito do povo de se reunir pacificamente e de dirigir ao Governo petições para a reparação de seus agravos". Uma consequência da posição de Mill a favor da liberdade de expressão foi sua rejeição à censura.

Enquanto James Mill era um radical político que defendia o sufrágio masculino universal, o filho Mill foi muito mais longe e defendeu – na verdade, criou agitação pelo – sufrágio feminino universal. Mill tinha familiaridade com o trabalho da feminista, e primeira socióloga, Harriet Martineau (1802-76), que, para além de seu próprio trabalho como comentadora de questões políticas e sociais, traduziu os trabalhos de Comte para o inglês. Por muitos anos, Mill desfrutou a amizade de Harriet Taylor (1807-58), com quem se casou depois da morte de seu marido. Taylor e Mill trabalharam juntos para desenvolver as ideais que Mill publicaria em *A sujeição das mulheres*. "No que diz respeito à aptidão das mulheres, não apenas para participar das eleições, mas para elas próprias ocuparem cargos ou exercer profissões", escreveu ele, "esta consideração não é essencial para a pergunta prática em questão: uma vez que qualquer mulher que tem sucesso um uma profissão aberta prova, justamente por este fato, que é qualificada para ele". A habilidade de imaginar e promover as posições das mulheres, negros e pessoas de origens modestas foi desenvolvida em parte por seu cultivo das sensibilidades da poesia, que ele adquiriu ao ler Wordsworth e Samuel Taylor Coleridge (1772-1834).

Mill é único entre os filósofos ingleses que aliava temas do Iluminismo e do Romantismo – uma tendência que impregna seus escritos com uma preocupação pelos outros que é melhor caracterizada pelo termo “decência”. Como membro liberal do parlamento, Mill exemplificou sua visão de que a ação é a articulação natural do pensamento. Neste sentido, influenciou os pragmáticos americanos, incluindo C. S. Peirce, William James e John Dewey. Enquanto sua lógica e sua epistemologia estão carregadas de interesse histórico, as visões políticas de Mill e seu feminismo continuam sendo relevantes atualmente.

> A presença de Mill na política e cultura do século XIX é tão poderosa, seus escritos, tão diversos e detalhados, que pode ser difícil enxergar seus pensamentos como um todo. Há, no entanto, um tema unificador muito forte: seu esforço de uma vida inteira para unir as visões do Iluminismo, em meio às quais ele foi criado, à reação do século XIX a essas ideias, uma reação por vezes romântica, outras vezes histórica e conservadora e muitas vezes, as duas coisas.
>
> John Skorupski, *Why Read Mill Today?* [Por que ler Mill hoje?] (2006)

> Do mesmo modo que é útil a humanidade ser imperfeita, e que, portanto, haja diferentes opiniões, é útil que haja diferentes experiências de vida; que espaço livre seja dado a uma variedade de caráteres, sem prejuízo de outros; e que o valor dos diferentes modos de vida seja provado na prática, por cada um que se sinta apto a testá-los. É desejável, em resumo, que em coisas que em princípio não dizem respeito aos outros, a individualidade se imponha. Onde a regra de conduta não é o caráter do indivíduo, mas as tradições ou costumes de outras pessoas, falta um dos principais ingredientes da felicidade humana – aquele que é predominante no progresso individual e social.
>
> J. S. Mill, *Sobre a liberdade* (1859)

3

Johann Gottlieb Fichte

19 de maio de 1762 – 27 de janeiro de 1814

Desenvolveu o idealismo alemão após Kant e foi muitas vezes mencionado por nacionalistas alemães como um previsor do destino daquele país nos séculos XIX e XX.

Em 1792, Fichte publicou sua primeira obra: *Tentativa de uma crítica de toda revelação.* Ele foi ajudado por Immanuel Kant, cujo apoio – financeiro e de outras formas – ele havia buscado. O trabalho era anônimo e foi publicado pelos editores de Kant, com uma introdução escrita por ele. Em um dos golpes mais bem-sucedidos na história da filosofia, Fichte fez com que a *Tentativa* parecesse de fato uma obra de Kant. Quando este se distanciou ruidosa e publicamente do trabalho de Fichte, isso chamou ainda mais atenção, o que garantiu a fama do último. Ele defendia que a religião revelada é um elemento crítico na educação do homem, referindo-se a Deus, e não ao homem, como o responsável por fixar a ordem moral do mundo. Ele foi associado intimamente a Friedrich Schlegel e aos românticos alemães, que o consideravam uma importante influência. Sobre Fichte, Schlegel anotou em seu "Fragmento Número 216" (1798): "As três maiores tendências da era são a Revolução Francesa, o *Wissenschaftslehre* de Fichte e o *Wilhelm Meister* de Goethe."

Fichte usou o idealismo transcendental de Kant como base para uma filosofia que fazia o sujeito – o Eu – supremo. Mais tarde, ele desenvolveu a ideia kantiana de liberdade e tentou identificar uma unidade do saber – o que ele afirmou ser o fundamento de todas as vertentes da filosofia. Ele é famoso ainda por ter apoiado a Revolução Francesa (1789-99); mas quando Napoleão invadiu a Áustria, Fichte escreveu uma série de ensaios ferozmente nacionalistas que identificam a raça como um componente-chave do ser alemão.

Fichte e Kant

Fichte foi uma criança prodígio nascida em circunstâncias modestas na Saxônia. Ele atraiu o interesse de um clérigo, que se tornou seu benfeitor após descobrir que Fichte era capaz de recitar de memória um sermão inteiro depois de ouvi-lo apenas uma vez. Fichte foi mandado para o famoso internato em Pforta, onde Friedrich Nietzsche (1844-1900) estudaria mais tarde. Apesar de Fichte ter cursado as universidades de Jena e Leipzig, a morte de seu benfeitor deixou-o sem fundos, e ele não se formou. Infeliz, Fichte trabalhou como tutor, ensinando filosofia kantiana, mas dois anos após a publicação de sua *Tentativa*, foi nomeado para o cargo de professor de Filosofia Crítica na Universidade de Jena.

No idealismo transcendental de Kant, existe um mundo fora do sujeito que inclui "coisas em si" (*noumena*), além de coisas segundo elas nos parecem em nossa experiência (*phenomena*). Para Fichte, isso não é verdade. A consciência não é baseada no mundo das coisas fora de si, mas sim na sua própria consciência de si mesma. É desta situação que todo o entendimento se origina. Fichte começou a elaborar seu sistema no livro ambiciosamente intitulado *Fundamentos de toda a ciência do conhecimento* (1794/5, 2ª Ed. 1802). Foi o primeiro de vários trabalhos nos quais ele desenvolveria a noção de *Wissenschaftslehre*, entendida de formas diferentes como sua doutrina da ciência ou teoria do conhecimento, na qual toda a filosofia está baseada em uma subjetividade radical. Fichte tentou sistematizar o idealismo, fazendo todo o conhecimento depender da consciência do que ele chamava de ego absoluto – seu conceito de Deus. Do ego absoluto, emergem nossos egos individuais

– ou históricos – e empíricos. O objetivo da *Wissenschaftslehre* é descobrir o ego individual a partir de sua fonte no ego absoluto.

Nacionalismo alemão

Enquanto Fichte pode ser considerado um filósofo difícil e altamente técnico, ele foi ao mesmo tempo um popularizador de ideias e um orador de sucesso. Prestou muita atenção à Revolução Francesa, que apoiou até Napoleão ocupar a Prússia em 1806. Isso levou à sua série de "Discursos ao povo alemão", que foram extraordinariamente influentes no desenvolvimento de um sentido crescente de identidade nacional alemã. Ao definir um bom alemão, Fichte diz o que um bom alemão não é: um judeu, por exemplo. No seu discurso "Contribuição para Corrigir o Julgamento Público da Revolução Francesa" (1793), Fichte se referiu aos judeus como um "Estado dentro do Estado", um ponto de vista cuja história Hannah Arendt traçou em *As origens do totalitarismo* (1951). Ao descrever os judeus como um "Estado dentro do Estado", Fichte alimentou a ideia de que os judeus não são confiáveis, no melhor dos casos, e de que são desleais, no pior. Disse que as únicas condições que seriam aceitáveis para dar aos judeus direitos civis seriam "cortar fora todas as suas cabeças em uma noite e colocar sobre seus ombros novas cabeças, que não deveriam conter sequer uma ideia judaica".

O sentido de Martin Heidegger de propósito histórico da Alemanha foi influenciado por Fichte. Heidegger acreditava que o povo alemão era especial porque, como os gregos antigos, eles compartilhavam um idioma primordial: o alemão era a base de uma cultura definida por poetas como Johann Christian Friedrich Hölderlin (1770-1843) e filósofos do destino como Friedrich Nietzsche. Em seu "Décimo Terceiro Discurso à Nação Alemã" (1806), Fichte argumentou que as fronteiras naturais dos Estados são linguísticas, e não geográficas: "Aqueles que falam a mesma língua estão ligados uns aos outros por uma infinidade de laços invisíveis pela própria natureza, muito antes do início de qualquer arte humana". A nação, constituída por pessoas ligadas por um idioma comum, tem de ser mantida inteira e pura. "Este todo, se desejar absorver e misturar a si qualquer outro povo de língua e descendência distintas, não pode fazê-lo sem tornar-se confuso." A nação alemã é abençoada, na visão de Fichte, por estar separada das outras por "uma língua comum e um modo de pensar comum", assim como pela geografia ("separada o suficiente dos outros povos – no meio da Europa, como um muro que divide raças não aparentadas"). Raça, língua e cultura são identificadas e reunidas por Fichte como elementos-chave do nacionalismo alemão e exerceriam papel na promoção de um sentido extremo desse nacionalismo após a derrota do país na Primeira Guerra Mundial, promovendo um ponto de união para os nazistas durante sua ascensão ao poder.

Schelling: superando o Eu

Após Fichte, Friedrich Wilhelm Joseph von Schelling (1775-1854) é o filósofo que continua a desenvolver o idealismo kantiano até sua primazia ser desafiada por Hegel. A intenção de Schelling, como descrita em seu *Sistema do idealismo transcendental* (1800), era criar uma filosofia da natureza a partir da qual ele pudesse deduzir um sistema de razão objetivo. Ele acreditava que a natureza era o Eu (mente) no processo de tornar-se. Em seus últimos trabalhos, Schelling desenvolveu uma teologia na qual ideias emanam de Deus, enquanto a busca do homem é definida como em separação de Deus e então retorno a Ele. Estas ideias reaparecem na obra de Arthur Schopenhauer e influenciaram Friedrich Nietzsche. O livro de Schelling *A essência da liberdade humana* (1809) teve enorme impacto sobre Martin Heidegger; o teólogo existencialista, Paul Tillich (1886-1965), foi também profundamente influenciado por Schelling.

Como seu contemporâneo Johann Wolfgang von Goethe (1749-1832), ele era contra toda forma de reducionismo ou tentativas de retratar o e entender o mundo por meios mecânicos ou quantitativos. Em vez disso, a razão é vista como uma determinação infinita do consciente pelo inconsciente. Tudo segue na direção do Absoluto, que é realizado na arte. Com relação a isso, tanto Fichte como Schelling armaram o palco para Hegel.

Nossa tarefa é *descobrir* o primordial e absolutamente incondicionado princípio inicial de todo o conhecimento humano. Ele não pode ser *provado* nem *definido*, se de fato é um princípio primário absoluto. Ele destina-se a expressar aquele Ato que não pode aparecer e não aparece entre os estados empíricos da nossa consciência, mas está na base de toda consciência e, sozinho, torna-a possível. Ao descrever este ato, há menos risco de alguém talvez falhar em pensar o que deveria – a natureza da nossa mente já deu conta disso – do que de pensar o que não deveria. Isso torna necessário *refletir* sobre aquilo pelo que alguém, à primeira vista, poderia tomá-lo e ainda *abstrair* de tudo que não pertence a ele.

Johann Gottlieb Fichte, *A ciência do conhecimento* (1792)

Não há nada mais comum a respeito de palestras de filosofia do que ouvir reclamações sobre sua ininteligibilidade... onde o assunto é *em si mesmo* ininteligível e confuso, a mais alta arte da oratória ainda seria incapaz de torná-lo inteligível.

F. W. J. Schelling, *Sobre o estudo acadêmico da filosofia* (1842)

4

G. W. F. Hegel

27 de agosto de 1770 – 14 de novembro de 1831

O maior criador de sistema na filosofia, cujo trabalho foi o ápice do idealismo alemão e teve grande influência sobre Karl Marx.

Georg Wilhelm Friedrich Hegel foi o último na linha de grandes filósofos idealistas alemães, que incluía Fichte e Schelling. Seu objetivo era criar um sistema para explicar tudo. Por tudo, ele realmente queria dizer *tudo*: de sistemas solares a micróbios, de Deus ao homem. Hegel tentou alcançar um sistema unificado de entendimento no qual a razão substituiria a fé – o derradeiro esforço do Iluminismo. Sua busca era a mesma dos primeiros filósofos, quando eles deixaram de lado a crença mitológica e aplicaram seus poderes de raciocínio ao universo. Mais que qualquer filósofo desde Aristóteles (384-322 a.C.), Hegel enfatizou a importância do raciocínio dialético. Karl Marx alegava ser um hegeliano, embora rejeitasse o idealismo do filósofo. Marx "ficou com Hegel na cabeça" e utilizou seu pensamento para criar uma filosofia materialista que seria desenvolvida em um *materialismo dialético*. Um dos maiores desafios ao encarar Hegel é sua difícil leitura. A prosa dele é densa, os livros são longos. Em *História da filosofia ocidental* (1945), Bertrand Russell, cujo alemão era muito bom, disse sobre Hegel: "Ele é, devo dizer, o mais difícil de entender entre todos os grandes filósofos".

Trabalhos-chave na obra hegeliana são: *Fenomenologia do espírito* (1807), *Ciência da lógica* (1812-17), *Enciclopédia das ciências filosóficas*

(1817) e *Princípios da filosofia do direito* (1820), nos quais ele descreve progressivamente um programa filosófico que começa com uma compreensão da consciência individual e leva a uma descrição de como indivíduos formam grupos e de quais são os deveres e responsabilidades de indivíduos e Estado. Hegel alterou o modo como o homem era entendido em relação a si mesmo, a outros e à história. Mas, por meio de sua influência sobre Marx, Hegel também teve também enorme influência nas práticas políticas dos séculos XIX e XX.

Hegel foi a influência dominante na filosofia britânica até Bertrand Russell e G. E. Moore (1873-58) rejeitarem o idealismo e adotarem o *logicismo* de Gottlob Frege (1848-1925) e o *atomismo lógico* de Ludwig Wittgenstein. Ele foi a força por trás do idealismo britânico – um termo de certo modo enganoso, uma vez que muitos filósofos em universidades britânicas eram seguidores de Hegel de uma forma ou de outra; seria mais correto dizer, portanto, que, durante a segunda metade do século XIX, a filosofia britânica era tão hegeliana quanto empírica. O idealista britânico mais importante era F. H. Bradley (1846-1924), cujo *Aparência e realidade* (1893) foi tema da tese de doutorado do poeta T. S. Eliot (1888-1965) em Harvard.

Historicismo hegeliano

Nascido em uma família burguesa em Stuttgart, Hegel pensava que estava destinado a fazer parte do clero; mas no seminário protestante ligado à Universidade de Tübingen, ele fez dois amigos próximos com quem se voltaria para outros interesses: o poeta Friedrich Hölderlin (1770-1843) e o filósofo Schelling. Todos os três foram seguidores entusiastas da Revolução Francesa (1789-99). Tinham fome de mudança. O caminho para uma nova compreensão, segundo Hölderlin e Schelling, era por meio do estudo da obra de Immanuel Kant e de sua doutrina do idealismo transcendental, o que Hegel inicialmente relutou em fazer.

Os três jovens pensadores eram membros centrais do movimento que veio a ser conhecido como Romantismo alemão. Como todas as "escolas" que contêm boa parcela de grandes talentos em várias disciplinas, a definição torna-se confusa muito rapidamente. Mas, em geral, pode-se notar uma resistência a explicações mecanicistas e racionalistas do mundo, e um foco na importância do sujeito que o apreende (promovido pelo idealismo transcendental de Kant) e, na Alemanha, um orgulho nacionalista do idioma alemão e de seu povo (*das Volk*).

Hegel obteve sua qualificação em teologia e foi trabalhar, entre 1793 e 1796, como o tutor particular de uma família rica em Berna. Durante o período em que residiu na Suíça, Hegel estava preocupado com duas coisas: cristianismo e história. Lá, em 1795, escreveu *A vida de Jesus* e *A positividade da religião cristã*. Após um desentendimento com seu empregador, Hegel se mudou para Frankfurt a fim de assumir outro cargo de tutor. Ficou lá de 1797 a 1801, renovando sua amizade com Hölderlin e escrevendo mais ensaios sobre cristianismo. Hegel foi atraído pela humanidade de Cristo e pelo mistério de sua divindade por meio de Deus, o Pai. Embora viesse depois a se referir a "Espírito" em vez de "Deus", ele atribuiria a "Espírito" um propósito teleológico. Nesses primeiros escritos sobre cristianismo, podem-se encontrar as raízes do historicismo de Hegel, que ele desenvolveria mais completamente em seu trabalho maduro.

A filosofia da história de Hegel

Em seu último ano de vida, em uma série de palestras dadas em 1830/31, Hegel falou sobre a ideia de Deus e do propósito divino guiando a história (essas palestras seriam publicadas após sua morte como *Filosofia da história*). Ele falou de Deus como "não uma mera abstração, mas um princípio vital capaz de realizar a si próprio". Ainda mais longe, Deus determina a história: "Deus governa o mundo; o trabalho real do seu governo – a realização de seu plano – é a História do Mundo". Não existem atos aleatórios ou acidentes para Hegel. Tudo é planejado. "Ante a luz pura dessa Ideia divina – que não é mero Ideal –, o fantasma de um mundo cujos eventos são um encontro incoerente de circunstâncias fortuitas desaparece completamente."

É fácil enxergar como Marx remodelou a filosofia da história de Hegel para adequá-la aos seus propósitos materialistas ao simplesmente substituir "Deus" por "luta de classes". O mais eloquente adversário do historicismo hegeliano no século XX foi Karl Popper, que, em *A sociedade aberta e os seus inimigos* (1945), apontou Hegel como um dos três antepassados do totalitarismo, ao lado de Platão e Marx, porque – diz Popper – Hegel tomou uma visão determinista da história. Pode-se argumentar igualmente que Hegel tinha uma visão otimista da história e acreditava que o progresso real era possível.

O método de Hegel

Em *Fenomenologia do espírito* (*Phänomenologie des Geistes*), Hegel joga com o duplo significado da palavra alemã *Geistes*, que pode significar "espírito" ou "mente" (o livro foi traduzido das duas maneiras em inglês). Essa obra é a primeira parte da tentativa de Hegel de chegar a um relato do conhecimento sistemático e científico. Seu subtítulo – *Ciência da experiência da consciência* – deixa-nos saber que Hegel deseja levar o tema da consciência para além do alcance da metafísica e para dentro do reino da investigação científica.

Em sua fenomenologia da mente, Hegel descarta as epistemologias de pensadores do Iluminismo, de René Descartes (1596-1650) a Kant, por conta do fundacionalismo destes (seu desejo de encontrar uma base firme sobre a qual o conhecimento possa ser compreendido progressivamente). Ao tomar a consciência por si mesma, assim como seus objetos – a consciência sendo consciente de ter objetos –, Hegel descortina um novo caminho para a compreensão do conhecimento. É neste contexto que seu famoso método dialético entra em jogo. A formulação da tríade *tese-antítese-síntese*, frequentemente mencionada em discussões a respeito de Hegel, foi na verdade o trabalho do filósofo alemão e comentador hegeliano Heinrich Moritz Chalybäus (1796-1862). Essa tríade descreve o movimento pelo qual a consciência, conforme estuda a si mesma, desloca-se em frente e progressivamente, em direção a uma nova síntese.

Para Hegel, a dialética é um processo sem fim, o primeiro motor do pensamento. Mas sua caracterização diferia da de Chalybäus, que usava os termos *abstrato-negativo-concreto*. Esta formulação é muito mais que a tese-antítese-síntese, porque permite que todas as teses iniciais sejam falsas. Na medida em que o *abstrato* move-se através do estágio *negativo* da dialética, ele sofre um processo de *mediação*; só então chegamos ao *concreto*, ponto em que todo o exercício recomeça. Hegel chamou o processo que impulsiona este sistema de *supressão*.

A chave para o pensamento de Hegel é sua elaboração da consciência individual tornando-se consciente de si mesma e de seus objetos e de como cada consciência individual torna-se ciente de outros seres conscientes. Ao ser consciente do outro reconhecendo minha consciência, eu me torno um ser social, e isto se transforma no fundamento de todas as relações sociais e a precondição para a liberdade (que pode ser vista como o tema principal do pensamento de Hegel).

Na *Fenomenologia*, Hegel introduz o tema da *dialética mestre/escravo*. Quando duas pessoas se encontram, há uma luta entre suas subjetividades, com uma tentando ganhar ascendência sobre a outra. No fim, a relação mestre/escravo se resolve porque ambas as partes reconhecem sua interdependência. Nesta parábola, que Hegel denomina "Senhorio e Servidão", ele descreve como as subjetividades, confrontando-se entre si, envolvem-se em uma "luta até a morte" pela ascendência sobre a outra. Mas o mestre jamais consegue realmente ganhar ascendência sobre o escravo, do qual ele depende para conseguir serviços, bens etc. Do mesmo modo, o escravo enxerga em certo momento que não é um escravo, porque os frutos de seu trabalho criam o mundo no qual ele e o mestre vivem. Na dialética hegeliana, essas contradições são suprimidas na autoconsciência, que conduz à intersubjetividade e a um mundo compartilhado, que é a base para a organização social.

Para Hegel, a *Fenomenologia* era um prelúdio para *A ciência da lógica* (1812-17). Levando o idealismo transcendental de Kant mais longe, Hegel defendeu na *Fenomenologia* que aquilo que chamamos de realidade é tão influenciado por nossa percepção dela que, em última instância, ela *é* mente. Tudo no mundo pode ser explicado pela ordem subjacente que a consciência faz da realidade. Essa ordem é lógica. A ciência da lógica, para Hegel, é uma tentativa de entender a estrutura subjacente do mundo que criamos.

Filosofia do direito

Em *Princípios da filosofia do Direito* (1820), Hegel combinou sua compreensão da consciência e a lógica que organiza nosso mundo para se dirigir ao negócio prático do direito e da política. O filósofo acreditava que o direito tinha importância primordial na organização de uma sociedade que deseja evitar o despotismo. Só enxergava a liberdade humana sendo realizada por meio da participação como cidadão na vida cívica e social.

Hegel identificava três esferas nas quais o "direito" opera: *direito abstrato*, *moralidade* e *eticidade*. Direito abstrato diz respeito às nossas relações com os outros, e Hegel identifica o princípio básico da "não interferência" para descrever como deveríamos respeitar os direitos dos outros (e o que esperamos em retribuição). Moralidade envolve nosso entendimento da nossa própria subjetividade (ou "particularidade"), tal qual descrito na *Fenomenologia*, como a base sobre a qual podemos reconhecer a subjetividade dos outros e, assim, respeitar seus direitos como se eles *fossem* nós. Hegel descreve três aspectos do problema da moralidade: propósito e responsabilidade; intenção e bem-estar; e "o bem" da consciência. Na terceira esfera, "eticidade", Hegel sintetiza a experiência subjetiva do indivíduo com os grupos progressivamente maiores nos quais ele ou ela existe: a família, a sociedade civil, o Estado. É uma pesquisa particularmente inclusiva sobre como o sujeito individual se relaciona com o resto do mundo.

Hegel teve uma influência enorme no desenvolvimento do idealismo britânico e da filosofia europeia ao longo dos séculos XIX e XX. Friedrich Nietzsche desenvolveu o tema da *moralidade do mestre* e *moralidade do escravo* em *Genealogia da moral* (1887). *Eu e Tu* (1923), de Martin Buber, deve muito à dialética mestre/escravo, assim como Simone de Beauvoir fez uso extensivo dela em *O segundo sexo* (1949), sua pesquisa sobre a posição da mulher na história. Talvez a mais importante elaboração desse tema possa ser encontrada na filosofia e psiquiatria do filósofo alemão Karl Jaspers, que refina o conceito de subjetividades separadas e autoconscientes e sua relação com outras subjetividades por meio do que ele denomina "luta amorosa". Talvez porque Hegel seja tão intimamente associado pelo senso comum à sua apropriação por Marx, ele tenha sofrido o mesmo destino de Marx no mundo pós-marxista e pós-comunista do século XXI. Mas, assim como a análise marxista será revivida por pesquisadores em busca de uma solução para a crise do capitalismo tardio, as ideias de Hegel sobre a consciência podem oferecer um paliativo àqueles insatisfeitos com explicações excessivamente redutoras de quem somos e de como nossas relações sociais são construídas.

> O objetivo, que é o Conhecimento Absoluto, ou o Espírito conhecendo-se como Espírito, encontra seu caminho na lembrança de formas espirituais (*Geister*), na medida em que elas estão em si mesmas e em que cumprem a organização de seu reino espiritual. Sua conservação, vista a partir da sua livre existência, aparecendo na forma de contingência, é a *História*; vista a partir da sua organização intelectualmente compreendida, é a *Ciência* dos modos como o conhecimento aparece. Ambas reunidas, ou História (intelectualmente) compreendida (*begriffen*), formam a lembrança e o Calvário do Espírito Absoluto, a realidade, a verdade, a certeza de seu trono, sem os quais ele era sem vida, solitário e sozinho.
>
> G. W. F. Hegel, *A Fenomenologia do espírito* (1807)

> O fato é que o interesse, seja no conteúdo ou na forma da antiga metafísica, ou em ambos, se perdeu. Tão notável quanto uma pessoa que se tornou indiferente, por exemplo, ao seu direito constitucional, às suas convicções, costumes morais e virtudes, é uma pessoa que perde sua metafísica – quando o espírito comprometido com sua essência pura não mais tem qualquer presença real em sua vida.
>
> G. W. F. Hegel, *A ciência da lógica* (1832)

> Cada caminho que conduz à filosofia depende de determinadas suposições subjacentes a respeito do que deve ser tomado como ponto de

partida. Mas e se não fizéssemos tais suposições? Seriam todas as nossas perguntas, então, devoradas por dúvidas céticas e reduzidas a nada? Hegel... achava que não. Sua resposta – refrescante e revigorante – era que pouco importa onde começamos ou se supomos alguma coisa; nossa jornada filosófica será inevitavelmente um processo prolongado de autoinvestigação no qual o pensamento questiona a si mesmo e sana suas deficiências à medida que progride.

Michael Allen Fox, *The Accessible Hegel* [Hegel acessível] (2005)

5

Auguste Comte

19 de janeiro de 1798 – 5 de setembro de 1857

Pensador francês que deu origem ao positivismo e lançou as bases da sociologia.

Auguste Comte é o criador de uma linha de pensamento que rejeitava a metafísica de Immanuel Kant e Hegel, a favor de uma abordagem que excluía do estudo qualquer coisa que não fosse diretamente observável. Esta abordagem, que ficou conhecida como *positivismo*, levou Comte a desenvolver o que chamou de "A Lei dos Três Estados", que defendia que a jornada intelectual histórica do homem, que termina no positivismo (o terceiro estado), começa com o "Estado Teológico", caracterizado pela crença em deuses, passando pelo intermediário "Estado Metafísico". Comte buscava entender o comportamento social por meio de seu método positivista, tomando emprestada de Charles Darwin uma metáfora evolutiva. Sua contribuição altamente original pavimentou o caminho para a criação da sociologia, por Émile Durkheim, como disciplina acadêmica formal e ainda para sua elaboração, feita por Max Weber, como uma metodologia não empírica, que dava conta da subjetividade na pesquisa sociológica.

Secretário de Saint-Simon

Depois de ser expulso da École Polytechnique, em Paris, por ter participado de um protesto estudantil, e após estudar medicina por um curto período em Montpellier, Comte trabalhou como secretário do socialista Henri de Saint-Simon (1760-1825) de 1817 a 1824. Com Saint-Simon, Comte teve a oportunidade de desenvolver seu próprio pensamento e de publicar artigos não assinados no periódico *L'Organisateur*, de propriedade do patrão. Em 1823, Saint-Simon – que vinha agindo de forma errática havia algum tempo – tentou o suicídio dando seis tiros na cabeça, o que lhe deixou cego pelos seus dois últimos anos de vida. Em 1824, Comte cortou relações com Saint-Simon. Vários dos artigos de Comte haviam sido publicados com o nome do patrão, mas ele chegou ao limite quando Saint-Simon tentou publicar a primeira parte do seu *Curso de filosofia ositiva* (6 vols, 1830-42) com seu próprio nome. (A partir de então, Comte rejeitaria Saint-Simon publicamente.)

A ligação entre os dois era singularmente infeliz, uma vez que o próprio Comte sofria de depressão. Em 1826, ele foi tratado em um asilo dirigido pelo psiquiatra Jean-Étienne Dominique Esquirol (1772-1840), que o diagnosticou com um distúrbio maníaco; ele prescreveu tratamentos com água fria e sangria. Em 1827, Comte abandonou os cuidados de Esquirol e tentou suicídio diversas vezes, mais notavelmente ao saltar da Pont des Arts, em Paris.

Lei dos Três Estados

A Lei dos Três Estados de Comte, descrita em seu *Curso de filosofia positivista*, apresenta uma ideia evolutiva do desenvolvimento intelectual do homem: "A lei é esta: cada uma das nossas principais concepções, cada vertente do nosso conhecimento, passa sucessivamente por três diferentes condições teóricas: a teológica ou fictícia; a metafísica ou abstrata; e a científica ou positiva". O estado teológico é desmembrado em três partes, caracterizadas por *fetichismo*, *politeísmo* e, finalmente, *monoteísmo*. No estado de pensamento metafísico, ou abstrato, o homem tenta explicar os fenômenos por meio de "forças" e "essências". Este pensamento é mais sofisticado, mas não origina resultados precisos, mensuráveis. É somente no estado científico, ou positivo, que nossa compreensão do mundo é obtida por meio da observação. Comte comparou essa evolução do pensamento europeu à do desenvolvimento humano individual: infância (estado teológico), juventude (estado metafísico), idade adulta (estado científico).

A segunda lei de Comte é conhecida como a Lei Enciclopédica ou Epistemológica. Uma vez mais, ela toma uma abordagem evolutiva, agora para descrever a ordem em que se desenvolveram as ciências, cada uma delas lançando uma base para a próxima. A primeira é a matemática, da qual se derivam (em ordem crescente de complexidade) a astronomia, a física, a química, a biologia e, finalmente, a sociologia (o estudo científico da sociedade). Os seis volumes do *Curso* de Comte são isso – um curso inteiro em todos esses temas.

Positivismo e sociologia

Comte via o positivismo como uma maneira de combater a incerteza que reinava após a Revolução Francesa. Tudo havia sido posto em questão: a instituição da Igreja, a fé individual em Deus, a monarquia, o Estado, o papel do povo. A sociologia descobriria as leis por trás da interação social humana. Identificaria como instituições e grupos sociais funcionavam, permitindo aos sociólogos não apenas entender mas também prever o que acontece em sistemas sociais.

O sucesso de Comte fora da França deve-se à tradução e ao resumo dos seis volumes de seu *Curso* feitos pela teórica social inglesa Harriet Martineau (1802-76) em *A filosofia positiva de Auguste Comte* (2 vols, 1853). Martineau foi a primeira socióloga mulher e ativista que utilizou uma abordagem positivista para se opor à escravidão e exigir a emancipação das mulheres. Na Inglaterra, o trabalho de Comte foi defendido por John Stuart Mill, mas somente até certo ponto. Comte buscou continuamente a aprovação de Mill, que pôde segui-lo por conta da tentativa do filósofo de elevar seu positivismo ao status de uma "religião de humanidade".

Comte criou um calendário positivista que dividia o ano em treze meses, que receberam os nomes de grandes homens, como Arquimedes e Dante (1265-1321), assim como os dias da semana, que receberam os nomes de outros homens distintos. (Ele propôs que anos bissextos tivessem um festival para celebrar a vida de mulheres santas.) Adeptos da religião de humanidade de Comte construíram uma Capela de Humanidade na França no final do século XIX, e há três delas no Brasil – de fato, a bandeira brasileira carrega o lema do positivismo de Comte: "Ordem e Progresso". O lema de Comte era *vivre pour altrui*, ou "viva para os outros"; é a fonte da palavra *altruísmo* e um epitáfio apropriado para um pensador cuja influência se estende até o século XXI.

> Estudando, assim, o desenvolvimento total da inteligência humana em suas diferentes esferas de atividade, desde seu princípio mais simples até o nosso tempo, acredito que descobri uma grande lei fundamental, à qual a mente está sujeita por uma necessidade invariável... Esta lei consiste no fato de que cada uma de nossas concepções principais, cada vertente do nosso conhecimento, passa em sucessão por três estados teóricos diferentes: o estado teológico ou fictício, o estado metafísico ou abstrato e o estado científico ou positivo.
>
> Auguste Comte, *Discurso sobre o espírito positivo* (1830)

> Comte defendia que o positivismo e seu principal componente, a sociologia, mudariam profundamente o modo como as pessoas raciocinam. Essa revolução intelectual levaria a um renascimento da ordem moral e, então, a uma transformação política que inauguraria uma nova era de consenso.
>
> Mary Pickering, *Auguste Comte: An Intellectual Biography* [Auguste Comte: uma biografia intelectual] (1993)

6

Henry David Thoreau

12 de julho de 1817 – 6 de maio de 1862

Transcendentalista americano que defendia a desobediência civil e influenciou o ambientalismo.

A influência duradoura do idealismo transcendental de Kant é evidente na obra do filósofo, diarista e ensaísta Henry David Thoreau. Thoreau é melhor conhecido por dois trabalhos: *A desobediência civil* (1849) e *Walden, a vida nos bosques* (1854). Escreveu o primeiro depois de ser preso por ter se negado a pagar um imposto em protesto a Guerra Mexicano-Americana (1846-8). Seu ensaio lançou as bases para a resistência pacífica ao governo baseada na consciência, preparando o terreno para líderes dos direitos humanos no século XX, como Mohandas Gandhi (1869-1948) e Martin Luther King (1929-68). *Walden* é o diário de um experimento de autossuficiência que durou dois anos, durante os quais Thoreau se afastou da sociedade e viveu sozinho perto de Concord, em Massachusetts, em uma floresta de propriedade do seu mentor Ralph WaldoEmerson (1803-82). Em *Walden*, Thoreau reflete sobre o lugar do homem em relação ao Estado, à sociedade, à natureza e a si mesmo.

Transcendentalismo

Thoreau foi um dos principais líderes do movimento transcendentalista americano, que havia surgido como resposta ao intelectualismo da predominante doutrina Unitária, em Harvard (e, de modo mais geral, na sociedade da Nova Inglaterra). Os americanos transcendentalistas resistiam aos ensinamentos da Igreja e defendiam uma intuição individual que levaria a um estado de transcendência espiritual sobre o mundo físico. O transcendentalismo era um movimento antiempirista.

Um dos fundadores do transcendentalismo foi Ralph Waldo Emerson. A filosofia de Thoreau não pode ser entendida se apartada de Emerson, que viajou pelo continente europeu em 1832, antes de procurar alguns dos mais importantes intelectuais britânicos de sua época, incluindo William Wordsworth, Samuel Taylor Coleridge, John Stuart Mill e o satirista e ensaísta escocês Thomas Carlyle. Wordsworth, em particular, havia sido impregnado pelo idealismo transcendental de Kant, e seu longo poema *The Prelude* [O Prelúdio] demonstrava ideias kantianas sobre como o sujeito constitui o mundo. Embora Emerson e os transcendentalistas americanos rejeitassem o empirismo de Mill, eles aderiram à sua teoria de justiça, com sua ênfase na resistência individual ao controle do Estado, assim como suas posições contrárias à escravidão e a favor da emancipação feminina. Carlyle introduziu Emerson à obra de Johann Wolfgang von Goethe e o encorajou a perseguir ideais transcendentalistas em uma época de racionalismo e ceticismo crescentes. Revigorado por sua jornada europeia, Emerson voltou aos Estados Unidos, onde exerceria papel importante como agente literário de Carlyle.

O trabalho de Emerson não é sistemático, em vez disso, foca assuntos recorrentes que caracterizam a tradição americana, com atenção especial para os temas do individualismo e da liberdade. Como transcendentalista, Emerson tem como tema a relação do homem e da sua alma com o mundo natural – um tema que viria a ser explorado por Thoreau. A obra mais conhecida de Emerson é o ensaio *Self-Reliance* [Autossuficiência] (1841), no qual ele pressagia o experimento de Thoreau em *Walden*:

> Existe um momento na aprendizagem de todo homem – quando ele atinge a convicção de que inveja é ignorância, que imitação é suicídio – que ele precisa considerar a si mesmo, tanto para melhor quanto para pior, de acordo com o seu destino; que embora o vasto universo esteja

repleto de coisas boas, nenhuma semente nutritiva de milho pode chegar a ele senão pelo trabalho que ele emprega no pedaço de terra que lhe é dado para lavrar.

Na época em que Emerson escrevia, os Estados Unidos estavam em sua infância; de muitas maneiras, ainda eram dependentes da Europa no que dizia respeito à cultura. Emerson, e depois Thoreau, começaram a inverter essa tendência. O exemplo mais convincente é a influência que Emerson exerceu sobre Friedrich Nietzsche (1844-1900). Aqui nos deparamos com um filósofo nascido e criado nos Estados Unidos, influenciando um pensador do Velho Mundo que conquistaria lugar no primeiro time do pensamento alemão e cujo trabalho continua sendo amplamente lido. Os diários de Nietzsche lembram sua admiração por Emerson e contêm passagens dos ensaios *History* [História] e *Self-Reliance* [Autossuficiência], que ele copiou de traduções alemães. Estudiosos descobriram recentemente mais de uma centena de referências diretas a Emerson nos cadernos do filósofo, e a influência em seu livro, *A gaia ciência* (1882), foi significativa. Com Emerson, os Estados Unidos já não eram meros importadores de cultura europeia; agora, eram também exportadores. O trabalho de Emerson é um marco significativo no amadurecimento intelectual da América.

Walden e metodologia

Após se formar em Harvard, em 1837, Thoreau trabalhou sem sucesso como professor escolar por vários anos, até ser empregado por Emerson como tutor de seus filhos. Ele assumiu também as funções de editor, jardineiro e empregado polivalente de Emerson; Thoreau enxergava o trabalho físico ou intelectual bem feito para si mesmo ou devidamente recompensado pelo empregador como uma atividade transcendental. Prefigurou a teoria da alienação de Marx, segundo a qual o trabalho perde seu valor em si para o sujeito e se torna uma atividade forçada que precisa ser praticada para atender a necessidades materiais. Com efeito, a necessidade é um tema central de Walden.

O experimento de Thoreau de uma vida simples em uma floresta próxima às margens do lago Walden começou em 4 de julho de 1845 e durou dois anos e dois meses. Seu método é reduzir-se à posição de um sujeito desprovido de confortos materiais que precisa recriar seu lugar na natureza. Nesta condição, Thoreau redescobre as necessidades básicas do homem: abrigo, comida e sociedade. Ele se põe a fazer essas coisas para si próprio, construindo uma casa pequena e colhendo sua própria comida. Na maior parte do tempo, vive sozinho, mas se permite alguma companhia e relações sociais. Ao relatar seus pensamentos e ações, Thoreau identifica e elabora temas que se tornariam centrais para a filosofia do século XX, como o papel do sujeito na observação científica e a natureza da interação do homem com o meio ambiente. Ele prefigurou o interesse do Ocidente de finais do século XX na filosofia indiana com suas leituras do *Bhagavad-Gita* (100 a.C.) e do *Código de Manu* (500 a.C.), cujas influências podem ser identificadas no *Walden*.

Os métodos de Thoreau para explorar a necessidade no *Walden* são singulares. Se as *Meditações sobre Filosofia Primeira* (1641), de Descartes (1596-1650), foram uma redução mental, que despiu o conhecimento até restringi-lo ao *cogito ergo sum* ("Penso, logo existo"), *Walden* é uma redução mental *e* física, na qual Thoreau inicia por um estado selvagem e restaura progressivamente as necessidades humanas. Esta análise o conduz a um ceticismo profundo quanto a habilidade do Estado em atender, ou até mesmo em acomodar, tais necessidades essenciais; de fato, o Estado pode acabar provando-se hostil a elas. As reflexões de Thoreau sobre o papel do indivíduo em relação ao Estado são um exemplo de como sua filosofia ao mesmo tempo se volta para o futuro e restaura uma conexão com o passado: particularmente com os trabalhos de Platão, em especial *A República* (380 a.C.). Há uma satisfação singular em ler Thoreau por conta do modo como seus livros podem ser vistos como uma obra que flui do passado em direção a um futuro que se tornou nosso próprio presente. O ambientalismo deve muito não somente ao trabalho filosófico de Thoreau, mas também às suas observações científicas como naturalista, sobretudo no que diz respeito à dispersão de sementes e regeneração florestal (um interesse especial seu depois que ele iniciou acidentalmente um incêndio florestal que consumiu trezentos acres de mata).

Desobediência civil

Em 1848, Thoreau apresentou uma série de palestras intitulada "Os direitos e deveres do indivíduo em relação ao governo", cujas ideias centrais apareceriam em seu ensaio "Resistência ao governo civil" (que teve o título alterado para "A desobediência civil" em 1849). *A desobediência civil* é uma defesa clássica da consciência que descreve resumidamente a visão de Thoreau de que uma fronteira precisa ser estabelecida entre o dever do indivíduo e as demandas do Estado. Ele considerava a guerra dos Estados Unidos contra o México uma tentativa de expandir a escravidão, um ponto de vista que era partilhado com o ex-presidente americano John Quincy Adams (1767-1848). Como consequência, Thoreau recusou-se a pagar um imposto e foi encarcerado por uma noite em junho de 1848 (parece que uma tia pode ter pagado o imposto e assegurado a libertação de Thoreau da cadeia, o que leva a crer que ele teria preferido permanecer lá por mais algum tempo).

Martin Luther King citou *A desobediência civil* como uma das principais inspirações na sua elaboração do movimento pelos direitos humanos nos Estados Unidos. O ativista de direitos humanos indiano, Mahatma Gandhi, considerava a obra um texto-chave não somente por sua lógica irrefutável, mas também porque documentava um plano de ação, assim como um modo de pensamento, determinando um exemplo de como confrontar o poder do Estado efetivamente e de maneira pacífica. O aspecto prático da filosofia de Thoreau, em conjunto com sua natureza reflexiva, dá uma visão ampla do mundo sem de fato ser um "sistema".

Entre eles, Emerson e Thoreau desenvolveram o primeiro estilo filosófico americano significativo. Embora o transcendentalismo possa ter perdido seu apelo ao longo dos séculos, os americanos ainda encontram no trabalho desses dois homens uma expressão de ideias sobre as quais sua nação está fundada: individualismo, autossuficiência e autodeterminação.

> Um governo é, na melhor das hipóteses, um recurso conveniente; mas a maioria dos governos é normalmente – e todos são em algumas ocasiões – inconveniente. As objeções que foram colocadas contra um

exército permanente, e elas são muitas e de peso, merecendo prevalecer, podem também, enfim, ser colocadas contra um governo permanente. O governo em si, que nada mais é do que o modo que o povo escolheu para executar sua vontade, é igualmente propenso a ser abusado e corrompido antes que o povo possa atuar por seu intermédio. Testemunha disso é a atual guerra mexicana, obra de relativamente poucos indivíduos que utilizam o governo estabelecido como sua ferramenta; pois, antes de tudo, o povo não teria consentido com essa medida.

Henry David Thoreau, *A desobediência civil* (1849)

Cem anos atrás, Henry David Thoreau era visto como um discípulo menor de Ralph Waldo Emerson. Cinquenta anos atrás, ele era tido como um coadjuvante que estava rápida e merecidamente sendo esquecido. Hoje, no entanto, ele é amplamente avaliado como um dos gigantes no panteão americano, e sua fama está em curva ascendente, e não decrescente. É consenso universal que ele diz mais aos nossos dias do que aos seus próprios.

Walter Harding, *The Days of Henry Thoreau: A Biography* [Os dias de Henry Thoreau: uma biografia] (1965)

7

Ludwig Andreas von Feuerbach

28 de julho de 1804 – 13 de setembro de 1872

Filósofo alemão e jovem hegeliano que rompeu com seu mestre e, como materialista radical e crítico da religião, teve grande influência sobre Karl Marx.

A crítica de Feuerbach à religião, formulada em *A essência do cristianismo* (1841), foi a mais mordaz já articulada entre todos os filósofos ocidentais até hoje. Nele, afirmou que Deus existia somente como projeção da necessidade humana. Nós corrompemos o amor ao primeiro encarná-lo em um repositório objetivado denominado Deus, do qual ele retorna, então, ao nosso companheiro. Na visão de Feuerbach, esse processo conduz à alienação e compromete a autonomia humana. O jovem Karl Marx foi influenciado em grande medida por Feuerbach, como pode ser deduzido de sua interpretação, nos últimos trabalhos, da religião como o "ópio do povo". Feuerbach desafiava a atitude metafísica de hegelianos que perseguiam uma teoria de tudo; ele rejeitava, ainda, a visão socialista de que a ação de grupo era a resposta para problemas sociais. Seu foco estava no indivíduo e na possibilidade de relações intersubjetivas. Ele ocupa um lugar importante na história do pensamento ocidental como uma ponte entre Hegel e Marx.

Da teologia a Hegel

Filho de um diplomata, Feuerbach entrou na Universidade de Heidelberg para estudar teologia com Karl Daub (1765-1836), um protestante cujo objetivo era conciliar o ensino da teologia com a filosofia. Feuerbach não demorou a se cansar disso e expressou o desejo de estudar com Hegel em Berlim, uma mudança que seu pai desaprovava. De qualquer modo, Feuerbach foi para a capital da Alemanha, tendo dito ao seu pai que estudaria com o grande teólogo e estudioso de hermenêutica Friedrich Schleiermacher (1768-1834), mas indo de fato estudar com Hegel. Após um período com o novo mestre, Feuerbach estudou ciência natural na Universidade Friedrich-Alexander. Sua conversão gradual da teologia para a antropologia estava completa. O homem é de importância central para si mesmo, dizia Feuerbach, e é a fonte de sua própria divindade e transcendência. Não existe salvação a ser encontrada em Deus ou na religião. Tudo que existe é a humanidade, racional e sensual. Ele observou em seus trabalhos autopublicados: "Verdade, realidade e sensação são idênticas. Somente o ser sensual é um ser verdadeiro e real" (Vol. II, 1844-6).

Feuerbach publicou diversos trabalhos filosóficos em rápida sucessão enquanto era professor em Erlangen, mas sua carreira acadêmica terminou quando ele foi revelado como autor do livro, publicado anonimamente, *Pensamentos sobre morte e mortalidade: dos papéis de um pensador, junto com um apêndice de epigramas teológico-satíricos* (1830). Nesse livro, Feuerbach argumentava contra a sobrevivência de uma alma pessoal após a morte (para ele, a consciência individual retornava para uma espécie de consciência coletiva universal). Ele dizia ainda que nossa humanidade é nossa única qualidade, e que ela não é eterna, e seus epigramas satíricos zombavam de teólogos proeminentes da época. A universidade respondeu com sua demissão; ele não ensinaria novamente.

Religião desmistificada

A perda de seu cargo não perturbou Feuerbach de imediato, pois ele havia conseguido um bom casamento com a herdeira de uma fábrica de porcelana. Livre das restrições e padrões de um compromisso com a universidade, ele se viu apto a concentrar-se na formulação completa de sua filosofia antropocêntrica. *A essência do cristianismo* (1841), com seu foco na habilidade do homem de criar a si mesmo e seu lugar no universo, teve efeito imediato e dramático na vida intelectual da Alemanha. Treze anos depois, o livro foi traduzido para o inglês pelo romancista George Eliot (1819-80), que ajudou a expandir ainda mais sua influência não apenas na filosofia, mas também no pensamento popular. Feuerbach era agora leitura obrigatória para um público pós-hegeliano que começava a considerar um mundo sem Deus.

A essência do cristianismo começa com uma proposição declarada de forma simples, à maneira de Hegel: "O homem – este é o mistério da religião – objetiva seu ser e então novamente faz de si mesmo um objeto para a imagem objetivada de si mesmo, assim convertida em sujeito". A importância deste começo não tem como ser exagerada, porque foi ele que atraiu uma nova geração de pensadores e lhes permitiu manter o rigor racional da *Fenomenologia do espírito* (1807), de Hegel, e ao mesmo tempo rejeitar a orientação metafísica e cristã da filosofia hegeliana. Usando o que ele chamou de *método transformativo*, Feuerbach "mantém Hegel na cabeça" no que diz respeito à religião (assim como Marx "manteria Hegel na cabeça", substituindo idealismo por materialismo). Na *Fenomenologia do espírito*, de Hegel, é a objetivação feita pelo Espírito Absoluto de si mesmo que conduz ao autoconhecimento; n'*A essência do cristianismo*, de Feuerbach, o espírito *finito* – temporal, e não eterno – objetiva a si mesmo na forma de Deus e então compreende que essa objetivação é na verdade a realização de sua própria natureza.

Feuerbach e Marx

No fundo, religião aliena o homem de si mesmo: isto foi o que Marx tomou de Feuerbach quando caracterizou a religião como "a expressão de sofrimento real e o protesto contra o sofrimento real. Religião é o suspiro da criatura oprimida, o coração de um mundo sem coração, assim como é o espírito de uma situação sem espírito. É o ópio do povo" (*Crítica da filosofia do direito de Hegel*, 1843). Mas Feuerbach, ao contrário de Marx, não acreditava que a época era a correta para uma revolução. Marx fez uma crítica famosa a ele em suas *Teses sobre Feuerbach* (1845), das quais a sétima afirma que Feuerbach "não vê que o 'sentimento religioso' é por si só um produto social e que o indivíduo abstrato que ele analisa pertence na verdade a uma forma social particular".

Feuerbach contradisse Marx no grande ano revolucionário de 1848, defendendo uma forma de revolução pessoal na qual indivíduos avaliam suas próprias consciências. Ao reconhecer a sensualidade e o poder do amor em relações interpessoais, mudanças em uma escala maior se seguiriam. Com isso, Feurbach oferece um prelúdio às culturas alternativas dos anos 1960 e, em particular, ao pensamento de Herbert Marcuse (1898-1979), que defendia a emancipação humana por meio de uma compreensão freudiana da sexualidade e um entendimento marxista da política.

Considerando toda a sua rejeição a Deus como divino, Feuerbach exerceu profunda influência na teologia moderna. Os últimos anos de sua filosofia foram focados em relações Eu-Tu, o reconhecimento de cada indivíduo da consciência do outro e a humanidade comum que compartilhamos. Esse conceito foi tão importante para o filósofo judeu austríaco Martin Buber que *Eu e Tu* (1923) tornou-se o título da sua obra mais popular. Buber, sim, acreditava em Deus – e argumentava que era no momento de relações Eu-Tu que mais facilmente se encontrava Deus.

> Religião é a separação do homem de si mesmo; ele define Deus ante si como a antítese de si próprio: Deus não é o que homem é – homem não é o que Deus é. Deus é o infinito, homem, o ser finito; Deus é perfeito, homem, imperfeito; Deus é eterno, homem, efêmero; Deus é todo-poderoso, homem, fraco; Deus é santo, homem, pecador. Deus e homem são extremos: Deus é o absolutamente positivo, a soma de todas as realidades; homem é o absolutamente negativo, abrangendo todas as negações.

Mas, na religião, o homem contempla sua própria natureza latente. Assim, é preciso mostrar que essa antítese, essa diferenciação entre Deus e homem, com a qual a religião se inicia, é uma diferenciação entre o homem e sua própria natureza.

Ludwig Feuerbach, *A essência do cristianismo* (1841)

Feuerbach é o primeiro e o maior dos críticos modernos da filosofia fora da tradição positivista. Ele faz uma crítica devastadora da filosofia profissional e professoral. Mais ainda, sua crítica é sistemática e exaustiva, e não meramente retórica ou aforística, como a de Schopenhauer ou Nietzsche. Embora seja corriqueiro encontrar citações dos apartes aforísticos de Feuerbach (e.g., "Minha religião não é religião; minha filosofia não é filosofia"), o que é mais impressionante e de mais substância é o detalhe e o caráter de sua crítica da filosofia. É uma crítica histórica, que lhe confere escala e um conteúdo extraordinariamente rico.

Marx W. Wartofsky, *Feuerbach* (1977)

8

Charles Darwin

12 de fevereiro de 1809 – 19 de abril de 1882

Naturalista britânico e pai da teoria moderna da evolução por seleção natural.

Com a publicação de *Sobre a origem das espécies através da seleção natural* (1859), Charles Darwin modificou nosso entendimento a respeito de nosso lugar no *mundo natural* mais que qualquer outro pensador nos últimos duzentos anos. A teoria da evolução de Darwin é baseada na sua descoberta do processo de seleção natural, segundo o qual organismos mais adaptados ao seu ambiente do que outros produzem mais descendentes, enquanto os menos adaptados não conseguem sobreviver. Os traços genéticos de uma espécie, originalmente aleatórios, mudam como resultado da seleção natural, de modo que aqueles que são benéficos à sobrevivência predominam, enquanto outros tornam-se mais escassos.

Dos três pensadores modernos cujo trabalho modificou nossa compreensão do homem em seu meio social, a obra de Charles Darwin se equipara à explicação de Karl Marx das estruturas sociais e econômicas e ao mapeamento do inconsciente feito por Sigmund Freud. É verdade que a teoria da relatividade de Albert Einstein explicou o tempo e a matéria de maneira que alterou nosso entendimento do *mundo físico*; mas a importância de Darwin, Marx e Freud se deve ao fato de eles terem mudado a maneira como entendemos *nós mesmos*. A teoria da evolução de Darwin forneceu uma explicação científica da origem das espécies que se contrapôs a "explicações" miraculosas, trazendo pela primeira vez para a ciência, deste modo, a atenção de um amplo público leigo.

Em *A descendência do homem* (1871), Darwin traçou as origens do ser humano por meio da seleção natural para mostrar que ele possui ancestrais comuns com o chimpanzé. As conclusões a serem tiradas daí destruíram mais de três milênios de crença de que o homem fora criado por Deus, no sentido retratado pelo Livro do Gênesis. Se o mito da criação era revelado apenas como isto, um mito, então a ideia de um movimento teleológico e natural em direção à perfeição era posta em questão; e, como consequência, muitos sentiram que os fundamentos do cristianismo – e a própria fé em Deus – haviam sido destruídos. Além disso, uma vez que o homem era revelado como um mamífero (embora superior), tudo que lhe dizia respeito agora podia ser estudado (e possivelmente explicado) cientificamente – e até mesmo zoologicamente. Áreas que antes pertenciam à religião e à metafísica – mente, consciência, sensibilidade moral – agora eram trazidas à alçada da investigação científica. A teoria de Darwin lançou no período vitoriano (assim como hoje) o desafio supremo de como avaliar *conhecimento* (ciência) e *fé* (religião). No entanto, ela também gerou problemas a pensadores que, apesar de verem a ciência e a razão com respeito, temiam que uma abordagem excessivamente redutiva do estudo do homem pudesse excluir uma apreciação de aspectos existenciais humanos – como os espirituais e psicológicos – que iludisse o estudo científico.

A viagem do HMS *Beagle*

Darwin nasceu em meio à riqueza. Seu pai, Robert Darwin, era um médico rico que se casou com Susannah Wedgewood, filha de Josiah Wedgewood, o homem responsável por industrializar a manufatura de cerâmica. O jovem Darwin era uma criança delicada, e ele lutou por toda a vida com sua saúde frágil. Ironicamente, iniciou seus estudos como estudante de medicina em Edimburgo, mas sua constituição não atendia aos rigores da profissão, e, no fim, seus estudos lhe entediavam.

Ele foi então para Cambridge, de onde saiu com um diploma mediano, tendo devotado a maior parte de seu tempo a coletar e estudar insetos. A combinação de uma fortuna herdada e uma saúde frágil permitira a Darwin passar a maior parte da sua vida – a não ser pela longa viagem que fez a bordo do HMS *Beagle* – trabalhando como naturalista na reclusão silenciosa de sua casa.

Em 1831, Darwin aceitou um convite para se juntar a uma expedição que mapearia a costa da América do Sul. Os cinco anos de serviço de Darwin como naturalista durante a viagem do HMS *Beagle* (1831-6) permitiram-lhe coletar os dados de ossos e fósseis que, quando estudados em Cambridge e Londres após a viagem, levaram-lhe a desenvolver sua teoria da origem das espécies. Durante sua jornada no *Beagle*, Darwin leu *Princípios da geologia* (3 vols, 1830-3), de George Lyell (1797-1875). Lyell defendia a ideia do *uniformitarianismo*, segundo a qual a Terra foi formada durante um longo período por forças que têm estado em operação desde a sua formação e que estão presentes hoje (em oposição ao *catastrofismo*, a de que as características da Terra são resultados de eventos repentinos, cataclísmicos). Lyell aguçou o interesse de Darwin em geologia e, por conseguinte, em fósseis. Fósseis eram evidências importantes para Darwin porque forneciam um registro de plantas e animais distribuídos em vastas distâncias e ao longo de períodos muito extensos. O slogan do uniformitarianismo – "o presente é a chave para o passado" – ecoou profundamente em Darwin, de modo que peças do quebra-cabeça "como as espécies se formam" começaram a organizar-se em sua mente.

Descendência com modificação

As evidências de fósseis coletadas durante sua jornada no *Beagle* forneceram a Darwin a ideia de *descendência com modificação*, sugerida por sua observação de variações entre espécies afins nas Ilhas Galápagos. As claras provas temporais possibilitadas pelos fósseis não apenas mostravam a progressão da vida, mas também forneciam uma evidência de sua *diversificação* – considerando que formas animais e vegetais apareciam em lugares e tempos específicos, e somente nesses lugares – e também da *extinção*, uma vez que o registro não se perpetuava. Outro elemento na interpretação feita por Darwin dos registros fósseis foi seu estudo da morfologia de plantas e animais. Ao traçar semelhanças entre grupos, Darwin foi capaz de formular a ideia de um ancestral comum.

Darwin necessitava de uma explicação dos meios pelos quais as espécies de fato evoluíam. Inicialmente, voltou-se ao trabalho do naturalista francês Jean-Baptiste Lamarck (1744-1829), que oferecia a hipótese de que as espécies adquiriam traços característicos que promoviam sua sobrevivência e então os transmitiam a futuras gerações. Esta teoria, conhecida como *lamarckismo*, defende a hereditariedade de características herdadas. Como explicação científica, o lamarckismo era deficiente. O que era necessário era uma explicação do real mecanismo pelo qual as características passavam de uma geração para outra. A resposta estava na nova ciência da genética.

Genética

O monge autríaco Gregor Mendel (1822–84), que trabalhava em relativo isolamento, havia conduzido experimentos com hibridação de plantas usando ervilhas. Ele descobriu as leis que regulam a herança de características, lançando as bases para a ciência da genética. As descobertas de Mendel forneceram um entendimento científico de como traços particulares eram passados de uma geração a outra, assegurando que um organismo particular alcançaria maturidade sexual e se reproduziria, preservando-se, desse modo, da extinção. O trabalho de Mendel não era conhecido por Darwin, portanto o próximo passo na solução do quebra-cabeça evolucionário, incluindo um entendimento do papel exercido pela mutação genética, teria de esperar até que as conclusões de Mendel fossem redescobertas de forma independente nos anos 1890 pelo botânico holandês Hugo Marie de Vries (1848-1935) e também pelo botânico alemão Carl Erich Correns (1864-1933).

O trabalho com a genética dominaria as ciências da vida no século XX e informariam o livro de Julian Huxley (1887-1975) *Evolution: The*

Modern Synthesis [Evolução: a síntese moderna] (1942). Dois momentos-chave na genética são a descoberta, em 1953, da estrutura em dupla hélice da molécula de DNA por James Watson (1928-) e Francis Crick (1916-2004) e a conclusão do sequenciamento de todo o genoma humano no Projeto Genoma Humano (1990-2003), iniciado por Watson e completado pelo geneticista americano Francis Collins (1950-).

Antes do genuíno trabalho científico em genética, uma versão muito simplificada da teoria de Darwin era frequentemente utilizada com propósitos políticos no final do século XIX e início do XX. Herbert Spencer (1820-1903) cunhou o termo "sobrevivência do mais apto" depois de ler *Sobre a origem das espécies* – uma frase muito usada por imperialistas e teóricos de direita para promover o capitalismo *laissez-faire* e justificar a eliminação de grupos com base em classe social e raça. No final do século XIX, o termo "darwinismo social" tornou-se popular para justificar diversas aplicações da ideia de sobrevivência do mais apto, sobretudo a perfectibilidade da raça humana por meio de luta e competição. O primo de Darwin Francis Galton (1822-1911) cunhou o termo *eugenia* – o "melhoramento" da "raça", como Galton e outros geneticistas diriam, por meio da reprodução dos "mais aptos" (eugenia positiva) ou por meio da esterilização sexual dos "inaptos" (eugenia negativa). Como consequência, vários países – os Estados Unidos, em particular – esterilizaram compulsoriamente os "inaptos" na primeira metade do século XX. Na Alemanha, o primeiro ato de Hitler após se autodeclarar Führer foi a publicação de um decreto de 1933 ordenando a esterilização de judeus, homossexuais e outras pessoas "inaptas".

As descobertas de Darwin definiram a agenda para o trabalho dos principais biólogos do final do século XX e início do XXI. E. O. Wilson (1929-) cunhou o termo *sociobiologia* – "a extensão da biologia populacional e da teoria da evolução à organização social" –, que descreveu em *Sociobiologia: a nova síntese* (1975). Wilson faz referência à "epopeia evolutiva", o que significa que a ciência suplantou o mito em sua explicação do mundo, mas que a explicação, ainda assim, mantém uma característica dramática, épica. Em *O futuro da vida* (2002), ele observa que a maioria das espécies da Terra ainda está para ser descoberta.

Resistência do criacionismo

Antes de Darwin, a explicação predominante do mundo natural era o criacionismo, baseado no relato bíblico dado pelo Livro do Gênesis: Deus criou o mundo e tudo que há nele. De acordo com o criacionismo, o mundo tem aproximadamente 6 mil anos de idade (o fóssil mais antigo já encontrado tem 2,7 bilhões de anos). A oposição religiosa à teoria de Darwin foi imediata e continua existindo atualmente, sobretudo nos EUA. Em 1925, a teoria da evolução foi parar em um tribunal, no julgamento que contrapunha o estado do Tennessee ao professor Scopes e que ficou conhecido como Julgamento do Macaco de Scopes. O professor de biologia do ensino médio John Scopes foi acusado de violar uma lei federal que proibia o ensino da evolução. Foi um caso notável porque, na verdade, era a *ciência* que estava sendo julgada. O tiro dos criacionistas acabou saindo pela culatra: o julgamento recebeu ampla publicidade e a maioria dos americanos apoiou Scopes e a evolução. Cem anos depois, a situação foi invertida. Os defensores do criacionismo passaram a chamá-lo de "ciência da criação" ou "design inteligente", argumentando que os currículos escolares deveriam destinar-lhe tempo igual ao da evolução.

Os discípulos de Darwin

Stephen Jay Gould (1941-2002) fez uma das principais contribuições para o nosso entendimento da evolução em *Equilíbrio pontuado* (1972), um artigo escrito em coautoria com o paleontólogo Niles Eldredge (1943-). Gould e Eldredge propuseram a teoria do *equilíbrio pontuado*, observando que a evolução ocorre de maneira intermitente, e não em taxas constantes (gradualismo), o que justifica a aparente "lacuna" nos registros fósseis. O principal trabalho de Gould é *The Structure of Evolutionary Theory* [A estrutura da teoria evolutiva] (2002). Ele é conhecido por ter liderado um movimento crítico contra a sociobiologia por conta de sua visão determinista do comportamento humano. Richard Dawkins afirma em *O gene egoísta* (1976) que a principal unidade de seleção é o gene. Em *O relojoeiro cego* (1986), ele descreve as tentativas dos criacionistas de exigir "tempo igual" ao da teoria evolutiva. Defende o ateísmo em *Deus, um delírio* (2006), argumentando que a crença no milagre é incompatível com a ciência.

Pesquisas recentes nos Estados Unidos mostram que 87% das pessoas acreditam em alguma forma de criacionismo; somente 13% "acreditam" na evolução sem "a mão orientadora de Deus" no processo. Mais que qualquer outra ideia visionária, a teoria da evolução de Darwin coloca ciência e conhecimento contra religião e fé. Ela chama atenção para o fato de que muitas pessoas no século XXI concordam com um sistema de crenças pré-científico significativamente anterior à Idade das Trevas.

> Há grandeza em tal visão da vida, com seus diversos poderes, ter sido originalmente instilada em poucas formas ou em uma só; e em que, enquanto este planeta tem circulado de acordo com as leis fixas da gravidade, de um começo tão simples, as mais belas e maravilhosas formas infinitas tenham evoluído, e estejam evoluindo.
>
> Charles Darwin, *Sobre a origem das espécies através da seleção natural* (1859)

> O velho argumento do desenho na Natureza, como proposto por Paley, que anteriormente me parecia tão conclusivo, cai agora que a lei de seleção natural foi descoberta. Já não podemos argumentar, por exemplo, que a bela articulação de uma concha bivalve deve ter sido criada por um ser inteligente, como a dobradiça de uma porta pelo homem. Parece haver tão pouco desenho na variabilidade dos seres orgânicos e na ação da seleção natural quanto na direção em que sopra o vento.
>
> *Charles Darwin: His Life Told in an Autobiographical Chapter, and in a Selected Series of His Published Letters* [Charles Darwin: sua vida contada em um capítulo autobiográfico e em uma série selecionada de suas cartas publicadas] (1892)

Ele abraçou um aterrorizante materialismo. Somente alguns meses antes, ele havia concluído em seus cadernos secretos que a mente e a moralidade humana, e até mesmo a fé em Deus, eram artefatos do cérebro... Trabalhar com as implicações deu-lhe enxaquecas, deixou--lhe se contorcendo em seu leito de doente, temendo uma perseguição.

Adrian Desmond e James Moore,
Darwin: a vida de um evolucionista atormentado (1994)

9

Søren Kierkegaard

5 de maio de 1813 – 11 de novembro de 1855

Pensador dinamarquês que estabeleceu temas-chave do existencialismo e afirmou que a verdade deveria ser encontrada na experiência subjetiva do mundo, e não compreendida puramente por métodos objetivos.

Søren Kierkegaard identificou e explorou os principais temas do existencialismo mais de cem anos antes que as figuras dominantes dessa tendência viessem a publicar uma palavra. Os conceitos de nada, angústia e pavor foram descritos por Kierkegaard muito antes que Martin Heidegger (1889-1976) – com pouco mais que um aceno para sua fonte – os elaborasse em *Ser e tempo* (1927). A visão de Jean-Paul Sartre (1905-80) do homem como "uma paixão inútil", que ele descreve em *O ser e o nada* (1945), é também uma referência a Kierkegaard.

Educação "insana"

O pai de Kierkegaard era um homem rico, sombrio e movido por um sentimento de culpa que chegou a afetar o jovem Kierkegaard ao ponto de este referir-se à própria educação como "insana". Inicialmente, Kierkegaard estudou teologia para agradar o pai, mas depois a abandonou em favor de uma vida de *bon vivant*. Após a morte do pai, Kierkegaard iniciou formalmente o estudo de filosofia, graduou-se e ficou noivo. Depois de um ano, terminou o noivado, e sua angústia a respeito do assunto tornou-se a força motriz por trás de seus primeiros trabalhos, três dos quais foram publicados em 1843: *Ou isso ou aquilo*, *Temor e tremor* e *A repetição*. O volume de material publicado por Kierkegaard foi prodigioso, mas os trabalhos que tiveram mais influência durante sua vida foram *Migalhas filosóficas* (1844), *O conceito de angústia* (1844), *Estágios no Caminho da Vida* (1845) e *Pós-escrito conclusivo não científico* (1846). Dois trabalhos póstumos continuam exercendo influência no século XXI: *Doença até a morte* (1849) e *Prática no cristianismo* (1850).

Pseudônimos e comunicação indireta

Depois de desfazer seu noivado, Kierkegaard levou uma vida de solteiro focada em trabalho duro e reflexão profunda. No entanto, a gravidade de seus temas da fé e do desespero é entrecortada por um sério ludismo. Em muitos de seus trabalhos, Kierkegaard adotou pseudônimos: Victor Eremita, Johannes de Silentio, Constantin Constantius, Johannes Climacus, Vigilius Haufniensis, Anti-Climacus e H. H. O uso de pseudônimos era parte do seu método de comunicação indireta, com o qual Kierkegaard encorajava os leitores a pensarem por conta própria – a descobrirem sua subjetividade em vez de simplesmente receberem a "verdade" conforme entregue pela autoridade (o "autor"). Em vez de fazer proselitismo, Kierkegaard utiliza diferentes personas para oferecer perspectivas concorrentes de um mesmo problema, deixando ao leitor o trabalho de escolher aquilo em que acreditar.

Subjetividade, paradoxo e "o salto da fé"

Kierkegaard é o filósofo da subjetividade. Ele acredita que o Eu é *livre para fazer escolhas*, para *criar* a si próprio. Falhar em ter consciência de si e das possibilidades de liberdade é estar em um estado de desespero. Entretanto, todos em algum ponto de suas vidas caem em desespero, o que pode se apresentar como a oportunidade de *ser* eles mesmos. Em *Doença até a morte* (1843), Kierkegaard escreve: "Desespero é uma doença do espírito, do Eu, e assim pode assumir uma forma tripla: desespero de não estar consciente de possuir um Eu (*desespero* chamado assim inapropriadamente); desespero de não querer ser quem se é e desespero de querer ser quem se é."

O conceito de Kierkegaard de ser e subjetividade lhe permitiu aceitar o paradoxo como base da fé religiosa. Ele formulou o conceito normalmente referido como "salto da fé" (embora sua expressão literal fosse "salto *para* a fé"). Os mistérios do cristianismo não podem ser explicados pela razão, disse Kierkegaard, e não precisam ser. Eles existem fora da razão. São paradoxais. É preciso acreditar, mas não se consegue provar. É preciso acreditar como Abraão, que estava preparado para sacrificar o único filho em resposta à ordem de Deus.

O pensamento de Kierkegaard é diametralmente oposto ao de Hegel, que propôs um enorme sistema lógico de razão pura, a partir da qual o homem e seu mundo seriam entendidos objetivamente, como por uma perspectiva divina. Kierkegaard argumentou que isso nunca seria possível; que o sujeito humano está sempre situado na perspectiva permitida por seu corpo, sua localização no espaço, sua própria consciência. Essa rejeição a uma perspectiva divina e a pseudo-objetividade que dela resulta, ao lado de uma tolerância pelo paradoxo, influenciaram em grande medida o pensador francês do século XX, Maurice Merleau-Ponty, e estas ideias são centrais para sua *Fenomenologia da percepção* (1945). Kierkegaard exerceu influência enorme na teologia protestante dos séculos XX e XXI. A filosofia contida em *Eu e tu*, de Martin Buber, deve muito a Kierkegaard, assim como a *desmitologização* de Rudolf Bultmann (1884-1976) – a visão de que a única necessidade da fé cristã é o fato do Cristo crucificado. E o teólogo germano-americano Paul Tillich (1886-1965), que teve enorme influência, levou adiante o conceito de Kierkegaard do "ser" como a chave para compreender a relação do homem com Deus.

Como são estéreis minha alma e pensamento, e ao mesmo tempo atormentados incessantemente por vazias, arrebatadoras e agonizantes dores do parto! Estará meu espírito fadado a calar-se eternamente? Estarei eu obrigado a murmurar para sempre? Necessito é de uma voz tão penetrante quanto o olhar de Linceu, aterrorizante como o suspiro dos gigantes, persistente como um som da natureza, zombeteira como uma rajada de vento que espalha a geada fria, maliciosa como o desprezo insensível de Eco, com uma extensão tonal que alcance desde os graves mais profundos até os mais pungentes agudos, modulando do sussurro de uma santidade suave à violenta fúria da raiva. É disso que eu preciso para respirar, para dar expressão ao que está na minha mente, para agitar as entranhas da minha ira e da minha simpatia. – Mas minha voz é apenas rouca como o grito de uma gaivota ou moribunda como a bênção sobre os lábios do mudo.

O que está por vir? O que reserva o futuro? Não sei, não tenho ideia. Quando, de um ponto fixo, uma aranha se joga para baixo, como determina sua natureza, ela vê diante de si sempre um espaço vazio no qual não consegue encontrar equilíbrio, não importa quanto esperneie. É isso que acontece comigo: sempre um espaço vazio diante de mim, o que me empurra para frente é um resultado que se encontra atrás de mim. Esta vida é de trás para frente e terrível, insuportável.

Søren Kierkegaard, *Ou isso ou aquilo: um fragmento de vida* (1843)

As dificuldades para um leitor dos escritos de Kierkegaard são consequência, em parte, da multiplicidade de escritores sob diferentes pseudônimos que apresentam seus próprios pontos de vista em um diálogo complexo. Evitando um sistema conclusivo, Kierkegaard permite que cada um deles tenha sua voz... Deste modo, o leitor está na posição de quem, se assim desejar, entra também neste complexo diálogo e organiza todas essas vozes. O uso de pseudônimos também desencoraja a tendência ilusória a cometer a falácia genética de psicologizar e historicizar a obra como autobiografia, supostamente, assim, "explicando-a". Há ainda um objetivo pedagógico na complexidade: "A tarefa precisa ser tornada difícil, pois somente o difícil inspira os de coração nobre" [*Pós-escrito conclusivo não científico*].

Howard V. e Edna H. Hong,
The Essential Kierkegaard [Kierkegaard essencial] (2000)

10

Karl Marx

5 de maio de 1818 – 14 de março de 1883

Criador alemão de uma metodologia que utiliza política, filosofia e economia para analisar a situação história do homem e desenvolver projetos de mudança.

Karl Marx é frequentemente julgado pelas atividades dos que se denominam marxistas, um erro semelhante ao de quem julgasse Jesus Cristo pelas ações dos que se dizem cristãos. Marx representa uma grande conclusão para a tradição idealista iniciada por Kant e que vai até Hegel. Pegando carona nas ideias de Feuerbach, que criticava a crença de Hegel em Deus como a verdade maior, Marx rejeitou tanto Deus quanto o Estado como as autoridades mais elevadas e os substituiu pelo sujeito humano autoconsciente, que, coletivamente, é o criador do Estado e da sua história.

Socialismo antes de Marx

Marx focou as ideias díspares do socialismo do século XIX em uma teoria coerente e lançou as bases para uma filosofia da ação. Seu trabalho mais popular é *O manifesto comunista* (1848), escrito em coautoria com seu benfeitor e colaborador de toda a vida, Friedrich Engels (1820-95). Em *O capital* (1867), Marx ofereceu uma análise sobre o funcionamento do capitalismo e sua relação com o trabalho; previu que a ação coletiva conduziria à substituição do capitalismo pelo socialismo. A contribuição de Marx foi fundir o estudo de política, filosofia e economia em um método de investigação que identificava o status do lugar ocupado pelo homem na história e lhe dava as ferramentas não somente para analisar sua situação, mas também para alterá-la.

Uma educação burguesa

Marx vinha de uma família burguesa. Seus pais eram judeus e viviam em Trier, cidade alemã na região vinícola do rio Mosel; seu pai fora obrigado a se converter ao luteranismo para manter seu cargo de advogado. Marx havia encontrado um benfeitor no primeiro Barão von Westphalen e se casou com sua filha, Jenny. Apesar das exortações de seu pai à frugalidade, os modos perdulários de Marx seriam fonte de problemas financeiros ao longo de sua vida. Por conta disso, ele conheceu na pele os efeitos da pobreza: necessidade econômica, saúde fraca e mortalidade infantil. Em 18 de junho de 1862, escreveu ao amigo Engels: "Todos os dias minha esposa diz que gostaria de estar com as crianças na segurança do túmulo, e eu realmente não posso culpá-la". Dos sete filhos de Marx, um morreu durante o parto, dois morreram antes de chegarem ao primeiro aniversário e um morreu com oito anos de idade.

Aos dezessete, Marx foi estudar direito na Universidade de Bonn, mas dedicou boa parte de seu tempo por lá a escrever poemas românticos dedicados a Jenny von Westphalen. Depois de um ano, ele foi para a Universidade de Berlim, onde se juntou aos jovens hegelianos em sua crítica às visões de Hegel sobre Deus e o Estado. Em 1841, o rei prussiano Frederico Guilherme IV (1795-1861) convocou Schelling para assumir a antiga cadeira de Hegel em filosofia com a ordem de extirpar a semente venenosa do hegelianismo. Em um grande momento filosófico, Marx, Engels, Kierkegaard e Mikhail Alexandrovich Bakunin (1814-76) estavam presentes na mesma sala de aula em Berlim para ouvir a primeira das palestras anti-hegelianas de Schelling. O rei prussiano fora previdente em seu temor aos jovens hegelianos: o fervor deles era um prelúdio para o socialismo de Marx e Engels e para o anarquismo de Bakunin.

Colaboração com Engels

Marx e Engels conheceram-se brevemente em 1842, quando Marx era editor do *Rheinische Zeitung*. Eles se encontraram de novo em Paris em 1844 e, a partir de então, tornaram-se colaboradores por toda a vida. O pai de Engels possuía parte de uma fábrica têxtil em Manchester, onde Engels trabalhou, primeiro como funcionário encarregado de funções gerais e depois como sócio (trabalho que ele detestava, mas que exercia para ajudar a manter Marx). O primeiro livro de Engels foi *A situação da classe trabalhadora na Inglaterra* (1845), no qual descreveu injustiças econômicas do capitalismo, tais como a pobreza, o trabalho infantil e a destruição do meio ambiente. Os dois formavam uma parceria perfeita: Engels tinha um estilo de prosa elegante, e Marx, uma mente altamente original e um profundo conhecimento acadêmico. Após a morte de Marx, Engels editou o segundo e o terceiro volumes de *O capital*.

Marx foi influenciado pela dialética de Hegel – o conceito de tese-antítese-síntese –, mas rejeitou o idealismo hegeliano, cravando assim o último prego no caixão de um movimento filosófico alemão que dominara o pensamento desde Kant. (Embora rejeitasse as conclusões de Hegel, Marx manteve seu método, tendo sustentado sempre que ele era um aluno de Hegel e tomando-o, de fato, como seu mestre.) O fim do idealismo alemão foi sinalizado pela crítica de Feuerbach a Hegel, e Marx declarou, em 1845, nas suas *Teses sobre Feuerbach* (publicadas em 1888): "Os filósofos somente interpretaram o mundo de maneiras diversas; a questão é mudá-lo".

Socialismo e filosofia

Apesar de Marx ter lutado com filósofos, a atenção que ele lhes dirigiu ao longo de sua vida mostrou que o respeito superava o desprezo; embora seu objetivo fosse alterar o mundo por meio da ação consciente dos princípios primordiais e da história (incluindo o pensamento que acompanhou sucessivamente as épocas históricas). Marx organizou as ideias do socialista galês Robert Owen (1771-1858) e do seu homólogo francês Henri de Saint-Simon (1760-1825) em um programa de pensamento e ação coerente. Em *O manifesto comunista*, Marx codificou sua concepção materialista da história (seus seguidores deram-lhe mais tarde o nome de "materialismo histórico") com o argumento de que "a história de toda a sociedade até o presente é a história das lutas de classes". Esse livro curto incluía ainda um plano de dez etapas para a criação de um Estado comunista, entre as quais estava a extinção da propriedade privada e a centralização do crédito.

Origens clássicas do marxismo

A tese de doutorado de Marx *Diferença da filosofia da natureza em Demócrito e Epicuro* (1841, publicada em 1902) lançou as bases para sua filosofia materialista ao examinar o atomismo de Epicuro (341-270 a.C.) e Demócrito (460-370 a.C.). Nela, Marx defende que um mundo material existe independentemente de qualquer percepção humana desse mundo. Mais tarde, ele refinou essa ideia em *O capital*, argumentando que "o ideal nada mais é que o mundo material refletido pela mente humana e traduzido em formas de pensamento". A famosa crítica de Marx à religião, caracterizada como "o ópio do povo", é parte de uma análise muito mais complexa das relações sociais e da necessidade de ilusão, que aparece em sua *Crítica da filosofia do direito de Hegel* (1843):

> O homem faz a religião, a religião não faz o homem. A religião é, de fato, a autoconsciência e o sentimento de si do homem que, ou ainda não se encontrou ou tornou a se perder. Mas o homem não é um ser abstrato, agachado fora do mundo. O homem é o mundo do homem – o Estado, a sociedade. Este Estado e esta sociedade produzem religião, que é uma consciência invertida do mundo, porque eles são um mundo invertido. A religião é a teoria geral desse mundo, seu compêndio enciclopédico, sua lógica em forma popular, seu *point d'honneur* espiritual, seu entusiasmo, sua sanção moral, seu complemento solene e sua base universal de consolação e justificação. É a realização fantástica da essência humana, uma vez que a essência humana não adquiriu

qualquer realidade verdadeira. A luta contra a religião, portanto, é uma luta indireta contra aquele mundo cujo aroma espiritual é a religião.

O sofrimento religioso constitui ao mesmo tempo a expressão do sofrimento real e um protesto contra ele. A religião é o suspiro da criatura oprimida, o coração de um mundo sem coração e a alma de condições sem alma. A religião é o ópio do povo.

Alienação

Marx descreveu a situação do trabalhador em um sistema capitalista como *alienação*. O objeto de seu trabalho, o produto, está alienado dele (ou seja, não é feito para ser usado por ele). Além disso, o trabalhador é alienado de si mesmo por seu trabalho, porque este não é parte do que Marx chamou de sua "vida-espécie" ou "ente-espécie". Em seus *Manuscritos econômico-filosóficos de 1844* (1932), Marx escreveu: "O homem é um ente-espécie, não apenas porque ele adota a espécie (a sua própria e também a das outras coisas) como seu objeto, tanto na prática quanto na teoria, mas também porque ele trata a si mesmo como um ser universal e, portanto, livre". A produção retira do homem a vida-espécie, que constitui sua essência social, alienando-o, por fim, dos outros homens.

A alienação acontece por conta da maneira como é estruturado o capitalismo. No terceiro volume de *O capital*, Marx fala sobre a "essência invisível" do capitalismo: *mais-valia*. Quando um trabalhador produz bens a partir de materiais brutos, eles adquirem um novo valor que gera lucros para o capitalista à custa do trabalho não pago do trabalhador: mais-valia. A mais-valia é o modo pelo qual proprietários acumulam capital. O fenômeno é descrito de forma reduzida pelo biógrafo de Marx, David McLellan:

> A mais-valia não foi criada a partir da troca, mas pelo fato de que o desenvolvimento dos meios de produção em um sistema capitalista permitia aos donos do capital usufruir o valor de uso da força de trabalho do operário e, com ele, criar produtos que excediam em muito o mero valor de troca da força de trabalho, que chegava não mais do que ao mínimo necessário para a subsistência do trabalhador.

O que é marxismo?

Usar o termo "marxista" é tão problemático quanto usar o termo "cristão". Marxistas, assim como cristãos, estão disponíveis nos mais diversos sabores, e alguns deles não guardam semelhança alguma ao original. A principal contribuição de Marx para o pensamento foi um método para analisar eventos econômicos, políticos e históricos. Seu método de raciocínio era dialético e, portanto, aberto. O processo de tese-antítese-síntese era contínuo, e não rígido; e, embora Marx tenha estabelecido determinados princípios centrais (como alienação e mais-valia), seu trabalho não pode ser tomado como uma conclusão absolutamente terminada.

O processo por meio do qual o pensamento de Marx veio a ser rigidamente entendido como "marxismo" tem muito em comum com a maneira como a Igreja fixou os pensamentos de Cristo como "cristianismo". A ordem simples de Cristo "amai-vos uns aos outros" e seus ensinamentos nos evangelhos do Novo Testamento não são os mesmos que os severos decretos determinados pela Igreja católica no Concílio de Trento, entre 1545 e 1563. De modo similar, a ideologia do Estado comunista criada a partir de aspectos do pensamento de Marx por Joseph Stálin (1878-1953) trata-se de um artefato rígido e opressivo que Marx teria rejeitado. Não há dúvida de que, se Marx houvesse sido um russo do século XX, Stálin teria ordenado sua morte.

Mao Tsé-tung e o comunismo chinês

Mao Tsé-tung (1893-1976) adaptou o marxismo à situação econômica e cultural da China. Enquanto a Europa havia se industrializado e a maior parte de seus trabalhadores havia passado a trabalhar em fábricas, a China ainda era uma economia agrária. Marx enxergara a revolução sendo iniciada com o proletariado, mas, para Mao, ela surgiria do trabalho dos camponeses. Veterano do levante de 1911 que derrubou a dinastia Qing, Mao começou a estudar o marxismo quando era assistente em uma biblioteca da Universidade de Pequim. Aliando suas ideias marxistas modificadas com uma brilhante estratégia militar, que eliminou os nacionalistas na guerra civil (1947-9), Mao estabeleceu a República Popular da China em 1949.

Mao explicou sua adaptação da filosofia marxista (o maoismo) em *Citações do presidente Mao Tsé-tung* (1964), uma breve coleção conhecida no Ocidente como *O Livro Vermelho*. Enquanto Marx defendia um espírito questionador, Mao oferecia respostas programáticas com títulos de capítulos proibitivos, tais como "O tratamento correto das contradições entre o povo" e "Corrigindo ideias erradas". Cerca de 800 milhões de cópias d'*O Livro Vermelho* foram vendidas, número de vendas inferior somente ao da Bíblia. Por outro lado, *O manifesto comunista*, de Marx e Engels, vendeu 10 milhões de cópias, aproximadamente o mesmo número alcançado por *Mein Kampf* [Minha luta] (1925-6), escrito por Adolf Hitler (1889-1945). A apropriação e adaptação das ideias marxistas por Mao e Vladimir Ilitch Lênin resultaram em regimes totalitários que – como o regime nazista de Adolf Hitler – mataram milhões de cidadãos.

O legado de Marx na Europa Ocidental

O fim da Segunda Guerra Mundial deixou um enorme vácuo no pensamento filosófico e econômico das universidades de toda a Europa Ocidental. Essa lacuna foi preenchida – sobretudo na França – pelas mais variadas teorias de base marxista. Metade dos professores de filosofia da Alemanha haviam sido nazistas, e sua extinção da vida acadêmica no pós-guerra significava que a filosofia contemporânea alemã – com a exceção de Heidegger e alguns outros – não mais dominava a disciplina, como fizera desde os tempos de Kant. Em primeiro lugar, a maioria dos existencialistas franceses era marxista, e escolas de pensamento lideradas por marxistas começaram a florescer por toda a Europa.

O filósofo e crítico literário húngaro Georg Lukács (1885-1971) estabeleceu uma tradição conhecida como "marxismo ocidental" com a publicação de *História e consciência de classe* (1923), defendendo os métodos de Marx em oposição aos dogmas associados ao "marxismo". Mais tarde, o pensador italiano Antonio Gramsci (1891-1937) desenvolveu o marxismo ocidental com sua elaboração da ideia de hegemonia, segundo a qual o capitalismo controlava a sociedade não somente por meio da propriedade dos bens de produção e da violência, mas também por meio de um instrumento mais sutil: a hegemonia cultural, que fazia os valores burgueses tornarem-se dominantes. Benito Mussolini (1883-1945) considerava Gramsci uma ameaça tão grande ao seu regime fascista que o fez ser condenado a vinte anos de prisão. O promotor ressaltou o temor que o Estado tinha desse intelectual ao proclamar que "por vinte anos precisamos impedir esse cérebro de funcionar". Gramsci foi libertado em condições de saúde precárias após oito anos preso e morreu pouco tempo depois. Seus *Cadernos do cárcere* (1948/ 1951) foram publicados postumamente e continuam a ser amplamente lidos. Na França, Louis Althusser (1918-90) liderou um movimento denominado "marxismo estrutural", que procurava integrar o método marxista ao estruturalismo de Claude Lévi-Strauss (1908-2009). A carreira de Althusser teve fim depois que ele estrangulou sua esposa em 1980.

Marx foi uma força dominante no estudo acadêmico de filosofia, política e economia no século XX, e não se pode dizer que qualquer filósofo tenha exercido maior impacto nos eventos mundiais. A criação de Estados socialistas e regimes comunistas são um resultado direto de seu pensamento e da sua obra escrita. Não há evento mais importante na história moderna do que o conflito entre União Soviética e Estados Unidos, que dominou a geopolítica do fim da Segunda Guerra Mundial, em 1945, até a queda da União Soviética, em 1991. Durante a maior parte do século XX, a tendência dominante no pensamento europeu e, em certa medida, também nos Estados Unidos foi o marxismo ou alguma variação dele. A ascensão do conservadorismo americano iniciado pela presidência de Richard Nixon (1913-94), combinada ao desmantelamento da União Soviética, contribuiu para marginalizar o pensamento de Marx no estudo da filosofia política e de outras disciplinas. No entanto, o colapso bancário de 2008 nos Estados Unidos e na Europa fez economistas correrem em desespero de volta a Marx em busca de uma explicação para a Grande Recessão. É seguro dizer que, à medida que a crise do capitalismo prosseguir no século XXI, Marx continuará sendo um relevante teórico de sua organização e um previdente de seu destino.

Não é a consciência dos homens que determina seu ser, mas, pelo contrário, seu ser social que determina sua consciência.

Karl Marx, *O capital* (1859)

A história de toda a sociedade até o presente é a história das lutas de classes. Homem livre e escravo, patrício e plebeu, senhor e servo, burguês de corporação e artesão – em resumo, opressor e oprimido – estiveram em constante oposição uns aos outros, travaram uma luta ininterrupta, ora escondida, ora aberta, uma luta que a cada vez terminava com uma reconfiguração revolucionária de toda a sociedade ou com a ruína ordinária das classes em luta... Os comunistas apoiam por toda parte qualquer movimento revolucionário contra as condições sociais e políticas vigentes... Eles declaram abertamente que seus objetivos podem ser alcançados somente pela eliminação violenta de todas as ordens sociais existentes. Que as classes dominantes tremam diante de uma revolução comunista. Os proletários não têm nada a perder senão suas correntes. Eles têm um mundo para conquistar.

Trabalhadores do mundo, uni-vos!

Karl Marx e Friedrich Engels, *O manifesto comunista* (1848)

Karl Marx estava certo – o socialismo funciona. O que acontece é que ele considerou a espécie errada. Por que ele não funciona com humanos? Porque nós gozamos de independência reprodutiva e conquistamos a máxima aptidão darwiniana ao nos preocuparmos com nossa própria sobrevivência e garantirmos nossa própria prole.

E. O. Wilson, entrevista na Universidade de Harvard, 27 de março de 1997

11

Arthur Schopenhauer

22 de fevereiro de 1788 – 21 de setembro de 1860

Antirracionalista alemão que via o ascetismo como única postura defensável em um universo hostil aos esforços insaciáveis do desejo humano.

A filosofia alemã era representada desde Kant por uma distinta lista de pensadores que descendiam dele e culminavam em Hegel. Essa tradição idealista era marcada por um esforço de raciocínio elevado para criar sistemas que explicassem tudo desde a lógica até a metafísica, ao mesmo tempo em que conservava a crença em Deus e no Estado. Em contraposição a essa linha de raciocínio, Schopenhauer era um iconoclasta que considerava Hegel um comerciante de vento cuja linguagem excessivamente complexa mascarava o vazio de seu pensamento. Desprezava igualmente Schelling e Fichte. Platão e Kant eram seus mestres, e Schopenhauer foi o primeiro filósofo ocidental a incorporar ideias da filosofia oriental em seu trabalho. Ele lia diariamente os *Upanixades**, estudava budismo e praticava meditação. Seu interesse na filosofia oriental constitui uma ligação importante com o filósofo transcendentalista americano Ralph Waldo Emerson (1803–82), cujo pensamento fascinava Nietzsche.

---

* Parte das escrituras hindus, consideradas instruções religiosas, em que se discutem meditação e filosofía.

Assim como Nietzsche, Schopenhauer tinha doutorado (embora o seu fosse de fato em filosofia), mas não prosperou no meio acadêmico, preferindo trabalhar como um estudioso independente (ele havia recebido uma herança que lhe permitia isso). Sua tese *Sobre a quádrupla raiz do princípio de razão suficiente* (1813) desafiava a ortodoxia filosófica segundo a qual a razão, e somente ela, é o caminho correto para o conhecimento. Em *O mundo como vontade e representação* (1818), Schopenhauer declarou: "Nenhuma verdade é mais correta, mais independente de todas as outras, mais evidente do que esta: tudo o que existe para o pensamento – todo o mundo, portanto – é objeto apenas em relação ao sujeito, percepção daquele que percebe, ou seja, representação". Essa é uma das fontes do perspectivismo de Nietzsche.

Schopenhauer é frequentemente apontado como pessimista, uma visão endossada por um anexo a *O mundo como vontade e representação*, no qual ele afirma: "Eu não sei o que é a vida eterna, mas esta vida presente é uma piada de mau gosto". Schopenhauer, no entanto, é mais do que um pessimista, e seu conceito de vontade é complexo. Fundamentalmente, é sinônimo do *ser em si mesmo* de Kant. O conceito de vontade de Schopenhauer constitui parte de uma sofisticada elaboração da ontologia e da epistemologia. Ele define a matéria como "a *visibilidade* da vontade em geral". A vontade habita e anima a natureza, independentemente do homem – um fenômeno descrito pela noção de *ser no mundo* de Heidegger. Além disso, para Schopenhauer, "todo o corpo é a própria vontade, exibindo-se na percepção do cérebro". Nietzsche iria adiante e caracterizaria a vontade como aqueles desejos que dominam o comportamento humano: a vontade de viver e o impulso sexual. Se essas ideias assemelham-se às de Freud, é porque Freud foi profundamente influenciado por Nietzsche e Schopenhauer.

> "O mundo é minha representação": esta é uma verdade válida para todo ser vivo e pensante, embora somente o homem possa trazê-la à consciência reflexiva, abstrata. Se assim realmente o fizer, o discernimento filosófico nasceu dentro dele. Torna-se claro e certo para ele, então, que ele não conhece um Sol e uma Terra, mas somente um olho que enxerga um Sol, uma mão que sente uma Terra; que o mundo à

sua volta somente está lá como representação – em outras palavras, somente em referência a uma outra coisa, ou seja, ao ser que percebe, que é ele próprio.

Arthur Schopenhauer, *O mundo como vontade e representação* (1818)

Um filósofo que, muito à frente de seu tempo, reuniu as três grandes afrontas à megalomania humana e pensou nelas até o fim. A afronta cosmológica: nosso mundo é uma das incontáveis esferas no espaço infinito, com "uma camada de bolor de seres vivos e conscientes" sobre ela. A afronta biológica: o homem é um animal cuja inteligência deve ser a compensação para uma falta de instinto e para uma adaptação inadequada ao mundo vivo. A afronta filosófica: nosso Eu consciente não é o mestre de sua própria casa.

Rüdiger Safranski, *Schopenhauer e os anos mais selvagens da filosofia* (1989)

12

C. S. Peirce

10 de setembro de 1839 – 19 de abril de 1914

Lógico e cientista americano que estabeleceu os princípios do pragmatismo.

Não existe filósofo americano com talentos mais diversos que Charles Sanders Peirce. Suas contribuições para a lógica, o método científico e a semiótica tiveram efeito duradouro no raciocínio de pensadores sobre esses assuntos. Como seu mestre e inspiração intelectual, Immanuel Kant, Peirce buscou uma compreensão sistemática do mundo e de tudo que há nele. Dedicou sua vida a alcançar clareza de pensamento, uma tarefa diária.

Ao contrário da maioria dos cinquenta pensadores de que tratamos neste livro, é impossível apontar algumas das publicações de Peirce como leitura "recomendada". O trabalho de sua vida é uma colcha de retalhos formada por artigos e ensaios amplamente reunidos, mas uma edição útil e definitiva de seu trabalho ainda é aguardada.* Jacob Bronowski (1908-74) certa vez definiu um gênio como alguém com duas grandes ideias. Peirce teve pelo menos três: lógica predicativa, semiótica e pragmatismo. Além disso, ele fez contribuições práticas e duradouras à matemática, astronomia, química, geodesia, agrimensura, cartografia, me-

* O Peirce Edition Project da Universidade de Indiana-Universidade Purdue, em Indianápolis, está elaborando os *Escritos de Charles S. Peirce: uma edição cronológica.*

teorologia, espectroscopia, psicologia, filologia, lexicografia, história da ciência e economia matemática.

Peirce foi educado durante boa parte de sua vida dentro de casa, por seu pai Benjamin Osgood Peirce (1854-1914), que ocupou a cátedra Hollis de matemática e filosofia natural, em Harvard, de 1888 até sua morte, e é tido como um dos principais responsáveis pela criação do departamento de matemática de Harvard. Além de suas realizações acadêmicas, o pai de Peirce era um homem prático, cofundador do Instituto Smithsoniano e do US Coast and Geodetic Survey [Centro de pesquisa geodésica americano] (no qual Charles trabalharia durante a maior parte de sua vida profissional). As origens do pragmatismo de Peirce podem ser encontradas no estilo da instrução de seu pai, que incluía difíceis problemas matemáticos e científicos, cujas respostas eram submetidas a escrutínio rigoroso. Peirce formou-se em Harvard aos vinte anos de idade, com um diploma de química. Pelos dois anos seguintes, trabalhou como cientista para o centro de pesquisa geodésica americano, e, de 1879 a 1884, foi também professor de lógica no departamento de matemática da Universidade Johns Hopkins.

Rejeitado pela academia

Apesar de ser um gênio – porque Peirce foi sem dúvida um gênio, talvez até mesmo a maior mente filosófica americana de todos os tempos –, ele perdeu seu cargo na Johns Hopkins e jamais seria nomeado novamente para uma função acadêmica. Peirce era um homem não convencional, e depois que sua primeira mulher o deixou, ele passou a viver com a mulher que se tornaria sua segunda esposa. Juliette Peirce havia sido conhecida anteriormente como Anette Froissy e também como Juliette Pourtalai; suas origens eram obscuras, e as autoridades da Universidade Johns Hopkins acreditavam que ela era uma cigana. A escandalosa relação de Peirce com Juliette custou-lhe o emprego.

Ele podia, ainda, ser um colega de trabalho difícil e agressivo, talvez porque sofresse de nevralgia do nervo trigêmeo, uma doença crônica que causa dores penetrantes na face. Peirce utilizava cocaína, morfina e álcool para se tratar, e não há dúvidas de que isso contribuiu indiretamente para seu desligamento da universidade. Apesar de sua produtividade prolífica – ele deixou 100 mil páginas de manuscritos não publicados –, Peirce conquistou muito pouco reconhecimento ao longo de sua vida e morreu doente e na pobreza.

Continuação de ideias kantianas

Peirce leu a *Crítica da razão pura* (1781) pela primeira vez quando tinha dezesseis anos – estudou a obra por três anos, dominando o texto e se contrapondo às questões que ele levantava (ele continuaria a estudar esse texto ao longo de toda a vida, voltando a Kant frequentemente à medida que desenvolvia seu próprio pensamento). O primeiro e precoce estudo de Peirce sobre lógica o levou a considerar o de Kant "pueril"; rejeitou o apriorismo de Kant, assim como sua ideia de que o espaço era subjetivo. Apesar dessas objeções, Peirce tinha muito em comum com o filósofo. Ambos procuraram explicações para fenômenos que iam do conceito de matéria às origens e leis físicas do nosso universo; e, talvez mais do que qualquer um dos nossos cinquenta pensadores, Peirce foi o principal herdeiro moderno de Kant. O pensamento de Peirce não foi afetado pela divisão que ocorreu na filosofia no início do século XX, quando ela se dividiu em filosofia analítica e continental – duas tendências aparentemente irreconciliáveis. Ele seguiu seu próprio caminho como pensador independente. Peirce foi um lógico, um teórico do método científico, e não um defensor de metafísica "suave"; mas seu rígido pensamento sobre lógica e ciência, voltado para o senso comum, o levaria por fim a adotar alguns dos princípios metafísicos de Kant, Hegel e outros idealistas.

A epistemologia de Peirce definida em oposição a Kant

Para Peirce, experiência era tudo, e todo o nosso conhecimento precisava ser baseado nela. Como consequência, ele rejeitava o conceito de Kant da "coisa em si" (*Ding an sich*), considerando-o algo que não podia ser "indicado" ou "encontrado" na natureza. "Portanto, todas as referências a ele precisam ser descartadas como excesso de sentido carente" (*Collected Papers* [Escritos reunidos], Vol. 4). Todo conhecimento deve se referir à experiência, e, por conseguinte, a todo significado – não pode haver significado independente da experiência. É nesse sentido que Peirce é por vezes denominado um realista kantiano: "Nada pode ser mais inteiramente falso do que a noção de que somente podemos experimentar nossas próprias ideias" (*Collected Papers* [Escritos reunidos], Vol. 6).

Pragmatismo

A maior contribuição de Peirce para o pensamento moderno diz respeito ao *pragmatismo*, que sustenta que uma proposição é verdadeira se ela funciona, de modo que ideias impraticáveis deveriam ser rejeitadas. Ao lado do transcendentalismo de Emerson e Thoreau, o pragmatismo é a outra escola de pensamento filosófico unicamente americana. Embora William James tenha sido o primeiro a publicar a palavra "pragmatismo", ele creditou sua elaboração e seu uso inicial a Peirce, que traçou suas ideias fundamentais em dois artigos publicados em 1878 no acessível periódico científico *Popular Science Monthly*. O primeiro artigo, "Como esclarecer nossas ideias", definia uma ideia clara como "aquela que foi tão bem apreendida que será reconhecida onde quer que seja encontrada, de modo que não será confundida com nenhuma outra. Se ela falhar em atingir essa clareza, pode-se dizer que é uma ideia obscura." O modo pelo qual ideias tornam-se claras é denominado *inferência*. No artigo "A fixação da crença", Peirce escreveu: "Nós atingimos o domínio completo do poder de inferir, a última de todas as nossas faculdades; pois ela é menos um dom natural do que uma longa e difícil arte". É mediante a lógica e o acréscimo de conclusões demonstráveis, que possam ser compartilhadas por uma comunidade de observadores, que surge o conhecimento – a realidade, nossa compreensão objetiva do mundo.

Ao contrário da maior parte dos filósofos do período moderno, Peirce foi um cientista profissional durante toda a sua vida (nisto, ele se assemelhava aos pré-socráticos, que não enxergavam a distinção entre filosofia e ciência com a qual convivemos hoje). Para Peirce, filosofia *é* a filosofia da ciência, e isso é demonstrado por seu método pragmático. Além de William James, alguns pragmáticos centrais foram Josiah Royce (1855-1916), John Dewey, George Herbert Mead (1863-1931) e George Santayana. Proeminente entre os pragmáticos do século XXI está Susan Haack (1945-), que é frequentemente citada como neta intelectual de Peirce.

Semiótica

Para Peirce, a lógica fornecia a sustentação para um estudo mais geral e inclusivo, que ele denominava "semiótica" (*semiotic*, em inglês), ou a teoria dos sinais, diferente do que Ferdinand de Saussure e seus seguidores chamavam de "semiótica" (*semiotics*, em inglês). À semelhança de grande parte do pensamento sistemático de Peirce, a teoria dos sinais organizava-se em uma tríade. Os três elementos são o *signo* em si; seu *objeto*, ou aquele ao qual se refere; e o *interpretante*. Aquilo a que Peirce se referia com o termo "interpretante" é o sujeito de grande parte do debate contemporâneo. O papel do interpretante é determinar como o signo representa o objeto. Pode ser considerado o significado do signo, mas também é visto como um processo, produto e efeito. Um interpretante torna-se outro signo em si mesmo, e assim o processo semiótico prossegue. Esta é uma diferença fundamental entre a semiótica de Peirce e a de Saussure, que afirma existir uma tensão dualista entre o *significante* e o *significado*, cuja relação pode ser arbitrária. A semiótica de Peirce é radical e parte essencial de sua obra filosófica, que inclui sua lógica e seu método pragmático. "Peirce afirmava que os humanos não apenas se envolvem na semiose, mas representam e interpretam a realidade perpetuamente – eles próprios são signos" (Robert W. Preucel, *Archaeological Semiotics* [Semiótica arqueológica]).

Ao morrer, Peirce deixou quase 100 mil páginas manuscritas não publicadas, e a tarefa de organizá-las e publicá-las de modo que a arquitetura de seu pensamento se torne clara é longa e desafiadora. Pode-se apostar com segurança, no entanto, que quando essa tarefa for terminada, a obra de Peirce dará aos futuros pensadores um volume enorme de material a ser considerado.

> Mas *como posso* saber o que vai acontecer? Você certamente não acredita que será por clarividência... No entanto, é verdade que, sim, *eu sei* que aquela pedra vai cair assim que eu soltá-la, como um *fato*. Se eu *realmente sei* alguma coisa, isso que eu sei tem que ser *real*. Seria bastante absurdo dizer que eu poderia saber como serão determinados eventos sobre os quais não poderei exercer mais controle do que aquele que exercerei sobre esta pedra depois que ela tiver deixado minha mão; que eu possa assim perscrutar o futuro não mais que por meio de uma força familiar à pura ficção.
>
> Eu sei que esta pedra vai cair se ela for liberada porque a experiência me convenceu de que objetos desse tipo sempre caem; e se alguma pessoa presente tiver qualquer dúvida sobre essa questão, ficarei feliz em fazer o experimento – e farei com ela uma aposta de cem para um nesse resultado.
>
> C. S. Peirce, *Pragmatism as a Principle*
> [Pragmatismo como um princípio] (1903)

13

William James

11 de janeiro de 1842 – 26 de agosto de 1910

Psicólogo americano que definiu a natureza da consciência como um fluxo, apresentou as ideias do pragmatismo a um público amplo e explorou as variedades da experiência religiosa.

Em seu livro *Princípios de psicologia* (1890), William James forneceu o primeiro documento moderno original e abrangente sobre o tema em inglês. Em seu próprio estilo, ele popularizou e desenvolveu o pragmatismo de C. S. Peirce e foi visto pelo público em geral como o criador da doutrina (embora Peirce fosse seu progenitor desconhecido). James abordou o fenômeno da crença religiosa na era do cientificismo, publicando em 1902 *As variedades da experiência religiosa.* Ele descreveu nossa percepção do tempo como um "fluxo de consciência". Essa descoberta teve efeito profundo nos estilos de escrita de sua aluna Gertrude Stein (1874-1946) e dos romancistas Marcel Proust (1871-1922), Virginia Woolf (1882-1941), James Joyce (1882-1941) e William Faulkner (1897-1962). Como resultado, um amplo público veio a se familiarizar com essa ideia seminal do século XX.

Nascido em uma família rica da Nova Inglaterra, William James foi uma criança nervosa, de juventude marcada por crises de profunda depressão; em diversas ocasiões, ele chegou a pensar em suicídio. Seu pai, Henry James Sr. (1811-82), foi um teólogo que seguia as ideias do filósofo e místico cristão sueco Emanuel Swedenborg (1688-1772); era, ainda, amigo de Ralph Waldo Emerson, que se tornaria avô de William. William se beneficiou de frequentes viagens à Europa, em algumas delas foi apresentado a intelectuais e escritores da época, muitos dos quais também visitavam o salão de James em Nova York – o irmão mais novo de William era o romancista Henry James (1843-1916). Depois de pensar em praticar pintura, James acabou decidindo estudar medicina. Ele nunca atuou como médico, mas seu treinamento científico, aliado ao gosto pela metafísica, levou-o a criar uma obra única, que deixou uma impressão duradoura no pensamento contemporâneo.

Ciência e religião

A importância de William James e seu papel na ascensão da filosofia americana devem ser contemplados no devido contexto histórico. A crescente influência da ciência (e das tecnologias que dela resultaram), no final do século XIX, apresentou uma série de crises para a filosofia europeia. Na Alemanha, lar do idealismo, a ciência parecia eclipsar a filosofia de Kant e Hegel e toda a metafísica que lhe dizia respeito. Isso fez Edmund Husserl (1859-1938) refletir, em seu livro não terminado *A crise das ciências europeias e a fenomenologia transcendental*, que a ascensão do empirismo científico ameaçava o esforço para entendermos nosso mundo por meios alternativos e não redutivos. Martin Heidegger desconfiava da ciência e da tecnologia, que ele associava ao materialismo decadente dos Estados Unidos.

Na França do século XIX, ideias científicas continuavam a se chocar com os ensinamentos da Igreja católica romana, que ainda gozava de enorme influência. Até mesmo na Inglaterra predominantemente protestante, a teoria da evolução de Charles Darwin (1809-82) dividia profundamente os intelectuais, muitos dos quais a consideravam incompatível com a fé cristã. Se fosse preciso descrever em uma frase a contribuição de William James, seria possível dizer que ele desenvolveu um estilo de pensamento que permitiu às mentes questionadoras irem aonde a ciência as tentava levar sem medo de assim precisarem abandonar a crença religiosa.

Pragmatismo: hipóteses e verdade

Em uma palestra pública, James discursou sobre a situação de um "leigo comum" no início do século XX. Ele perguntou: "Como ele considera sua situação neste abençoado ano do nosso Senhor de 1906?" A situação dele, diz James, é esta: "Ele quer fatos; quer ciência; mas também quer religião". James passou toda a sua carreira tentando dar as duas coisas ao seu leigo hipotético, e o pragmatismo é a chave para entender como ele conseguiu isso.

A questão do pragmatismo, segundo James, é saber quais efeitos terá um pensamento ou ação e como uma pessoa reagirá a esses efeitos. O pragmatismo define a verdade como uma hipótese que corresponde à realidade. Podemos estabelecer o fato de que está chovendo porque nossas roupas estão molhadas por andarmos na chuva. Esta é uma verdade diretamente verificável. Além disso, o pragmatismo permite estabelecer uma verdade por meio de verificação *indireta*: por exemplo, eu não preciso verificar *diretamente* o fato de que a Bélgica é um país do norte da Europa que faz fronteira com França, Alemanha e Países Baixos – eu sei que esta é a verdade ao recorrer a um mapa e posso elaborar novas hipóteses baseadas nesse fato.

Psicologia

O livro de James, *Princípios de psicologia* (1890), é notável não somente porque fornece um relato coerente e sistemático a respeito do sujeito, mas também por conta de sua explicação do método. Ele usou quatro métodos no livro: experimental, analítico, estatístico e introspectivo. James criou a disciplina psicologia experimental em Harvard, e *Princípios* se inicia com uma seção a respeito do funcionamento do cérebro, que inclui evidências experimentais, começando com os centros nervosos de sapos e progredindo para resultados experimentais com seres humanos. James usou também uma abordagem *analítica*, na qual pesquisou e criticou as teorias de seus predecessores – o inatismo de Immanuel Kant; o associativismo de Jeremy Bentham; o materialismo de Herbert Spencer

(1820-1903); o espiritualismo dos filósofos escolásticos e o idealismo metafísico de Hegel. Sua pesquisa analítica a respeito do trabalho de seus predecessores foi planejada para identificar o que ele chamava de "métodos e armadilhas da psicologia". Ele empregou um *método estatístico* em um estudo comparativo para determinar normas e anomalias. Mas as contribuições mais originais de James vêm do seu uso da *introspecção*. Olhando para dentro de sua própria mente e investigando como percebemos e compreendemos o mundo, James ofereceu explicações sobre como experimentamos o tempo, como a memória funciona e sobre o papel da imaginação, do instinto e da vontade em nossa psicologia.

A influência de James sobre Bergson

James deu prosseguimento à exportação de ideias filosóficas americanas para a Europa, que começara com a influência de Emerson sobre Nietzsche. As visões de James sobre a vontade influenciaram a perspectiva de Husserl sobre o sujeito, que ele expressou em suas *Lições sobre ética e teoria dos valores* (1914). Mas o impacto mais profundo do pensamento de James deu-se sobre a obra de Henri Bergson. Os dois se encontraram em 1908 e permaneceram amigos por toda a vida; James apresentou o trabalho de Bergson aos Estados Unidos, onde o pensador francês se tornaria um palestrante extremamente popular.

Embora suas filosofias se diferenciem nos detalhes, Bergson e James estavam interessados nas mesmas questões, e, de modo geral, suas metodologias e conclusões foram similares. James chamava sua abordagem pragmática da pesquisa de *empirismo radical* – uma "atitude filosófica" não muito distante da abordagem de Bergson, que Gilles Deleuze denominou *empirismo transcendental.* No seu ensaio de 1903, *Introdução à metafísica*, Bergson escreveu: "Um verdadeiro empirismo é aquele que se propõe a manter-se tão próximo de seu original quanto possível, a examinar mais profundamente sua vida e, por meio de um tipo de *auscultação* espiritual, a sentir sua alma palpitar; e este verdadeiro empirismo é a metafísica real". Menos poeticamente, mas com o mesmo espírito, o empirismo radical de James levava em conta não somente aquilo que é experimentado empiricamente, mas também as relações mantidas entre os objetos de estudo (incluindo o observador e o ato de observar).

Ética e religião

O interesse de James na religião está profundamente ligado ao seu senso de ética, que é baseado na noção de solidariedade. Em *O filósofo moral e a vida moral* (1891), James afirma que a precondição para uma vida moral é ser capaz de imaginar e se solidarizar com a condição dos outros. Uma vida moral é aquela que tem um propósito, do qual ela deriva seu significado. O propósito é expressado e alcançado por meio do exercício do livre-arbítrio. James ecoa o livro *Temor e tremor* (1843), de Søren Kierkegaard, quando escreve que o livre-arbítrio nos permite "buscar incessantemente, com temor e tremor, tanto para votar e agir quanto para trazer para perto todo o universo de bem que conseguimos enxergar". O próprio James era um homem generoso cuja capacidade de se solidarizar com os outros o levou a fornecer assistência financeira ao empobrecido inventor do pragmatismo, C. S. Peirce, a quem sempre deu crédito por suas ideias.

Em *As variedades da experiência religiosa*, James seguiu o método que havia se provado bem-sucedido em *Princípios de psicologia*. Ele começa com uma revisão de análises redutivas e materialistas da crença religiosa, fornecidas pela neurologia e outras ciências, e depois explora aspectos como o misticismo. James limita seu estudo original à *experiência religiosa* individual, e não à história das seitas religiosas; essa abordagem possibilita uma discussão muito mais ampla sobre o poder do sentimento religioso, incluindo o que diz respeito à santidade e ao misticismo. Embora ele não aderisse à fé cristã convencional, e embora certamente não fosse um místico, James era solidário àqueles que carregam essas crenças e que têm experiências místicas. Em *Variedades*, ele confessou:

> Se meu tratamento de estados místicos lançará mais luz ou escuridão, não sei, pois minha própria constituição fecha-me à sua satisfação quase inteiramente, e posso falar deles somente em segunda mão. Mas,

> forçado a examinar o assunto tão externamente, serei tão objetivo e receptivo quanto puder; e acredito que ao menos terei sucesso em lhes convencer sobre a realidade de tais estados e da importância primordial de sua função.

Ao ressaltar a primordial importância de experiências e crenças das quais não toma parte, James evidencia o aspecto mais duradouro de seu pensamento: que as ciências e crenças religiosas são "chaves genuínas, capazes de abrir o cofre do universo para aquele que possa usar qualquer uma delas de forma prática". De acordo com a visão de James, o mundo é "complexo a ponto de consistir em diversas esferas de realidade que se interpenetram e que, assim, podemos abordar alternadamente ao utilizarmos diferentes concepções e assumirmos diferentes atitudes".

> A filosofia é ao mesmo tempo a mais sublime e a mais trivial das atividades humanas. Ela trabalha nas mais estreitas fendas e descortina as mais amplas paisagens. Ela "não assa nenhum pão", como já foi dito, mas pode inspirar nossas almas com coragem. E por mais que seus modos pareçam às pessoas comuns repugnantes, assim como suas dúvidas e desafios, seus sofismas e dialética, nenhum de nós pode viver sem os feixes de luz que ela faz piscar sobre as perspectivas do mundo. Estas iluminações, ao menos – assim como a escuridão e o mistério que lhe acompanham e fazem contraste –, dão ao que ela diz um interesse que vai muito além do profissional.
>
> William James, *Pragmatismo* (1907)

14

Friedrich Nietzsche

15 de outubro de 1844 – 25 de agosto de 1900

Filólogo e filósofo alemão que declarou a morte de Deus e mostrou como o homem deve reavaliar valores vigentes.

Friedrich Nietzsche estudou filologia e, por isso, é às vezes renegado por aqueles que acreditam que um filósofo deve ter um diploma em filosofia. Ele é, no entanto, o mais popular e influente filósofo alemão do final do século XIX, em parte porque seu estilo de escrita aforística tornou-lhe (enganosamente) acessível a um público geral. Ele é famoso sobretudo por haver declarado a morte de Deus – um reconhecimento de que o homem precisa se responsabilizar pela própria vida por meio de esforço e vontade. Os temas principais da filosofia de Nietzsche prosperaram fora da academia e, como os de Karl Marx e Sigmund Freud, conquistaram um lugar na consciência pública.

Em *O nascimento da tragédia* (1872), Nietzsche estabeleceu uma oposição entre o que ele chamou de impulsos apolíneos e dionisíacos na Grécia Antiga. "Dionisíaco", para ele, significava o aspecto irracional, caótico e criativo da existência do homem, enquanto, por oposição, "apolíneo" se referia à distância crítica da razão, que afasta o homem da sua experiência vital do dionisíaco. Trabalhando em ideias primeiramente elaboradas por Arthur Schopenhauer, Nietzsche formulou o conceito de *vontade de poder*, uma força vital que ao mesmo tempo precede a existência humana e lhe serve de impulso. A *morte de Deus* necessitava do que Nietzsche chamava de *reavaliação de todos os valores*. Ele defendia que a natureza da percepção e do entendimento era relativa e questionava a noção de "verdade" objetiva ou absoluta. Seu conceito de *eterno retorno* é baseado na ideia de que cada momento deveria ser vivido como se fosse acontecer novamente para sempre, em um círculo infinito. Seu conceito de "super-homem" (*Übermensch*) – talvez o mais conhecido deles – se referia à visão de Nietzsche do homem como um ser vivendo entre o reino animal e um novo e mais elevado estado do ser, que poderia ser alcançado pelo exercício da vontade de poder.

A morte de Deus

Nietzsche deparou com *O mundo como vontade e representação* (1818), de Arthur Schopenhauer, por acaso, em uma livraria. Ele o teria lido inteiro de uma única vez. Neste livro, encontrou confirmação para ideias que vinham sendo fermentadas dentro de sua mente: que o mundo não é racional e que moralidade e significado histórico são relativos. Tudo isso, concluiu Nietzsche, advém do fato de que Deus está morto. O que ele quer dizer com isso? Em *A gaia ciência* (1882), Nietzsche pergunta: "Não ouvimos o barulho dos coveiros que estão enterrando Deus? Não sentimos o cheiro da divina putrefação? – porque até mesmo deuses sofrem putrefação! Deus está morto! Deus continua morto! E nós o matamos! Como nos consolar, a nós, os mais assassinos entre todos os assassinos?" A resposta seria a "consolação" da filosofia, do pensamento. O homem agora precisava raciocinar por conta própria em vez de acreditar cegamente nas "verdades" da Igreja (ou da universidade).

Nietzsche é frequentemente classificado como um niilista, mas ele é mais bem entendido como um crítico do niilismo europeu de meados do século XIX, à medida que a ascensão do nacionalismo enfatizava o secular em detrimento do divino e que a ciência começava a superar a metafísica e a religião. Nietzsche não matou Deus; ele foi somente o mensageiro. A morte de Deus teve início com Copérnico (1473-1543). "O que fizemos quando desatamos esta Terra de seu sol?", pergunta Nietzsche em *A gaia ciência* (1882). "Para onde ela se move agora? Para onde nós nos movemos? Para longe de todos os sóis? Não caímos continuamente? Para trás, para os lados, para a frente, em todas as direções? Existe ainda 'em cima' e 'embaixo'? Não vagamos como que através de um nada infinito? Não sentimos sobre nós a respiração do espaço vazio? Não ficou mais frio?"

Mas o criticismo de Nietzsche foi além da ciência ou da política; ele culpava o cristianismo por desvalorizar a vida ao sustentar a ideia de uma vida após a morte. A própria ideia de paraíso teria feito a vida na terra não valer a pena ser vivida. Neste sentido, o cristianismo corrompeu a vontade do homem e degradou todos os valores. É a partir desta posição que o homem deve se tornar responsável por si próprio. É uma tarefa, ainda, que deve ser empreendida a despeito de determinadas probabilidades. Embora fosse crítico em relação a Darwin – que ele provavelmente não leu –, Nietzsche enxergava o homem como um ser vivendo em um drama evolutivo, no meio do caminho entre macacos e anjos.

O *Übermensch*

O homem que tenta deixar para trás sua posição atual, por esforço da sua vontade, é o *Übermensch*, ou "super-homem". O super homem precisa também ser o criador de seus próprios valores. Os valores já prontos do cristianismo e da moralidade burguesa eram anátemas para Nietzsche – bestificantes, destruidores de vidas. Em *Além do bem e do mal* (1886) e em *Genealogia da moral* (1887), ele explorou a história da moralidade a partir de uma perspectiva que enriqueceu muito o estudo da ética. Mais tarde, esse trabalho foi assumido e ampliado por Michel Foucault, que, dos filósofos do século XX, foi talvez o mais influenciado por Nietzsche. Embora eles não tenham influenciado diretamente um ao outro, existem ainda correspondências entre os trabalhos de Nietzsche e Henri Bergson (1859-1941); ambos se preocuparam com o que foi chamado de *Lebensphilophie*, a consideração da vida vivida como um todo.

Eterno retorno

No centro da ética de Nietzsche, está o tema do eterno retorno. É um ensinamento que está mais insinuado do que abertamente declarado no livro *Assim falou Zaratustra* (1883-5). (O Zaratustra de Nietzsche é baseado na antiga divindade persa conhecida em inglês como "Zoroaster" [e, em português, como "Zoroastro"], que vai para o topo de uma montanha para meditar e depois desce para ensinar suas "crianças".) Nietzsche encantou-se e depois rejeitou a música de Richard Wagner (1813-83), o compositor do ciclo de quatro óperas *O Anel do Nibelungo*, com quem ele teve uma longa e tempestuosa amizade. Nietzsche faz Zaratustra lamentar: "Ó, como eu poderia não almejar a eternidade e o nupcial anel dos anéis – o anel do retorno? Nunca encontrei, até agora, a mulher com a qual eu deveria desejar ter filhos, a não ser esta mulher que eu amo. Pois eu te amo, ó Eternidade!" Este refrão é repetido diversas vezes, e tem como resposta: "O prazer, no entanto, não deseja herdeiros nem filhos. O prazer quer a si mesmo, quer eternidade, quer retorno, quer que tudo seja eternamente igual a si mesmo."

O que Nietzsche invoca com a doutrina do eterno retorno – que afirma que tudo no universo está em constante movimento, constante mudança – é uma espécie de imperativo categórico pós-teísta. Se Kant defendia que as pessoas deveriam agir somente de acordo com a máxima segundo a qual um ato deveria se tornar uma lei universal, então Nietzsche defendia que elas agissem como se aquele ato fosse se repetir eternamente. Este é o grande propósito que cabe ao homem seriamente após Deus. É o antídoto de Nietzsche para o niilismo de sua época, e é uma luz com a qual ele vislumbrou os novos territórios da experiência e da compreensão humana que viriam a ser explorados por fenomenologistas e existencialistas. Nietzsche lança as bases para a ontologia de Sartre e para os temas que ele explora em suas obras literárias. O desafio constante de Nietzsche é nos mostrar o abismo; a cada esquina, ele nos pergunta: *E agora*?

Mania, sífilis e morte

A vida de Nietzsche foi caótica. Sua saúde era frágil, e ele gastou muita energia para ofender a sensibilidade da sociedade cultural e intelectualmente dominante de sua época; por sua devoção ao pensamento, ele destruiu sua carreira como professor. Após dez anos ensinando na universidade, entregou-se totalmente à tarefa de escrever, enquanto vagava pela Europa. Ele se envolveu em um infeliz triângulo amoroso com Lou Andreas-Salomé (1861-1937) – uma *femme fatale* nascida na Rússia que mais tarde se associou a Freud e acabou se tornando psicanalista – e um de seus amigos, o filósofo alemão Paul Rée (1849-1901). Ele teve também uma relação tempestuosa com sua irmã, Elisabeth Förster-Nietzsche, uma antissemita radical que viajou ao Paraguai em 1886 para ajudar a fundar uma colônia ariana pura.

Durante seus últimos dez anos de vida, Nietzsche vagou entre casas de repouso e montanhas, sempre escrevendo. Em 3 de janeiro de 1889, durante uma estadia em Turim, ele viu um homem chicoteando um cavalo. Nietzsche enlaçou o pescoço do animal com os braços, na tentativa de protegê-lo, e então teve um colapso. Sua mãe o levou para a Basileia e depois para uma clínica em Jena. Após a morte dela, Nietzsche passou a viver com a irmã em Weimar. Ele sofria terrivelmente com os efeitos de uma sífilis terciária, e uma série de derrames o levou à morte em 1900.

A difamação de Friedrich Nietzsche

Elisabeth Förster-Nietzsche passou a ter o controle sobre a publicação da obra de seu irmão e estabeleceu um arquivo de seus textos. Ela os editou de modo a dar-lhes uma abordagem que fizesse referência aos nazistas. Adolf Hitler (1889-1945) fez com que tirassem uma foto sua ao lado de um busto de Nietzsche. Mas a verdade é que Nietzsche detestava o nacionalismo alemão e o antissemitismo. Sua "política" – se é que ele tinha alguma – era a de um esteta, um esnobe. Ele venerava a arte. Uma de suas principais ferramentas era a ironia, e, em certa medida, Nietzsche foi um grande humorista. Ele gritava e ria dos que estavam no topo, às vezes com sua própria voz, outras vezes com a voz de um de seus "personagens". Neste e em outros aspectos, Nietzsche se assemelhava ao seu predecessor no desenvolvimento do existencialismo, o dinamarquês Søren Kierkegaard (1813-55).

O estilo aforístico de Nietzsche, que dava à sua filosofia um caráter pungente e mordaz, é facilmente citado fora de contexto. A pior falha de interpretação de Nietzsche é a que o considera um antissemita, quando, na verdade, ele foi o oposto: um antiantissemita. O biógrafo de Nietzsche, Rüdiger Safranski, faz uma citação reveladora do filósofo nazista Ernst Krieck: "No fim das contas, Nietzsche foi um opositor do socialismo, um opositor do nacionalismo e um opositor do pensamento racial. Sem levar em conta essas três inclinações do seu pensamento, ele poderia ter sido um nazista extraordinário."

A grande contribuição de Nietzsche foi nos mostrar como pensar. Ele examinou problemas de diversas perspectivas e os modificou com a intenção de verificar se novos ângulos trariam novas soluções. Música e dança estão presentes em toda a sua filosofia, guiando o leitor em uma busca dionisíaca pelo conhecimento. Apartado da sociedade em seus anos derradeiros, Nietzsche foi certa vez observado por sua senhoria através do buraco da fechadura de sua porta – ele estava dançando nu. Em *Assim falou Zaratustra*, ele escreveu: "Eu somente poderia acreditar em um Deus que soubesse dançar".

> Deus está morto! Deus continua morto! E nós o matamos! Como nos consolar, a nós, os mais assassinos entre todos os assassinos?
>
> Friedrich Nietzsche, *A gaia ciência* (1882)

> Todos os filósofos compartilham este mesmo erro: partem do homem contemporâneo e, pela análise que dele tecem, acreditam poder atingir seus objetivos. Eles pensam automaticamente no "homem" como uma verdade eterna, como algo imutável no interior de um redemoinho, como uma medida incontestável de coisas. Tudo que o filósofo diz sobre o homem, no entanto, é, no fundo, não mais do que um testemunho a respeito do homem de um período extremamente limitado. Falta de senso histórico é o erro original de todos os filósofos.
>
> Friedrich Nietzsche, *Humano, demasiado humano* (1878)

15

F. H. Bradley

30 de janeiro de 1846 – 18 de setembro de 1924

Idealista britânico que rejeitou a tradição empírica nativa em favor da descendente de Kant e Hegel.

Na segunda metade do século XIX, a filosofia britânica era amplamente idealista, desenvolvia a tradição alemã que começava em Kant e passava por Hegel. A partir disso, alguém poderia dizer que ela pertencia ao que hoje é conhecido como "filosofia continental". Mas ela tinha também uma veia peculiarmente britânica, definindo-se como uma reação contra o empirismo dominante de J. S. Mill e seus predecessores, John Locke (1632-1704) e David Hume (1711-76).

O mais popular dos idealistas britânicos foi Francis Herbert Bradley, que publicou *The Principles of Logic* [Os princípios da lógica] em 1883, além do tratado metafísico *Appearance and Reality* [Aparência e realidade], em 1893. O segundo continuou a ser publicado e teve diversas edições até 1930. O poeta T. S. Eliot escreveu sua tese de doutorado, em Harvard, sobre Bradley. Ele a submeteu à banca em 1916, mas não chegou a defendê-la; a tese foi publicada em 1964 com o título *Knowledge and Experience in the Philosophy of F. H. Bradley* [Conhecimento e experiência na filosofia de F. H. Bradley].

Bradley defendia uma posição de extremo monismo, o que significa que ele enxergava o mundo como uma unidade, sem qualquer divisão entre corpo e mente (dualismo). Para ele, lógica, metafísica e ética eram todas tentativas de descrever essa unidade, que, na esteira de Hegel, ele denominava "o Absoluto". Seu trabalho dirigiu-se em grande medida a combater o que ele chamava de "o grande problema da relação entre Pensamento e Realidade". Sua abordagem combinava uma abertura para a contradição com uma racionalidade altamente desenvolvida. Com isto, ele descortinou uma linha de questionamento que seria desenvolvida com sucesso por Henri Bergson, Gaston Bachelard (1884-1962) e Maurice Merleau-Ponty (1908-61). É interessante imaginar como a filosofia teria se desenvolvido no século XX se Bradley e seus colegas idealistas não tivessem sido retirados de cena por Bertrand Russell e G. E. Moore. O ensaio de Moore *A refutação do idealismo* e o logicismo de Russell marcaram o fim do idealismo na Grã-Bretanha.

Mantendo Kant vivo

A filosofia de Bradley, influenciada pela de Thomas Hill Green, havia mantido a linha de investigação de Kant viva e se baseado em Hegel para traçar uma metafísica racional que pudesse incorporar o pensamento secular – o problema de Darwin e da evolução era crucial naquele momento – e a sensibilidade religiosa permitida pelo conceito hegeliano de Espírito. Mais importante para essa especulação "e se?" é que Bradley e seus colegas estavam abertos para as ideias de Edmund Husserl e Gottlob Frege. Ambos eram matemáticos. Frege determinou a agenda para a abordagem logicista da aritmética que marcou o início do movimento analítico. Husserl deixou a matemática e a lógica para criar a fenomenologia e, assim, foi o pai da filosofia continental moderna. Em vez de se colocarem em combate, como aconteceu após Moore e Russell, as duas tendências do pensamento continental poderiam ter feito contribuições complementares para a filosofia britânica, em vez de reduzi-la a apenas uma visão.

Em seus *Ethical Studies* [Estudos éticos] (1876), Bradley argumentou contra o utilitarismo de Jeremy Bentham (1748-1832) e James Mill (1773-1836), afirmando que a comunidade tem precedência sobre o indivíduo e que o indivíduo ganha sua identidade por meio do pertencimento à comunidade. O bem é atingido pela contribuição do indivíduo para a comunidade e por seu esforço em prol do que é considerado coletivamente um bem comum. Bradley desenvolveu um sistema de lógica para defender esse ponto de vista, e *Os princípios da lógica* promove a ideia do todo e da unidade, em oposição a uma compreensão de mundo redutiva e atomista. Ele rejeitava a ideia da linguagem como base para a lógica, uma vez que ela oferecia somente verdades parciais. Nisto, Bradley estava em contradição direta a pensadores como A. J. Ayer, que acreditava que afirmações verificáveis por meio da linguagem eram o único fundamento sobre o qual era possível estabelecer verdades lógicas.

Em *Aparência e realidade*, Bradley empregou um argumento, que mais tarde ficou conhecido como "regresso de Bradley", para afirmar que as relações – incluindo o pensamento – são contraditórias. Elas são apenas aparência, e nada de realidade. Para Bradley, as aparências são contraditórias porque são retiradas das experiências das quais fazem parte, dado o fato de que pensamos sobre elas. Ainda assim, o mundo inteiro, feito de aparências, é experiência; e é esta unidade que Bradley denomina "o Absoluto". Em sua insistência em que a consciência tenha um objeto, ele compartilha a visão de Husserl, que defendia que toda consciência é consciência de *alguma coisa*.

Green, Bosanquet e McTaggart

Embora Bradley seja lembrado como a principal figura entre os filósofos britânicos do período, ele foi fortemente influenciado por T. H. Green, um idealista de Oxford que iniciou o movimento contra o empirismo e o utilitarismo. Ele era um kantiano, na medida em que acreditava que tudo que faz parte do mundo, incluindo objetos e pensamentos, deva ser entendido como algo constituído de consciência humana; mas ele não seguia Kant na ideia de que o mundo do ser, ou as coisas em si mesmas, não pode ser conhecido. Elas *podem* ser conhecidas, dizia Green, porque existe uma Mente única e eterna que une todas as coisas. De acordo com essa visão, tudo está relacionado e conectado. Essa ideia é antirredutiva, porque defende que nenhuma parte pode existir senão em relação com o todo. Com ela, Green antecipa o tema da multiplicidade de Bergson.

Bernard Bosanquet (1848-1903) era colega de Bradley e, como este, foi influenciado por Green. Ele levou a sério o chamado de Green para uma "cidadania ativa": tendo sido eleito membro da Universidade College, em Oxford, ele se demitiu em 1881 para dedicar-se a trabalhos sociais em Londres e dar aulas a adultos. Além disso, ele era um autor prolífico – seus trabalhos reunidos somam vinte volumes. H. H. Joachim (1868-1938) foi um aluno de Bradley que publicou um importante estudo sobre Baruch Espinoza (1632-77), assim como o texto corajosamente intitulado *The Nature of Truth* [A natureza da verdade] (1906), no qual ele formulou uma versão importante da teoria da coerência. Esta sustenta que uma proposição é verdadeira caso seja uma parte necessária de um todo sistematicamente coerente.

J. M. E. McTaggart difere de Bradley e dos filósofos mencionados anteriormente por ter frequentado Cambridge, e não Oxford; este fato é importante porque ele foi professor tanto de Russell como de Moore. Foi de McTaggart que Russell retirou seu entusiasmo inicial por Hegel, que mais tarde ele deixaria de lado em uma conversão de grandes proporções, executando uma virada monumental e abandonando o idealismo pelo logicismo. Esse trio foi lembrado por seu aluno, o matemático americano Norbert Wiener (1894-1964), como "o chá maluco da Trindade" [em referência a uma cena do livro *Alice no País das Maravilhas*, de Lewis Carroll]. Como jantavam em uma mesa alta, Russell era o Chapeleiro Maluco, McTaggart, o Dormidongo, e Moore, a Lebre de Março. McTaggart foi um metafísico sistemático e importante intérprete de Hegel. Seus principais trabalhos incluem *The Nature of Existance* [A natureza da existência] (2 vols, 1921, 1927) e *The Unreality of Time* [O irrealismo do tempo] (1908).

A profissionalização da filosofia

A contribuição de Bradley e dos outros idealistas é melhor apreciada se a enxergarmos em seu contexto histórico. No período entre 1850 e 1903, não existiu uma escola de *idealismo* britânico, houve simplesmente *filosofia* britânica, cuja tendência geral era idealista. "Idealismo britânico" é mais corretamente considerado um termo pejorativo criado pelos primeiros filósofos analíticos para identificar o *status quo* que eles pretendiam suplantar com sua própria tendência de pensamento. A estranha morte do idealismo na filosofia britânica está diretamente ligada à transformação da filosofia de um passatempo de cavalheiros em uma profissão. Até o fim do século XIX, os filósofos britânicos típicos haviam sido homens independentes, que podiam viver com os próprios meios, e que hoje chamaríamos de intelectuais públicos. Isso era verdade para John Locke, no século XVII, para David Hume, no século XVIII, e era verdade para o empirista James Mill e o utilitarista Jeremy Bentham, contra os quais T. H. Green se posicionou no século XIX. A carreira de Green é um marco na história da filosofia porque, segundo o utilitarista Henry Sidgwick (1838-1900), ele foi o primeiro filósofo profissional no mundo de língua inglesa.

A guerra inicial dos filósofos analíticos contra o idealismo britânico pode ser vista como algo que envolveu muito mais que o desejo de suplantar a metafísica e o idealismo neo-hegelianos em sua totalidade por meio do logicismo: eles também queriam os empregos dos idealistas. O lado analítico dessa guerra ganhou as duas batalhas. A profissionalização da filosofia na Grã-Bretanha e nos Estados Unidos levou à morte do idealismo e à ascensão da filosofia analítica como a maneira oficial de pensamento; foi por este caminho que uma geração de professores liderados por Russell, Moore e Wittgenstein gerou uma nova geração de seguidores, que, em troca, manteve a tocha analítica queimando reluzente no mundo de língua inglesa ao longo do século XX à medida que seus alunos, e os alunos de seus alunos, assumiam postos de ensino nas universidades. (Há exceções notáveis ao domínio analítico, tais como as universidades de Edimburgo, Duquesne, Buffalo, a estadual da Pensilvânia, Texas A&M e Fordham, além de figuras solitárias em Yale e diversas outras).

O trabalho de Bradley e seus colegas foi interrompido repentinamente (na medida em que sua substituição pela filosofia analítica anulou todo criticismo e desenvolvimento do "idealismo britânico" na época). Agora, ele está sendo redescoberto e investigado por filósofos do século XXI.

Todos os aspectos da vida podem, no fim, ser subordinados ao Bem, uma vez que entendamos o Bem em um sentido muito amplo. Em todos os aspectos da vida, parecemos forçados, mais cedo ou mais tarde, a fazer a pergunta "Por quê?". E a resposta a esse questionamento, também em todos os aspectos, parece estar no contentamento e na ausência ou supressão da perturbação. Podemos recorrer a uma série de coisas, mas é a esse aspecto das coisas, e é a coisas que em alguma medida possuam esse aspecto, que por fim somos trazidos. E somos levados a concluir que, na medida em que qualquer coisa seja boa neste sentido, nada mais há no mundo que possa fingir estar acima dele.

A tentativa de fazer da razão e da verdade exceções não se sustentará aqui. Pois, se você perguntar o que é a verdade, será levado a responder que ela é aquilo que satisfaz o intelecto. O contraditório e o insignificante falham em ser verdadeiros porque, de certa maneira, eles não satisfazem. Eles produzem certo tipo de desconforto e agitação; e aquilo do outro lado que transforma essa agitação em uma resposta de contentamento é a verdade. Há verdade, podemos dizer, onde o intelecto encontrou seu bem.

F. H. Bradley, *Essays on Truth and Reality*
[Ensaios sobre verdade e realidade] (1914)

16

Gottlob Frege

8 de novembro de 1948 – 26 de julho de 1925

Matemático alemão que fundou a lógica moderna e lançou as bases da filosofia analítica.

A atividade da filosofia normalmente consiste em filósofos construindo argumentos que contradigam o trabalho dos seus predecessores. Nesse sentido, a filosofia funciona como a música. Por exemplo: compositores raramente inventam formas totalmente novas. Em vez disso, elaboram suas ideias em resposta ou como reação ao trabalho de seus predecessores. Em certo sentido, a maior parte da "nova" música é um ato de criticismo, e não uma composição totalmente original. Assim acontece com a filosofia. Ocasionalmente, a ideia filosófica é uma homenagem ao predecessor ou competidor; às vezes, é uma declaração mais ou menos assim: *Aqui está como X fez isso. Agora, vou demonstrar a maneira correta de fazê-lo...*

Mas isso não é verdade para o trabalho de Gottlob Frege. De todos os filósofos do período moderno, a contribuição de Frege talvez tenha sido a mais original. Outros pensadores conhecidos, como Marx, Freud e Darwin, exerceram um efeito mais óbvio sobre nosso mundo, mas somente Frege tomou um ramo da filosofia – a lógica – e o fez avançar de onde Aristóteles (384-322 a.C.) o havia deixado 2.300 anos antes. Seu trabalho, de fato, criou o ponto de partida para a lógica moderna e a filosofia analítica.

Frege nasceu em 1848, em Weimar, Alemanha. Estudou matemática na Universidade de Jena e doutorou-se na Universidade de Göttingen.

Retornou a Jena, onde, de 1874 a 1918, traçou silenciosamente seu caminho pelas fileiras acadêmicas, tornando-se finalmente professor honorário de matemática. Essa biografia trivial é de interesse somente porque, enquanto o trabalho de filósofos menores lhes trouxe fama em vida, as realizações de Frege foram amplamente ignoradas. Mas os poucos leitores que ele tinha formavam um grupo especial, que incluía as duas estrelas mais brilhantes da filosofia analítica – Bertrand Russell e Ludwig Wittgenstein – e um dos fundadores do positivismo lógico, Rudolf Carnap.

Um salto quântico para a lógica

O plano de Frege era demonstrar que a aritmética podia ser reduzida à lógica (logicismo). De modo a preparar as bases para seu trabalho, ele rejeitou as duas visões dominantes de seu tempo: psicologismo e empirismo. O psicologismo sustenta que as verdades da filosofia estão fundadas sobre a psicologia. Já o empirismo afirma que as verdades da aritmética existem independentemente da lógica, como experiência. O ponto de partida de Frege foi Immanuel Kant (1724-1804), com quem ele concordava no que dizia respeito à afirmação de que nosso conhecimento da matemática existe *a priori*. Mas ele não concordava com a ideia de Kant sobre nosso conhecimento da matemática *sintético a priori* – ou seja, que ele depende da intuição. Defendia, ao contrário, que nosso conhecimento da matemática é *a priori* em um sentido *analítico*, dependente apenas da lógica. Em sua busca por uma base puramente lógica para a teoria dos números, Frege desenvolveria ainda uma análise da linguagem, levando em conta sua relação com a lógica e a verdade.

Seu primeiro grande trabalho foi *Begriffsschrift* [Escrita conceitual], publicado em 1879. Filósofos tendem a concordar que este livro representa o mais importante desenvolvimento em lógica desde Aristóteles. O filósofo grego desenvolveu a lógica silogística, e filósofos escolásticos, como Aberlard, refinaram um estilo dialético de lógica, mas a realização de Frege foi construir um sistema de notação em seu esforço de derivar provas matemáticas da lógica pura. A notação de Frege era uma ferramenta para expressar argumentos de modo a evitar problemas de clareza inerentes à linguagem coloquial. Ele desenvolveu também um cálculo proposicional e um cálculo de predicados, que possibilitaram a representação e análise de sentenças cada vez mais complexas.

A virada linguística de Frege

O trabalho de Frege o levou a executar o que mais tarde ficou conhecido como a "virada linguística", no que é considerada a primeira obra de filosofia analítica, *Die Grundlagen der Arithmetik* [Os fundamentos da aritmética], publicada em 1884. A virada linguística era uma técnica que tomava problemas antes considerados ontológicos ou epistemológicos e os reformulava como questões de linguagem. Em *Grundlagen*, Frege estabelece três princípios fundamentais. O primeiro é evitar o psicologismo, separando o psicológico do lógico, e distinguir o subjetivo do objetivo. O segundo, conhecido como o "princípio do contexto", exige que o significado de uma palavra jamais seja buscado de maneira isolada, mas somente no contexto de uma proposição. O terceiro demanda uma distinção entre conceito e objeto. Frege afirmava que conceitos e fatos relacionados são tão objetivos quanto os objetos e seus fatos. No entendimento de Frege sobre "conceito" e "objeto", um número é um objeto. No entanto, quando Frege defende que um número é um objeto, ele não quer que pensemos sobre ele da mesma forma que pensamos sobre uma cadeira ou uma mesa. A definição de Frege do número como um objeto é negativa, uma vez que ele faz duas declarações sobre o que um número *não* é: ele não é uma propriedade de nada; e também não é algo subjetivo (como um elemento mental). Ele é independente da mente.

Sentido e referência

Por quase uma década, Frege adiou sua tentativa de reduzir a aritmética à lógica para estudar problemas da linguagem. Seu objetivo era se livrar do que ele enxergava como a bagunça e a imprecisão da metafísica (por exemplo, Kant e os idealistas alemães). Como ele havia feito com a aritmética, Frege começou a reduzir a linguagem aos seus componentes essenciais (lógicos). Ele fez isso em uma série de três artigos curtos publicados entre 1891 e 1892, um dos quais traçava uma distinção entre "sentido" e "referência" na linguagem. Para Frege, um estudo preciso da linguagem começa com uma compreensão da diferença entre "referência" (o objeto ao qual a linguagem se refere) e seu "sentido" (o modo como uma expressão se refere ao objeto). Um único referente pode ter duas expressões diferentes. Por exemplo, John le Carré é o *nom de plume* de David Cornwell. Embora John le Carré e David Cornwell sejam a mesma pessoa, um observador acostumado a um deles, mas não ao outro, poderia se surpreender ao descobrir que é a mesma pessoa. Frege argumentaria que isso acontece porque seus modos de apresentação são distintos. Então, ele conclui, "é o sentido das expressões que determina o pensamento expressado por uma sentença na qual elas ocorrem, enquanto a referência determina sua verdade ou falsidade". Bertrand Russell fez um desafio, que ficou famoso, à teoria semântica de duas partes de Frege em seu artigo *On Denoting* [Sobre denotação], de 1905. Ainda assim, a distinção de Frege entre sentido e referência continua a ser relevante em discussões atuais sobre teorias do significado.

O Paradoxo de Russell

Após trabalhar na filosofia da linguagem, Frege retornou ao seu projeto de fixar as leis da aritmética na lógica. O primeiro volume do seu *Grundgesetze der Arithmetik* [Leis básicas da aritmética] foi publicado em 1893, e o segundo, em 1903. Neles, Frege levou adiante o desenvolvimento da ideia matemática de classe e classes de classes. Usando a teoria dos conjuntos, Frege havia definido o número cardinal de uma classe dada como a classe de todas as classes que são similares. Agora, ele começou a tarefa rigorosa de derivar os fundamentos da matemática exclusivamente da aritmética e da lógica com objetivo de eliminar qualquer contradição. Em 1901, quando o segundo volume de *Grundgesetze* estava em impressão, Frege recebeu uma carta de Bertrand Russell. Russell vinha estudando atentamente o trabalho de Frege, à medida que desenvolvia seu próprio trabalho com os fundamentos da matemática. Durante seus estudos, ele havia descoberto um erro no pensamento de Frege que (nas palavras do próprio) destruiu as bases do trabalho da sua vida.

Esse erro, conhecido como Paradoxo de Russell, é o seguinte. Alguns conjuntos são membros de si mesmos, enquanto outros não o são. Por exemplo, o conjunto de filósofos não é membro de si mesmo, uma vez que é um conjunto, e não um filósofo. Mas o conjunto de não filósofos é um membro de si mesmo. Então: seria o conjunto de todos os conjuntos que não são membros de si mesmos um membro de si mesmo? Se for, então ele não é; se não for, então é. A descoberta de Russell foi brutalmente devastadora, mas levou as bases da matemática ao próximo estágio. A contribuição de Frege, de fato, chegou ao fim; mas ela teve significância enorme e forneceu um fundamento para o trabalho de Russell e Wittgenstein.

> Frege desvinculou a lógica da psicologia e deu-lhe um lugar na linha de frente da filosofia, que até então havia sido ocupado pela epistemologia. É este fato que, mais que qualquer outro, permite que Frege seja considerado o pai fundador da filosofia analítica moderna.
>
> Anthony Kenny, Frege*: An Introduction to the Founder of Modern Analytic Philosophy* [Frege: uma introdução ao fundador da filosofia analítica moderna] (1995)

> Durante o trabalho de desenvolvimento da lógica, Frege também, mais ou menos inadvertidamente, inventou o estudo da filosofia da linguagem.
>
> John Searle, *The Future of Philosophy* [O futuro da filosofia] (1999)

> Poucas coisas mais infelizes podem recair sobre um escritor científico do que ter uma das fundações do seu edifício abalada depois de terminado o trabalho. Esta foi a posição em que fui colocado por uma carta do senhor Bertrand Russell, justo quando a impressão deste volume estava próxima de seu término.
>
> Gottlob Frege, Prefácio de *Os fundamentos da aritmética*, Volume II (1903)

17

Sigmund Freud

6 de maio de 1856 – 23 de setembro de 1939

Neurologista austríaco que destacou os papéis da sexualidade e do inconsciente como fundamentos da personalidade e desenvolveu o método da psicanálise.

Sigmund Freud faz parte do grande triunvirato de pensadores revolucionários do século XIX que inclui Charles Darwin e Karl Marx. Cada um deles forneceu um mapa de contornos essenciais da condição humana. Darwin ofereceu uma explicação científica de como o homem evoluiu; Marx forneceu as ferramentas teóricas para o homem localizar a si mesmo e para se desenvolver um contexto histórico; e Freud forneceu um guia para a psique do homem, assim como uma explicação da dinâmica de sua psicologia.

Freud foi um revolucionário porque abriu o caminho à superação de tabus sobre o sexo ao descrever os humanos como seres essencialmente sexuais. (É impossível imaginar a "revolução sexual" dos anos 1960 sem Freud.) Ele revelou a existência do inconsciente, um território até então secreto que influencia nossas decisões – um lugar onde segredos e desejos não expressados se escondem. Mas ele também argumentou que a análise podia revelar o funcionamento do nosso inconsciente. Junto com Josef Breuer (1842-1925) e Alfred Adler (1870-1937), Freud foi o fundador da psicanálise.

O neurologista foi um autor prolífico, cujos livros e ensaios contêm desde teoria da psicanálise até reflexões sobre sociedade e religião. Seu trabalho conjunto com Breuer, *Estudos sobre a histeria* (1895), descrevia a histeria como o objeto adequado do método psicanalítico. *A interpretação dos sonhos* (1899) alegava levar a psicanálise para o reino da ciência. Outros trabalhos fundamentais que desenvolvem a teoria da psicanálise incluem *Três ensaios sobre a teoria da sexualidade* (1905), *Introdução à psicanálise* (1917) e *O Ego e o Id* (1923). Quase a partir do início, Freud começou a aplicar seu método psicanalítico em temas que iam além do tratamento de pacientes, com o objetivo de fomentar uma discussão de fenômenos sociais mais amplos. Trabalhos importantes desse tipo incluem *Os chistes e sua relação com o inconsciente* (1905), *Totem e tabu* (1913), *O futuro de uma ilusão* (1927), *O mal-estar na civilização* (1930) e *Moisés e o monoteísmo* (1939).

Freud estudou medicina e neurologia. Na escola de medicina, foi influenciado pelo fisiologista alemão Ernst Wilhelm von Brücke (1819-92), que desenvolveu a teoria da psicodinâmica, ou psicologia dinâmica, que reconhecia o papel do subconsciente no comportamento humano e empregava a metáfora da primeira e segunda leis da termodinâmica para descrever o comportamento da energia psíquica. Freud também passou alguns meses em Paris estudando com Jean-Martin Charcot (1825-93), um pioneiro em neurologia que utilizava a hipnose para tratar casos de histeria. Uma terceira influência fundamental foi Josef Breuer, amigo e colega de trabalho de Freud, que tratou a paciente "Anna O." com o método psicanalítico – caso que ficou famoso. Anna O. sofria com sintomas histéricos como a paralisia; quando ela conversou com Breuer sobre esses sintomas, eles desapareceram, e foi daí que se originou o termo "cura pela fala" para descrever a psicanálise.

A topografia mental de Freud

Em sua topografia da mente, Freud identificou três componentes: *id*, *ego* e *superego*. O id é a parte instintiva, guiada pelo *princípio do prazer* para evitar a ansiedade. É composto de dois elementos que ele denomina

Eros e Thanatos. Eros é a força vital, impulsionada pela libido; Thanatos representa o instinto de morte, que é uma causa da agressão. O ego é a parte racional, que obedece ao *princípio de realidade*, traduzindo instintos em um comportamento socialmente aceitável. O superego é a internalização da autoridade externa e o lugar da consciência e moralidade. Uma das funções do ego é mediar os impulsos do id e a ação supressiva do superego.

Além disso, a topografia mental de Freud caracterizou três aspectos da consciência: o consciente, o pré-consciente e o subconsciente. A menor região da mente é a parte consciente, onde ocorrem nossos pensamentos cotidianos. Um componente mais amplo da mente é o pré-consciente, onde residem os tipos de memória que podem ser facilmente trazidos à consciência. A área mais extensa da mente é o subconsciente, que não está prontamente disponível a nós, a não ser por meio da psicanálise. Este é o lugar onde ocorrem as ações do id, ego e superego. É o lugar onde experiências traumáticas são escondidas da memória; é o lar de impulsos selvagens. É o lugar onde vivem nossos monstros, nossos pesadelos. Estas ideias não foram publicadas até um ponto relativamente tardio da carreira de Freud, nos ensaios *Além do princípio do prazer* (1920) e *O ego e o id* (1923).

Psicanálise: a cura pela fala

A grande descoberta terapêutica de Freud e Breuer foi a possibilidade de tratamento de sintomas da histeria ao desbloquear o subconsciente. Um caso precoce de psicanálise bem-sucedida foi o da paciente conhecida como Dora, cujo sintoma histérico foi a perda da voz. Por meio da análise de sonhos, Freud levou Dora a entender que o que a perturbava era seu inexprimível desejo sexual por seu pai e por um casal para o qual trabalhava como babá.

A psicanálise se desenvolveu como um método para lidar com neuroses resultantes de diversos desequilíbrios nas relações entre id, ego e superego. Quando isso acontece, afirmava Freud, determinados mecanismos escondidos entram em jogo. Por exemplo, um desejo excessivo pode levar à *repressão*, um mecanismo pelo qual desejos ou ações são expulsos da memória (mas podem ser revelados pela psicanálise). Vários mecanismos de defesa são identificados por Freud, incluindo *regressão* (para um estado menos ameaçador, talvez até infantil); *projeção* dos próprios sentimentos em outra pessoa; *negação*; *deslocamento* (transferir a raiva de um objeto para outro, por exemplo); e *sublimação*, no qual impulsos (como os sexuais) são deslocados para outra atividade (por exemplo, escrever um livro sobre filosofia). Os mecanismos de defesa de Freud penetraram a linguagem tão profundamente como os símbolos do cristianismo. Por exemplo, enquanto o cristianismo nos dá anjos ("ela é um anjo"), santos ("ela tem uma paciência de santo"), cruzes ("é uma cruz que ela tem que carregar") e demônios ("ah, ela é um demônio"), Freud nos dá regressão (um adulto entregando-se a uma atividade ou passatempo infantil), projeção ("ele só está projetando a raiva em você") e negação ("ela está em negação quanto ao problema com a bebida").

Ao desenvolver o método psicanalítico, Freud descobriu relações estruturais que emergem entre analista e analisando. Entre elas, a *transferência* é a mais conhecida e a mais importante. Em geral, transferência em psicanálise significa a transferência dos sentimentos que uma pessoa tem por alguém para outra pessoa. No contexto da análise, a relação terapêutica se problematiza, uma vez que a pessoa para quem os sentimentos são transferidos é o analista – que pode ser tornar objeto de desejo sexual do paciente, por exemplo. Para complicar ainda mais o procedimento, o analista pode direcionar sentimentos ao paciente, no fenômeno da contratransferência.

Contemporâneos de Freud

Entre os contemporâneos de Freud na psicanálise, estão Carl Jung (1875-1961), que identificou arquétipos dominantes na psicologia; Otto Rank (1884-1939), para quem lenda, mito e arte também eram importantes na psicanálise, e Wilhelm Reich (1897-1957), para quem o orgasmo tinha importância central na saúde da mente. Freudianos exploraram uma ampla gama de ideias, de alquimia a produção de chuva, o que, aos olhos de alguns céticos, revela quão excêntricos e indisciplinados eram os primeiros psicanalistas. O pensamento de Freud, no entanto, era não somente original, mas intelectualmente revolucionário. E era também útil: a psicanálise *funcionava*. Alguns pacientes eram libertados de sistemas debilitantes que haviam tornado suas vidas infelizes; outros estavam curiosos sobre si mesmos e suas motivações e, assim, recebiam de bom grado as conclusões que podiam ser recolhidas da psicanálise. Os egocêntricos viam-na como uma oportunidade perfeita para falar de si mesmos, e assim temos análises que perduram por toda uma vida, em contraste com a análise curta e bem-sucedida de Dora.

A propagação impressionante das ideias de Freud deve muito aos esforços de dois ingleses. As excelentes traduções para o inglês dos trabalhos de Freud feitas por James Strachey (1887-1967) ajudaram a fazer Londres e Nova York centros precoces e duradouros da psicanálise (em breve, haveria mais psicanalistas em Nova York do que em toda a Áustria). O neurologista Ernest Jones (1879-1958) foi o primeiro psicanalista de língua inglesa, responsável por seu desenvolvimento fora da Áustria. Jones ajudou a assegurar o legado de Freud com seu magistral livro em três volumes *Vida e obra de Sigmund Freud* (1953-7). Em um mundo cada vez mais apreensivo de escolas psicanalíticas competitivas (da mesma maneira como o marxismo se separou em inúmeros grupos), Jones protegeu a pureza dos ensinamentos de Freud em seus cargos de presidente da Sociedade Psicanalítica Britânica e da Associação Psicanalítica Internacional.

O legado cultural e intelectual de Freud

A adoção e a manipulação das teorias de Freud por filósofos franceses levaram à sua aplicação na filosofia e ao desenvolvimento da teoria crítica como aplicada nos "textos" literários e outros. Foi a influência de Freud que fez Jean-Paul Sartre caracterizar a existência humana e sua orientação direcionada à palavra como primordialmente sexual. Mas foi o analista e teórico francês Jacques Lacan – que deu aulas semanais sobre Freud na Sorbonne entre 1953 e 1980 – que se tornou o principal responsável por tornar Freud relevante para o final do século XX. O principal foco de Lacan era o papel da linguagem na psicanálise, um movimento que fez Freud atraente para a preocupação pós-estruturalista com os textos. A aluna de Lacan, Julia Kristeva (1941-), uma psicanalista praticante, emprega ideias freudianas em seus ensaios filosóficos, mas ela também acredita em seu poder curativo. Em *This Incredible Need to Believe* [Essa incrível necessidade de crer] (2009), ela escreve: "A análise nos torna capazes de novos *vínculos*: isto é o que a maioria dos envolvidos nela espera".

Freud influenciou também os filósofos da Escola de Frankfurt. *Eros e civilização: uma interpretação filosófica do pensamento de Freud* (1955), de Herbert Marcuse (1898-1979), foi marcado em grande parte por sua leitura de *O mal-estar na civilização* (1930), unindo as teorias marxista e freudiana em uma análise política que foi central para a contracultura dos anos 1960. O trabalho de Jürgen Habermas (1929-), com razão comunicativa, considera a psicanálise um modelo para um projeto baseado na erradicação da opressão desnecessária e na maximização da emancipação humana. Para Habermas, "o nascimento da psicanálise descortina a possibilidade de se chegar à dimensão que o positivismo trancou, e de fazê-lo de uma forma metodológica que surge fora da lógica da investigação".

Crítica feminista de Freud

A crítica da obra de Freud por feministas constituiu uma maneira de traçar o desenvolvimento do próprio feminismo – possivelmente, porque antes de Freud ninguém havia teorizado tanto sobre a sexualidade feminina. De acordo com Freud, a ausência do pênis na mulher (ou a presença de um "pênis pequeno", o clitóris) é vista com repúdio pelo garoto e, em última análise, também pela própria garota, que está em um estado de "inveja do pênis". Como resultado, a sexualidade feminina torna-se secundária – e acessória – à sexualidade masculina.

Os pontos de vista da sexualidade feminina no final do século XIX eram normalmente baseados em uma posição de poder não examinada e frequentemente relegavam as mulheres a um estado passivo e de degradação. As ideias de Freud, no entanto, mostraram-se tão úteis – tanto aos seus propósitos psicanalíticos inicialmente pretendidos quanto como ferramentas críticas para o estudo das culturas e dos textos – que elas sobreviveram a três ondas de feminismo. Entretanto, elas foram modificadas por críticas e psicanalistas do sexo feminino. Melanie Klein (1882-1960) e Karen Horney (1885-1952) foram rápidas em fazer avançar a compreensão psicanalítica das mulheres em seu trabalho e nos seus textos; e Nancy Chodorow (1944-) e Juliet Mitchell (1940-) continuam utilizando as ideias de Freud e a psicanálise a partir de perspectivas feministas e multidisciplinares, o que aparece tanto em seu trabalho teórico quanto na prática da análise. *The Enigma of Woman: Woman in Freud's Writings* [O Enigma da mulher: a mulher nos textos de Freud] (1980), de Sarah Kofman (1934-94), é um exame minucioso dessas questões.

A influência de Freud no pensamento moderno é tão grande que seria impossível superestimá-la. Quer "acreditemos" ou não na psicanálise, é preciso reconhecer que o fato de admitirmos o papel do subconsciente em nosso discurso cotidiano e de reconhecermos sem dúvidas que somos seres complexos, cuja sexualidade exerce papel predominante em quem somos, é inteiramente um resultado do pensamento de Freud. A psicanálise se multiplica e serve a milhões de pacientes em todo o mundo. Mas, em um contexto muito mais amplo, o trabalho de Freud alimenta as ciências naturais, as ciências sociais e a filosofia; ele pode ser visto como um desenvolvimento moderno do conceito elaborado por Fichte de *Wissenschaftlehre* – toda uma ciência do conhecimento que vai além do positivismo e adota a subjetividade.

> Todo sonho se revela como uma estrutura física que carrega um significado.
>
> Sigmund Freud, *A onterpretação dos sonhos* (1900)

> ... No final da primeira fase de ligação com a mãe, emerge – como o motivo mais forte da garota para se afastar dela – a repreensão da mãe por esta não ter lhe dado um pênis apropriado.
>
> Sigmund Freud, *Sexualidade Feminina* (1931)

Ninguém, provavelmente, se inclinará a negar o caráter orgânico da função sexual, e é na função sexual que eu vejo a fundamentação da histeria e das psiconeuroses em geral. Suspeito que nenhuma teoria da vida sexual poderá evitar a hipótese da existência de determinadas substâncias sexuais definitivas de ação excitante. De fato, de todos os quadros patológicos de que tomamos conhecimento na medicina clínica, são os fenômenos de intoxicação e abstinência – em decorrência do uso de certos venenos crônicos – que mais se assemelham às autênticas psiconeuroses.

Sigmund Freud, *Dora, Fragmentos de uma análise de um caso de histeria* (1905)

18

Émile Durkheim

15 de abril de 1858 – 15 de novembro de 1917

Pensador francês que estabeleceu a sociologia como uma disciplina acadêmica.

Durkheim é o pai da sociologia moderna e um dos primeiros arquitetos das ciências sociais em geral, junto com Auguste Comte, Karl Marx e Max Weber. Tendo adotado a filosofia positivista de Comte, Durkheim estabeleceu a sociologia como uma disciplina acadêmica plenamente madura que, embora devesse muito à filosofia, passaria a estar separada dela. Em 1895, ele desenvolveu uma metodologia original para "fazer" sociologia, que está rigorosamente destrinchada no seu livro *As regras do método sociológico*; e nesse mesmo ano ele também criou em Bordeaux o primeiro departamento universitário de sociologia. Durkheim definia os fatos sociais como "fatos com características muito distintivas: eles consistem em modos de agir, pensar e sentir, externos ao indivíduo e dotados de um poder de coerção, motivo pelo qual o controlam".

Em contraste com a tradição do idealismo alemão, que via o sujeito individual como o criador do seu mundo, Durkheim identificava os fenômenos sociais exteriores ao homem como forças formando a maior parte da sua experiência. O aspecto positivista do método de Durkheim era identificar fatos sociais, descrever as prescrições morais inerentes a eles e então estudar o efeito de transgressões contra eles. Isso significava que, para Durkheim, as raízes da sociologia estavam na ética; de fato, ele descrevia a sociologia como "uma ciência da ética". Seu trabalho mais conhecido no século XXI, *O suicídio* (1897), é uma exploração do fato social que condena o suicídio, e da transgressão generalizada contra ele.

Durkheim usava uma metáfora retirada da química para elaborar sua visão da sociologia como uma ciência da ética, assim como o método positivista que ele empregava. Ele enxergava o indivíduo como alguém que pertencia a um grupo social; e grupos sociais, como compostos químicos, são mais do que apenas a soma de seus elementos constituintes. Ele usava também uma metáfora retirada da medicina. Tendo descrito – diagnosticado, se se quiser – um fato social e a relação que o indivíduo estabelece com ele (aceitar ou transgredir as regras implícitas ou explícitas do fato social), Durkheim "prescrevia" um remédio para a doença social identificada. O comentador de Durkheim, Robert Alun Jones, observou que "Durkheim sempre concebeu as sociedades como sujeitas a condições de 'saúde' ou 'doença' moral e o sociólogo como uma espécie de 'médico' que determina cientificamente a condição particular de uma sociedade particular em um tempo particular e que depois prescreve o 'remédio' social necessário à manutenção ou recuperação do bem-estar". (*Emile Durkheim*, 1986).

Durkheim como rabino frustrado

Nascido em Épinal, na Lorena, Durkheim estava destinado a se tornar um rabino, como seu pai, seu avô e seu bisavô. Ele foi matriculado em uma escola rabínica, mas logo se declarou agnóstico e deixou o colégio. (Apesar de rejeitar a religião, Durkheim a identificaria como um fato social importante. Dedicou grande parte do final de sua vida ao estudo da religião e de seu papel na sociedade.) Durkheim era um aluno problemático, que precisou de três tentativas para conseguir entrar na École Normale Supérieure. Quando finalmente conseguiu, em 1879, ele passou a fazer parte de uma turma que incluía o filósofo Henri Bergson e Jean Jaurès (1859-1914), que se tornaria o principal socialista da França. Mas Durkheim terminou as aulas como penúltimo colocado de sua turma e, sem perspectivas de conseguir um posto de professor universitário, deu aulas em colégio por diversos anos até voltar aos estudos na Alemanha. Lá, ele desenvolveu um gosto pelos rigores do empirismo. Seu primeiro grande trabalho, baseado em sua tese de doutorado, foi *Da divisão do trabalho social* (1893).

A descrição de Durkheim da divisão do trabalho trata de uma sociedade agrária para uma sociedade industrializada. Neste movimento, ele enxerga não somente um novo conceito de divisão do trabalho, mas também uma nova definição de status social baseada no mérito (em oposição a essa ideia, Marx argumentava que a divisão do trabalho em sociedades capitalistas levava à alienação, uma vez que o homem era reduzido ao status de uma máquina). Durkheim descreveu os mecanismos pelos quais as sociedades desenvolviam regulamentos morais e econômicos. Novos fatos sociais, segundo ele, surgem na forma de solidariedade social, consciência coletiva e sistemas legais projetados para lidar com a nova ordem social.

Anomia: suicídio e o colapso das regras sociais

Em *O suicídio* (1897), Durkheim levou adiante a demonstração do seu método sociológico e se baseou em sua análise da divisão do trabalho para descrever o que acontece quando há uma ruptura da ordem social (o colapso da solidariedade social, por exemplo). Ele tomou emprestado do poeta e filósofo francês Jean-Marie Guyau (1854-88) o termo *anomia* para descrever o sentido resultante de ausência de normas ou desenraizamento de um indivíduo, um sentido de afastamento da sociedade, de não pertencimento. O conceito de anomia é útil para descrever o que Durkheim via como as causas sociais do suicídio. A experiência de alienação que uma pessoa sente como resultado da ausência de normas pode levar ao desespero capaz de levar uma pessoa a tirar a própria vida. Os pensamentos de Durkheim sobre o suicídio são particularmente relevantes da crise econômica atual, quando grande número de pessoas do mundo desenvolvido começa a perceber que os objetivos do crescimento econômico continuado e do progresso social – para indivíduos e sociedades – não são mais realistas, o que deixa muitos deles com uma sensação de alienação, à medida que confrontam o fato de que seu futuro não será o que eles esperavam. É este sentido de deslocamento que Durkheim enfatiza ao argumentar que o suicídio é um fenômeno social (sociológico) mais do que um fenômeno pessoal (psicológico).

O que Durkheim trouxe para o estudo do suicídio – e, consequentemente, para qualquer outra investigação sociológica – foi uma análise descritiva que evitava o traço prescritivo das doutrinas religiosas e filosóficas. Embora sua abordagem descritiva não possa ser chamada de fenomenológica no sentido rigoroso estabelecido por Edmund Husserl, ela influenciou as pesquisas existencialistas e fenomenológicas de psiquiatras como Aaron Esterson (1923-99) e R. D. Laing (1927-89), que identificavam a "loucura" na ruptura entre a experiência do sujeito e as expectativas da sociedade.

Como qualquer fenômeno social na visão de mundo de Durkheim, a anomia contém um elemento moral. No último dos seus três principais trabalhos, *As formas elementares da vida religiosa* (1912), Durkheim estabeleceu a religião como um fato social. Ele mostrou como a crença e a prática religiosas preenchiam necessidades sociais. À medida que sociedades se tornaram mais sofisticadas, suas religiões acompanharam o movimento. Mas a industrialização trouxe consigo o tipo de fratura social que conduziu à anomia, e Durkheim observou que essa ruptura social – quebras de normas, o fenômeno da ausência de normas – foi em parte devida ao declínio da religião como uma atividade comum que unia os grupos sociais por meio de um conjunto comum de crenças e práticas. A visão de Durkheim é oposta à de Marx, que condenava a religião como uma distração para o homem da sua realidade política e econômica. Com o tempo, no entanto, o próprio marxismo viria a se tornar uma espécie de religião secular, oferecendo aos seus adeptos um conjunto alternativo de valores, uma crença na história, um relato de como o mundo funciona e uma explicação do lugar do homem nesse mundo.

A grande realização de Durkheim foi demonstrar uma agenda e um método de pesquisa positivista que iam além da análise redutiva para tratar do que pode ser denominado o propósito do homem: por que estamos aqui, o que deveríamos fazer, aonde estamos indo? Sua contribuição foi fixar o homem em um contexto social. Mas Durkheim não apenas mediu e descreveu as forças sociais externas quantificáveis que nos moldam; ele dirigiu atenção também para os valores morais que nos orientam. É por este motivo que seu trabalho sobre o papel da religião na sociedade faz referência aos trabalhos precedentes sobre o suicídio e a divisão do trabalho. Sem a experiência compartilhada da religião, indivíduos enfrentam o perigo da anomia; e sociedades encaram a possibilidade de amplo colapso social.

> Por conta de sua própria natureza, fatos sociais tendem a se formar fora da consciência dos indivíduos, uma vez que eles os dominam. Para percebê-los em sua qualidade de coisas, portanto, não é necessário executar uma distorção engenhosa. Deste ponto de vista, a sociologia tem vantagens significativas sobre a psicologia, que até então não foram percebidas, e isso é algo que aceleraria seu desenvolvimento. Seus fatos talvez sejam mais difíceis de serem interpretados, porque são mais complexos, mas eles são mais prontamente acessíveis. A psicologia, por outro lado, tem dificuldade não apenas em especificar seus fatos como também em compreendê-los.
>
> Émile Durkheim, *As regras do método sociológico* (1895)

> No que diz respeito a questões sociais, nós ainda temos a mentalidade de primatas. E ainda assim, no tocante à sociologia, são muitos os nossos contemporâneos relutantes em abandonar suas ideias antiquadas, mas não porque a vida das sociedades lhes pareça obscura e misteriosa. Em vez disso, eles sentem-se tão facilmente satisfeitos com as explicações atuais que se apegam a essas ilusões repetidamente desmentidas pela experiência, simplesmente porque as questões sociais lhes parecem as coisas mais óbvias do mundo; eles não compreendem sua verdadeira obscuridade e ainda não reconheceram a necessidade de reproduzir os procedimentos meticulosos das ciências naturais de modo a dissipar essa escuridão. O mesmo estado mental é encontrado na raiz de diversas crenças religiosas que nos surpreendem por sua natureza simplista. Ciência, e não religião, ensinou aos homens que as coisas são complexas e difíceis de serem entendidas.
>
> Émile Durkheim, *As formas elementares da vida religiosa* (1912)

19

Henri Bergson

18 de outubro de 1859 – 4 de janeiro de 1941

Filósofo francês que desenvolveu a intuição como método filosófico e descreveu o tempo como experiência subjetiva.

Talvez mais que qualquer pensador no período entre as duas guerras mundiais, Bergson teve sucesso em fazer ideias complexas se tornarem amplamente populares. Ele foi o primeiro superstar internacional da filosofia, o primeiro autor *best-seller* de textos filosóficos. Antes de Bertrand Russell, Jean-Paul Sartre ou A. J. Ayer, Bergson levou a filosofia para o público, como Christian Wolff (1679-1754) fizera na Alemanha do século XVIII. A palestra de Bergson na Universidade Columbia, em 1913, reuniu uma multidão tão grande que causou o primeiro engarrafamento de que se tem registro na Broadway, em Nova York.

A popularidade internacional de Bergson não servia somente para mostrar o poder de suas ideias. Ela foi também um testamento para a audácia intelectual do que podia ser chamado de "classes educadas" da época. Seu trabalho mais popular, *A evolução criadora*, apareceu primeiramente em 1907, mas em 1918, ela já tinha passado por 21 edições – um feito impressionante para um texto filosófico difícil que exigia do leitor não apenas um entendimento da teoria da evolução de Charles Darwin, mas também uma habilidade em seguir argumentos metafísicos detalhados.

A coragem de um filósofo em face de Vichy

Bergson desfrutou das vantagens de ter nascido de uma mãe inglesa e um pai francês, alcançando com facilidade prática as duas línguas. Ele escolheu, fatidicamente, adquirir a cidadania francesa. Seus pais eram judeus, e Bergson permaneceu culturalmente judeu, tendo abandonado temporariamente a fé em Deus após ser apresentado à teoria da evolução. Bergson era um homem atipicamente espiritual e mais tarde passou a sentir afinidade pelo catolicismo romano, que ele acreditava complementar o judaísmo. Sua atração pelo catolicismo permaneceu, até mesmo quando a Igreja incluiu três dos seus trabalhos no *Index Librorum Prohibitorum*, que identificava livros proibidos para os católicos; de fato, o funeral de Bergson chegou a contar com a reza de um padre católico romano. Se Bergson não houvesse morrido em 1941, ele quase certamente teria sido deportado para Auschwitz, para onde 74 mil judeus franceses foram enviados de Paris a partir de 1942.

A resposta de Bergson, então com 81 anos de idade, aos nazistas que ocuparam a França em 1940 foi corajosa e nobre. Ele era o filósofo mais celebrado da França e havia ocupado duas cátedras no Collège de France: primeiro, a de Grego e Filosofia Latina e, depois, a de Filosofia Moderna. Ele havia vencido o Prêmio Nobel de Literatura em 1927 e se destacado como enviado da França ao presidente americano Woodrow Wilson no esforço diplomático bem-sucedido para levar os Estados Unidos à Primeira Guerra Mundial. ("A França foi salva. Foi a maior alegria da minha vida", escreveu ele.) Trabalhando com Wilson, ele havia presidido a criação do Comitê para Cooperação Intelectual da Liga das Nações, que mais tarde deu origem à UNESCO.

Após a ocupação da França pela Alemanha, em 1940, as autoridades francesas exigiram que todos os judeus se registrassem na polícia – um prelúdio para a perda da cidadania, a obrigação de usar a estrela amarela na roupa e, finalmente, para a deportação do campo de concentração de Drancy, em Paris, a Auschwitz. As autoridades se ofereceram para isentar o distinto Bergson da obrigação de registrar-se como judeu, mas, em um ato corajoso de solidariedade com seus companheiros judeus, Bergson abdicou de seus cargos, devolveu suas honrarias e colocou-se numa fila em um dia frio do final de 1940 para se registrar na polícia. Duas semanas depois, ele morreu de bronquite. Portanto, Bertrand Russell foi extraordinariamente grosseiro ao escrever em *História da filosofia ocidental* (1945): "O principal efeito da filosofia de Bergson foi conservador, e ele punha-se facilmente em harmonia com o movimento que culminou em Vichy".

Transcendendo o positivismo

Em consonância com importantes filósofos continentais como Franz Brentano (1838-1917) e Edmund Husserl, Bergson começou seus estudos filosóficos com grego, latim e matemática. Como Husserl, acreditava que a filosofia era uma ciência, embora uma que transcendesse o simples positivismo. Sua primeira publicação, aos 17 anos de idade, consistiu na solução para um problema matemático proposto por Blaise Pascal (1623-62) a respeito da posição de uma esfera em relação a dois planos. (Um dos professores de Bergson observou que um ganho para a matemática era uma perda para a filosofia.) Fiel à sua inclinação científica, mas com uma notável compreensão de como a ciência e a metafísica coexistem, Bergson desenvolveu sua teoria da multiplicidade depois de estudar o matemático Georg Friedrich Bernhard Riemann (1826-66). (O teorema da singularidade de Riemann identificava a multiplicidade de um ponto.)

Cinco conceitos bergsonianos

Bergson é frequentemente lembrado por três contribuições originais para a filosofia. A primeira é o conceito de *duração*, ou "tempo vivido", que descreve como experimentamos o tempo como um fluxo, em oposição ao "tempo do relógio", a série de momentos separados estudada por cientistas. O segundo é o método filosófico da *intuição*, que ele definiu em *A evolução criadora* (1907) como "instinto que se tornou desinteressado, autoconsciente, capaz de refletir sobre seu objeto e aumentá-lo indefinidamente". O terceiro conceito é o do *élan vital* ou "impulso vital", que ele usava para descrever os fenômenos naturais da evolução que não podiam ser adequadamente tratados por métodos redutivos e explicações mecanicistas. Estudos contemporâneos da obra de Bergson destacaram seu tratamento do *sujeito incorporado*, a experiência do sujeito de seu corpo em relação ao Eu, aos outros e ao tempo. No século XXI, atenção crescente tem sido dirigida ao conceito de *multiplicidade* de Bergson.

O problema do tempo

Embora Martin Heidegger (1889-1976) seja considerado frequentemente o principal filósofo do século XX a ter lidado com o problema do tempo, seria errado ignorar a contribuição de Bergson no que diz respeito a esse assunto. Em *Ser e tempo* (1927), Heidegger afirma que o homem ocupa a posição de *ser-para-a-morte* (sua elaboração do conceito de *ansiedade* de Kierkegaard). Esta visão (muitas vezes considerada pessimista, mas que não deve ser necessariamente interpretada assim) alimenta o existencialismo de Sartre e conduz ao conceito de autenticidade, da vida sem significado a não ser aquele criado pelo homem. No entanto, enquanto Heidegger identificava a tecnologia como a maldição do período moderno e possuía pouco entendimento técnico da ciência, Bergson trouxe à sua investigação sobre o problema do tempo uma compreensão especializada da ciência e um talento único para a metafísica.

Bergson, como seu amigo William James, notou que a matemática e a ciência forneciam uma explicação inadequada do tempo (James fez uma descrição famosa da nossa experiência do tempo como "fluxo de consciência"). Em *A mente criativa* (1907), Bergson observa que, no momento em que tentamos medir um momento, ele já se foi, já passou por nós. Em ciência, o tempo é representado por uma linha; mas uma linha é estática, congelada. Pode-se apontar para eventos no tempo, mas no momento em que se tenta capturar o evento, ele já está no passado. Na verdade, o tempo é caracterizado por seu movimento. Ele não fica parado, e nossa percepção dele pode incluir o tempo se acelerando ou desacelerando. Bergson entendeu que o tempo só podia ser compreendido por meio da experiência individual. É somente por meio da *intuição* – o poder humano autoconsciente de reflexão – que o tempo pode ser apreendido. O conceito de duração leva, então, ao problema da multiplicidade.

Multiplicidade

Em *Bergsonismo*, o filósofo francês Gilles Deleuze (1925-95) identifica a multiplicidade como uma característica daquilo que não pode ser contado ou explicado por métodos lógicos ou redutivos. Bergson identificava dois tipos de multiplicidade: *quantitativa* e *qualitativa*. Em *Tempo e livre-arbítrio* (1910), ele dá o exemplo de um rebanho de ovelhas. À primeira vista, todas elas parecem iguais, embora possamos isolar ovelhas individuais e até mesmo dar-lhes nomes. O rebanho representa uma multiplicidade quantitativa marcada por homogeneidade. Em oposição, uma multiplicidade qualitativa envolve consciência humana. Bergson dá o exemplo da emoção humana da solidariedade, que surge, com o tempo, de uma série sucessiva de outras emoções. O ato de notar a dor do outro, se formos honestos, inspira aversão em nós, ou repugnância. Mas percebemos que se falharmos em ajudar esse outro que sente dor, então outros poderão falhar em nos ajudar numa situação parecida. Portanto, diz Bergson, essa "necessidade" de ajudar os outros, quando percebida, é somente pena motivada por medo. Bergson traça o que ele chama de *progresso qualitativo*, uma "transição da repugnância para o medo, do medo para a solidariedade e da solidariedade para a humildade".

Filosofia e o mundo real

Além de suas contribuições extremamente originais para o estudo da ciência e metafísica, Bergson também via os assuntos cotidianos como solo fértil para a prática da filosofia. Em *O riso: Ensaio sobre a significação da comicidade* (1900) – o livro mais popular de Bergson durante sua vida

–, ele fez as perguntas como: "O que significa o riso? Qual é o elemento fundamental no cômico?" O pensador observa que, desde Aristóteles, filósofos tentaram resolver esse "pequeno problema", como ele o chama; mas, para Bergson, o problema não é tão pequeno. O riso "evoca, em seus sonhos, visões que são ao mesmo tempo aceitas e entendidas pelo todo de um grupo social. Poderia ele, então, falhar em lançar luz sobre o modo como funciona a imaginação humana e, mais particularmente, a imaginação social, coletiva e popular? Nascido da vida real e semelhante à arte, ele não deveria também ter algo de si mesmo com que nos dizer sobre arte e vida?"

Além de ser um matemático talentoso, um metafísico e um pensador científico extremamente original, Bergson manteve seu pensamento e seus resultados assentados sobre o mundo real e prático da vida cotidiana. Ele não foi um teórico, como Einstein, em busca de teorias aplicáveis e práticas que pudessem ser usadas como fundamento por outros cientistas. Bergson estava interessado em como alguém podia fazer e entender perguntas, de modo a possibilitar a criação de teorias científicas. Com toda a sua coragem e seu entusiasmo, Bergson foi um trabalhador incansável dos bastidores da filosofia e um exemplo do que o pensamento francês tem de melhor.

Enquanto algumas estrelas cadentes da filosofia do final do século XX começam a se ofuscar, a luz de Bergson aparece mais brilhante que nunca, à medida que seu pensamento é descoberto por nossa época. Quando a empolgação com o pós-estruturalismo e a desconstrução houver desaparecido, uma discussão mais completa da obra de Bergson – que foi interrompida pela Segunda Guerra Mundial e depois pelo existencialismo – será uma parte central da agenda filosófica do século XXI.

> Eu passo de estado para estado. Eu estou quente ou frio, estou contente ou triste, eu trabalho ou não faço nada, eu olho para o que me rodeia ou penso sobre outra coisa. Sensações, sentimentos, vontades, ideias – estas são as mudanças em que minha existência é dividida e que a colorem, uma de cada vez. Eu mudo, portanto, incessantemente. Mas dizer isso não é suficiente. A mudança é muito mais radical do que estamos inclinados a supor no início.

Pois eu falo de cada um dos meus estados como se eles formassem um bloco e constituíssem um todo separado. Eu digo, de fato, que mudo, mas a mudança me parece residir na passagem de um estado a outro: de cada estado, tomado separadamente, estou apto a pensar que ele permanece o mesmo durante todo o tempo em que prevalece. No entanto, um mínimo esforço de atenção revelaria que não há sentimento, ideia ou vontade que não esteja a todo momento sofrendo mudança: se um estado mental deixasse de variar, sua duração deixaria de fluir.

Henri Bergson, *A evolução criadora* (1944)

20

Edmund Husserl

8 de abril de 1859 – 26 de abril de 1938

Filósofo alemão, pai da fenomenologia, que desenvolveu um método filosófico para descobrir essências por meio da redução eidética.

A fenomenologia constituiu a tendência dominante na filosofia continental do século XX e, ainda hoje, continua influenciando os pensadores dessa linha. Por conta de seu papel em sua formulação, Edmund Husserl é o filósofo mais influente desde Immanuel Kant. Sem Husserl, não haveria Martin Heidegger, Jean-Paul Sartre, Maurice Merleau-Ponty ou uma centena de outros pensadores, incluindo Hans-Georg Gadamer e Jacques Derrida; não haveria existencialismo, hermenêutica ou pós-estruturalismo.

Husserl tem o privilégio singular de enumerar entre seus discípulos uma santa. Edith Stein (1891-1942), uma fenomenóloga que foi assistente de Husserl, se converteu do judaísmo para o catolicismo romano, tornou-se freira e foi morta em Auschwitz. Ela foi canonizada em 1998 pelo papa João Paulo II, que, ainda com o seu nome de batismo, Karol Józef Wojtyła (1920-2005), havia estudado Husserl na universidade e publicado *A pessoa de ação: uma contribuição para a antropologia fenomenológica* (1969). Dois dos alunos celebrados de Husserl – Martin Heidegger e Hannah Arendt – tornaram-se o mais conhecido par de amantes secretos na história da filosofia desde Abelardo e Heloísa: Heidegger tornou-se um nazista, e Arendt, que era judia, fugiu da Alemanha para salvar sua vida.

Da matemática à fenomenologia

O momento mais significativo para a filosofia ocidental pós-Kant aconteceu quando Gottlob Frege (1848-1925) e Husserl tomaram caminhos distintos no estudo da aritmética. A busca de Frege por uma fundamentação analítica *a priori* da aritmética baseada na lógica conduziu ao desenvolvimento da filosofia analítica, a tendência dominante nas universidades anglófonas. Por outro lado, o livro de Husserl *A filosofia da aritmética* (1891) foi criticado por Frege por seu psicologismo (Frege se opunha ao uso que Husserl fazia da psicologia descritiva em conjunto com uma análise lógica, em seu esforço de entender o conceito do número). Leituras modernas, no entanto, sugerem que a divergência de opinião entre Frege e Husserl não era tão grande. Estudiosos modernos apontam para uma explícita afirmação de Husserl em *A filosofia da aritmética*: "Nossa atividade mental não constrói relações; elas simplesmente estão lá, e quando se dirige interesse a elas, elas são notadas exatamente como qualquer outro conteúdo. Atos autenticamente criativos capazes de produzir qualquer conteúdo novo... são absurdos do ponto de vista psicológico... o ato não pode de maneira alguma criar seu conteúdo."

A formação de Husserl como matemático foi essencial para o desenvolvimento de sua filosofia madura e para nossa compreensão dela. Seu afastamento do estudo da matemática constituiu uma abertura da pesquisa lógica para um novo mundo de experiências, desde as emoções humanas até a total vida do mundo (*Lebenswelt*). Ao formular seu método fenomenológico, Husserl buscou criar uma fundamentação para a filosofia como ciência rigorosa. A tradição analítica que descende de Frege, incluindo Russell e Wittgenstein, tentou reduzir a filosofia a um punhado de preocupações lógicas que, com efeito, acabou com a filosofia aplicada ao mundo das preocupações humanas. Husserl tomou a direção oposta, utilizando sua metodologia radical para investigar o mundo em que vivemos, assim como todos os fenômenos que ele contém (incluindo nós mesmos e nossos atos mentais). O título das suas *Investigações lógicas* (2 vols, 1900, 1901) indica o propósito desse projeto.

A mente de Husserl teve sempre uma inclinação científica. Seus primeiros estudos em Leipzig foram em astronomia e ótica, e depois, em Berlim, ele estudou matemática com Leo Königsberger (1837-1921) e Karl Weierstrass (1815-97). Após o doutorado em matemática, estudou filosofia com Franz Brentano. Brentano e Husserl foram atraídos para o pensamento cristão em direções diferentes. Brentano tornou-se padre jesuíta, mas deixou a Igreja por conta da questão da infalibilidade papal. Husserl era um judeu que se converteu ao luteranismo. Brentano havia reintroduzido a ideia de *intencionalidade*, de São Tomás de Aquino (1225-74), como um conceito filosófico central, e Husserl o desenvolveria como a pedra angular do método fenomenológico. A visão de Husserl da intencionalidade descreve a relação entre consciência e seus objetos, e pode ser formulada assim: *consciência é sempre consciência de alguma coisa.*

Husserl é o iniciador eterno por excelência. Ele não tentou desenvolver um sistema de pensamento. Concentrou-se, em vez disso, no método. A fenomenologia fornece uma maneira de fazer perguntas e abrir o caminho para investigações filosóficas a respeito de qualquer sujeito (ou objeto) concebível. As primeiras pesquisas de Husserl estavam interessadas nos atos de percepção e na própria consciência. No outro extremo da escala, sua aluna Hannah Arendt usou o método fenomenológico em suas grandes análises históricas e políticas *As origens do totalitarismo* (1951) e *A condição humana* (1958). Entre esses dois polos de diferentes tipos de projeto fenomenológico, está *Ser e tempo*, de Martin Heidegger, que estuda a ontologia em seu aspecto temporal.

Redução fenomenológica

O lema de Husserl era *Voltar às coisas mesmas!* Por "coisas", ele não se referia somente a objetos como mesas e cadeiras, mas também às relações, categorias, ideias, o conteúdo dos nossos pensamentos. Sua fenomenologia está preocupada em pensar sobre o pensamento por meio da redução fenomenológica. René Descartes (1596-1650) é frequentemente considerado o pai da filosofia moderna. Se assim for, então Husserl pode ser visto como o filho que sucedeu a Descartes e se tornou o pai da filosofia pós-moderna. Husserl levou o *cogito ergo sum* (Penso, logo existo) de Descartes vários passos adiante em sua investigação sobre pensar a respeito do pensamento (ou experiência) com sua redução fenomenológica.

O método de Descartes de dúvida radical consistia em suspender a fé em Deus e no mundo material para depois reintegrá-los ao conhecimento após estabelecer a si mesmo como alguém que raciocina. Justo no ponto em que Descartes inicia seu restabelecimento de Deus e do mundo material, Husserl faz uma pausa e introduz uma nova etapa no processo de redução. No lugar da suspensão da crença de Descartes, Husserl nos pede para "suspender" os objetos estudados. Esta suspensão é um processo que Husserl chamou de *epoché*, um termo utilizado pelo epicurista Metrodoro de Lâmpsaco, o Jovem (331-278 a.C.) e depois desenvolvido por Arcesilau (315-240 a.C.), que era o sexto chefe da academia de Platão (428/7-348/7 a.C.) e a força por trás do ceticismo acadêmico. Por *epoché*, Husserl se refere à suspensão de todos os preconceitos a respeito do objeto de estudo. Isto é chamado de *redução eidética*, o método pelo qual a essência das coisas pode ser estudada (o termo vem da palavra grega *eidos*, que significa "essência" ou "forma"). Husserl foi ainda mais longe e fez do próprio *cogito* um objeto de reflexão; isto, ele chamou de redução fenomenológica transcendental.

Husserl e Kant

O desenvolvimento empreendido por Husserl do conceito kantiano de ego transcendental perturbou alguns de seus primeiros seguidores, como Edith Stein, Max Scheler (1874-1928) e o filósofo e teórico literário polonês Roman Ingarden (1893-1970). O que havia levado esses alunos e muitos outros a estudar com Husserl em seus primeiros anos como professor, em Göttingen, havia sido o fato de que ele fornecia uma alternativa para o idealismo kantiano e neokantiano que havia guiado grande parte da filosofia alemã no século anterior. A fenomenologia inicial de Husserl, segundo apresentada em *Investigações lógicas*, focava o objeto, e não o sujeito (*Volta às coisas mesmas!*). Ela substituía o idealismo de Kant por um interesse renovado pela escolástica, primeiramente revivida por Brentano e depois desenvolvida por Husserl. Em 1916, Husserl se mudou para Freiburg, onde seu foco principal tornou-se o ego transcendental.

No último dos seus trabalhos publicados em vida, *A crise das ciências europeias* (1936), Husserl foi cuidadoso em afastar sua fenomenologia do idealismo kantiano. Ele escreveu: "Nossas reflexões críticas sobre Kant já nos tornou claro o perigo de conclusões impressionantes mas ainda obscuras ou, se se quiser, a iluminação de conclusões puras na forma de vagas antecipações...e isso também tornou compreensível o modo como ele foi forçado em direção a uma construção conceitual mítica e a uma metafísica perigosamente hostil a toda ciência autêntica." N'*A crise*, Husserl ainda criticou a filosofia pelo que ele considerava sua forma cada vez mais estreita, empírica, analítica e naturalista. Husserl defendia que era uma tarefa essencial da filosofia reconhecer e estudar as realidades mentais e espirituais que existem independentemente do mundo físico. Para ele, o estudo dessas realidades por meio da fenomenologia era uma empreitada verdadeiramente científica que daria origem a "uma transformação total da tarefa do conhecimento".

Husserl e os nazistas

Husserl se aposentou do cargo de professor de filosofia em Freiburg em 1928 e foi sucedido por seu aluno Martin Heidegger. Em 1933, Heidegger aderiu ao partido nazista e foi nomeado reitor da Universidade de Freiburg. Heidegger referendou um decreto de 1933 banindo não arianos do serviço público. Husserl foi isento disso por conta da cláusula que reconhecia o serviço militar prestado por seus dois filhos na Primeira Guerra Mundial. No entanto, após as Leis de Nuremberg de 1935, Husserl foi privado de sua cidadania alemã e banido do ensino. Seus filhos emigraram para os Estados Unidos, mas ele recusou a oferta de um cargo na Universidade da Carolina do Sul. Husserl morreu na Alemanha em 1938. Sua filosofia do espírito e seu próprio sentido de espiritualidade forneceram um foco moral raro na Alemanha nazista, mas é sensato imaginar que se Husserl tivesse vivido até 1942, ele teria sido enviado a um campo de concentração nazista.

Husserl foi um dos grandes metodologistas do pensamento ocidental. Ele forneceu os fundamentos para inúmeras e importantes pesquisas filosóficas, e toda a tradição da filosofia continental estará para sempre em dívida com ele.

> Nós mesmos seremos dirigidos a uma transformação interna pela qual ficaremos frente a frente – em experiência direta com – a dimensão há muito sentida mas constantemente ocultada do "transcendental". A base da experiência, revelada em sua infinidade, tornar-se-á então o solo fértil de uma filosofia de trabalho metódico, com a autoevidência, além disso, de que todos os concebíveis problemas filosóficos e científicos do passado estarão destinados a serem apresentados e resolvidos a partir dessa base.
>
> Edmund Husserl, *A crise das ciências europeias e a fenomenologia transcendental* (1936)

21

John Dewey

20 de outubro de 1859 – 1 de junho de 1952

Pragmático americano cujas teorias conduziram à reforma prática da educação e destacaram a necessidade de um eleitorado bem-informado para se proteger as liberdades democráticas.

Junto com C. S. Peirce e William James, Dewey é uma das três figuras predominantes no pragmatismo americano. Como eles, Dewey estava comprometido com a clareza de pensamento e a ação baseada na ideia de que o significado de uma doutrina é o efeito prático de aplicá-la; mas diferentemente deles, Dewey colocou seu pensamento em ação na esfera prática, pública. Seu trabalho inicial em psicologia foi o precursor de pesquisas sobre ética, estética, teoria política e educação, que tiveram um impacto profundo nos Estados Unidos na primeira metade do século XX.

Como aluno de doutorado na Universidade Johns Hopkins, Dewey teve a sorte de estudar lógica com Peirce. Nos primeiros anos de sua carreira, entretanto, ele estava inclinado ao idealismo, sobretudo ao trabalho do idealista britânico T. H. Green (1836-82), que defendia a "cidadania ativa", que Dewey adotou apaixonadamente. Na Johns Hopkins, Dewey foi aluno também de George Sylvester Morris (1840-89), que havia estudado filosofia e teologia na Alemanha e encorajou seu interesse por Hegel e Kant. A formação de Dewey como filósofo destaca a vitalidade duradoura da tradição idealista alemã descendente de Kant, passando por Hegel e pelo idealismo britânico. Embora Dewey viesse mais tarde a se afastar do idealismo, a influência de Green ainda pode ser sentida em sua busca por explicações holísticas e em sua concepção liberal da política.

Psicologia e experiência

Assim como seu companheiro pragmático William James, Dewey era também psicólogo, e seu livro *Psicologia* (1887), escrito no início de sua carreira, ainda é influência do idealismo. Ele construiu sua reputação com o artigo *O conceito de arco reflexo em psicologia* (1896), no qual tratava do "atual dualismo de estímulo e resposta" em psicologia. Dewey queria encontrar uma explicação melhor para o mecanismo que governa sensações, pensamentos e atos, que ele considerava mais que "uma colcha de retalhos de partes desarticuladas, uma conjunção mecânica de processos apartados". Ele queria uma explicação que reconhecesse a *unidade orgânica* dos fenômenos. Em oposição ao modelo mecânico de estímulo/resposta, Dewey propôs o conceito de *arco reflexo*, segundo o qual "estímulos sensoriais, conexões centrais e respostas motoras serão vistos não como entidades separadas e completas em si mesmas, mas como divisões do trabalho, fatores funcionais no interior de um todo único concreto".

Teoria da educação e reforma

O pensamento de Dewey sobre psicologia o levou à teoria educacional, e, em 1894, ele se mudou para à recentemente criada Universidade de Chicago. Lá, fundou uma escola-laboratório na qual podia aplicar suas teorias da educação em salas de aula reais. Isto resultou em diversos livros importantes, incluindo *A escola e a sociedade* (1899), *A criança e o currículo* (1902) e *Moral Principles in Education* [Princípios morais em educação] (1909). Dewey foi fundamental na criação da The New School for Social Research in New York City (1919), do Bennington College, em Vermont, e do colégio experimental Black Mountain College, na Carolina do Norte. Desenvolveu suas teorias educacionais com uma crença política de que a liberdade depende de um eleitorado bem-informado que assuma com seriedade suas responsabilidades como eleitores e cidadãos – ideias que ele elaborou em *O público e seus problemas* (1927), *Liberalismo e ação social* (1935) e *Liberdade e cultura* (1939).

Em Chicago, Dewey desenvolveu seu interesse por psicologia e o pôs em prática ao pensar sobre como experimentamos o mundo: um currículo, uma obra de arte, nós mesmos – todas essas experiências eram foco das pesquisas de Dewey. Ele começou com educação. Em *A criança e o currículo* (1902), escreveu: "A fonte de tudo aquilo que é inerte, mecânico ou formal dentro das escolas é encontrada justamente na subordinação da vida e da experiência da criança ao currículo". Vida e experiência, para Dewey, são os ingredientes que, por meio da educação, contribuem para uma sociedade vibrante e livre. Em termos educacionais, a prescrição que ele destacou na obra em questão foi: "Abandone a noção de matéria como algo fixo e pronto em si mesmo, fora da experiência da criança; pare de pensar na experiência da criança como algo invariável; enxergue-a como algo fluido, embrionário, vital; e então perceberemos que a criança e o currículo são simplesmente dois limites que definem um único processo".

Influências clássicas

Dewey estendeu suas teorias educacionais à esfera política. Ele estudou filosofia grega clássica como parte de sua pesquisa sobre a sociedade civil: como ela é construída e organizada? Quais são as regras que a governam? Mas seu foco principal era a questão do papel dos governados: como se tornar um bom cidadão. Em *Experiência e natureza* (1925), delineou uma concepção grega da vida que era harmoniosa e inteira. Para Dewey, a sociedade da Grécia Antiga foi bem-sucedida porque evitou uma falsa distinção entre corpo e mente e, em vez disso, optou por educar a pessoa por inteiro. Em sua visão, a educação era a chave para o que ele denominava "o ideal democrático".

A epistemologia de Dewey

A filosofia da educação de Dewey era parte do seu pensamento sobre política e democracia; outra parte era sua epistemologia. Ele foi influenciado pela teoria da evolução de Charles Darwin e pela ideia de fluxo de consciência de William James. Dewey une as duas noções em seu conceito "genético" de conhecimento, que surge da experiência de interação do sujeito com seu ambiente. À medida que novos problemas são encontrados, novas soluções aparecem e são adotadas. Nesse processo, o pensamento adquire um aspecto de *instrumentalidade*: pensar produz ideias que são úteis, na medida em que são como remos que podem ser usados para navegar no fluxo da experiência, o que leva a criar novos e melhores pensamentos, quando o homem busca superar a ambiguidade. O próprio Dewey usava o termo "instrumentalismo" (e não "pragmatismo") para descrever sua filosofia.

Dewey e a esfera pública

Dewey rejeitava explicações atomistas da política e da organização social e via a identidade humana como algo que surge das relações entre os homens. Ele argumentava que "os homens não são átomos não sociais isolados, mas são homens somente quando em relações intrínsecas" uns com os outros. Em *Democracia e educação* (1916), afirmou que "a democracia é mais que uma forma de governo; ela é, em primeiro lugar, um modo de vida associada, de experiência comunicacional conjunta". A democracia seria fortalecida pela "ampliação da área ocupada por preocupações compartilhadas". A educação era importante, mas também uma imprensa livre, e o trabalho de jornalistas e profissionais da área é mais do que simplesmente regurgitar releases de imprensa. O trabalho do jornalista é reconhecer desinformações deliberadas. E é função do cidadão estar ciente das questões que dizem respeito à sociedade e votar, envolvendo-se na ação política.

Mais que qualquer outro filósofo americano de sua época, Dewey mergulhou na política do seu tempo. Foi cofundador da União Americana pelas Liberdades Civis e da Associação Americana de Professores Universitários. E ainda dirigiu a investigação da Comissão Dewey sobre denúncias feitas por Josef Stálin (1878-1953) de que Leon Trótski (1879-1940) havia participado de um grupo responsável por promover uma insurreição armada (a comissão concluiu que Trótski era inocente). Como intelectual público, Dewey mostrou a relevância da filosofia para um mundo mais amplo que o da academia. Embora seu pensamento tenha se ofuscado na segunda metade do século XX, a ênfase de Dewey nas conversações necessárias para manter a vitalidade da democracia tem muito em comum com os conceitos de "esfera pública" e "racionalidade comunicativa" do filósofo alemão pós-Segunda Guerra Mundial Jürgen Habermas (1929-). Dos três grandes pragmáticos americanos, Peirce foi um gênio problemático de excepcional originalidade; James possuía uma gama extraordinária de interesses e era um teórico nato e prosador talentoso; e Dewey era um pensador obstinado que media o valor de seu trabalho por sua aplicação prática.

> A única liberdade cuja importância é duradoura é a liberdade da inteligência, ou seja, a liberdade de observação e juízo exercida em nome de propósitos intrinsecamente valiosos.
>
> John Dewey, *Experiência e educação* (1938)

> Dewey marca o fim de uma era na qual um único filósofo com uma visão abrangente do mundo pode ser reconhecido em uma escala mundial como porta-voz da humanidade. O estudo e a prática da filosofia tornaram-se hoje um exercício tão técnico e acadêmico que até mesmo a ideia de um filósofo como pensador apto a desenvolver uma visão de mundo capaz de influenciar o curso da história ficou perdida entre os arvoredos da academia.
>
> George Dykhuizen, *The Life and Mind of John Dewey* [A vida e a mente de John Dewey] (1978)

22

George Santayana

16 de dezembro de 1863 – 26 de setembro de 1952

O primeiro filósofo hispano-americano; um naturalista e pragmático que acreditava que os seres humanos são animais em um mundo material, capazes, no entanto, de criar graça e beleza.

Nascido em Madri, George Santayana migrou para os Estados Unidos quando tinha nove anos de idade. Embora o inglês fosse sua segunda língua, Santayana é considerado por muitos um prosador de estilo ímpar entre os filósofos americanos. Ele publicou também um volume significativo de poesia, assim como de memórias, ensaios e um romance. Santayana é mais conhecido por sua estética e sua visão naturalista radical do mundo. Seu livro *A vida da razão* (vol. 1, 1905) contém o alerta aforístico amplamente citado: "Aqueles que não conseguem lembrar o passado estão condenados a repeti-lo". Ele detestava o transcendentalismo da filosofia americana e o puritanismo da vida americana.

Professor popular em Harvard e colega próximo de William James, Santayana era também um homossexual não declarado que, apesar das aparências – ele tinha maneiras impecáveis e um comportamento calmo, aristocrático –, nunca realmente se adequou ao mundo intelectual rarefeito da universidade. Deixou os Estados Unidos aos cinquenta anos de idade porque preferia, nas palavras do estudioso homossexual Warren Johansson (1934-94), "uma imersão em uma humanidade calorosa e na sabedoria do Velho Mundo que a cultura e a simples prudência americanas proibiam".

Naturalista e pragmático

Santayana era um naturalista – ou seja, alguém que acredita que não existe nada além do mundo material humano e não humano. Também era um pragmático, que acreditava que o significado de uma proposição é idêntico às suas consequências práticas. Mas ele também transcende essas definições simples, criando uma posição filosófica de complexidade matizada. Santayana rejeitava o idealismo de Friedrich Hegel e outros criadores de sistemas, e, em *A vida da razão* (5 vols, 1905-6), ele anunciou um novo começo para a filosofia, defendendo que sua função "não é construir, mas somente interpretar" – uma visão que não pareceria estranha se viesse do estruturalista/pós-estruturalista Roland Barthes. Embora Santayana não seja normalmente associado aos estruturalistas, sua alegação de que "a era da controvérsia ficou no passado; a da interpretação venceu" tem certa ligação com a agenda dessa linha de pensamento. Mas o propósito definitivo de Santayana é pragmático: o objetivo da filosofia é "um domínio gradual da experiência por meio da razão".

Santayana delineia seu naturalismo em *Scepticism and Animal Faith: Introduction to a System of Philosophy* [Ceticismo e fé animal: introdução a um sistema de filosofia] (1923). A fonte do conhecimento e da crença, argumenta ele, não é o raciocínio, mas a nossa existência animal (fé animal). O fato de que estou com fome e há comida é base epistemológica suficiente para provar a existência do Eu e do mundo externo. O método de Santayana envolve a tentativa de entender as crenças que se vinculam a coisas e ações. Para ele, conhecimento é "uma crença verdadeira processada em termos simbólicos": seu aspecto pragmático é expresso na conclusão de que o conhecimento é um guia para a ação, dando-lhe uma dimensão implicitamente ética; e o aspecto simbólico da crença faz surgir "os mundos assombrosamente bonitos dos sentidos, poesia e religião". O naturalismo de Santayana era rigidamente observado; embora não fosse um homem religioso, ele defendeu o lugar ocupado pela religião em *Dialogues in Limbo* [Diálogos no limbo] (1926): "A religião, em sua humildade, devolve o homem à sua única dignidade – a coragem de viver pela graça". Santayana frequentemente se referia a si mesmo como um "católico estético".

A estética de Santayana constitui uma teoria de valores que estabeleceu em *The Sense of Beauty* [O sentido da beleza] (1896), que pode ser visto como o primeiro tratado americano sobre o tema. Ele descarta como superficial o tratamento clássico da beleza como verdade, e vice-versa: "Uma definição que realmente define não deve ser nada menos que a exposição da origem, lugar e elementos da beleza como um objeto da experiência humana". O filósofo não deve somente fazer perguntas como por quê, quando e como, mas deve também questionar "quais elementos da nossa natureza nos fazem sensíveis à beleza e qual é a relação entre a constituição do objeto e a estimulação da nossa suscetibilidade". Em última análise, "a estética está interessada na percepção de valores".

Uma reputação em declínio

O caso de Santayana é curioso. Ele foi um sucesso popular durante sua vida – de fato, foi um dos poucos filósofos cujos livros foram selecionados para o serviço americano de livros por correspondência Book of the Month Club – e contava entre seus leitores nomes como T. S. Eliot, Gertrude Stein e Wallace Stevens (1879-1955); o jornalista e comentador político Walter Lippmann (1889-1974); e o sociólogo e ativista de direitos civis W. E. B. Du Bois (1868-1963). No entanto, ele não deixou nenhum seguidor. Não existe uma "escola" de Santayana como no caso de seus companheiros pragmáticos C. S. Peirce, William James e John Dewey. Talvez isso tenha acontecido porque ele deixou os Estados Unidos em 1912, o ano de morte da sua mãe. Ele circulou pela Europa e finalmente fixou-se na Itália. Acreditou erroneamente que o fascismo de Mussolini seria a solução mais adequada para o caos político desse país. Percebendo o erro, tentou ir para a Suíça, mas não possuía os documentos de viagem corretos. Morreu em um convento de Roma, onde recebeu cuidados de freiras ao longo de seus últimos onze anos de vida. (Isto não sugere uma conversão ao cristianismo; na Itália, era comum freiras cuidarem dos mais velhos.) Seu último desejo foi ser enterrado em solo não consagrado.

Grande parte do trabalho de mais qualidade de Santayana foi escrita após sua demissão de Harvard. Uma pista para o fato de sua popularidade ter declinado após a Segunda Guerra Mundial é o fato de que ele via a universidade como um lugar coberto pela "erva daninha do academicismo trivial e estreito"; a maioria dos filósofos profissionais, cultivadores desse sulco estreito, se ofenderia ao ser tão desprezada. É provável também, à medida que a filosofia americana começou a desenvolver sua identidade, que muitos de seus praticantes se ressentissem do juízo feito por Santayana em *Character and Opinion in the United States* [Caráter e opinião nos Estados Unidos] (1920) de que "a vida americana é um poderoso solvente. Ela parece neutralizar todo elemento intelectual, não importa quão duro e alheio ele seja, e fundi-lo à boa-vontade, complacência, leviandade e otimismo nativos." Apesar de sua extensa ligação com Harvard e de sua reivindicação pela filosofia americana, Santayana nunca abandonou sua cidadania espanhola e não reivindicou a cidadania americana. No fim, talvez tenha sido dirigido a uma cultura europeia que tinha mais em comum com a população da Grécia Antiga, que respeitava o que Michel Foucault chamou de "amizade" entre os homens.

> O sentido da beleza é sua realização. Quando nossos sentidos e imaginação encontram o que desejam, quando o mundo se forma ou quando molda a mente de forma que a correspondência entre eles seja perfeita, então a percepção é prazer e a existência não requer desculpa alguma. A dualidade que constitui a condição do conflito desaparece. Não existe nenhuma norma voltada para o interior distinta do fato voltado para o exterior com a qual esse fato possa ser comparado. Uma unificação desse tipo é o objetivo da nossa inteligência e do nosso afeto, quase tanto quanto nosso sentido estético; mas temos menos exemplos de sucesso nessas áreas. No calor da especulação ou do amor, podem surgir momentos de igual perfeição, mas eles são instáveis. A razão e o coração permanecem profundamente insatisfeitos. Mas o olho encontra na natureza, e em algumas realizações supremas da arte, constante e mais completa satisfação.
>
> George Santayana, *The Sense of Beauty* [O sentido da beleza] (1896)

Ele se recusava a argumentar, e o argumento é a matéria da vida da filosofia acadêmica. Santayana considerava a maior parte da filosofia convencional circular e tautológica, "provando" somente o que se propunha a provar e tendo pouca relação com o que importava.

John McCormick, *George Santayana: A Biography*
[George Santayana: uma biografia] (1987)

23

Max Weber

21 de abril de 1864 – 14 de junho de 1920

Sociólogo e economista político alemão que rejeitou o positivismo e destacou nossa compreensão subjetiva dos fenômenos sociais.

Max Weber é o principal arquiteto das ciências sociais do século XX. Em *Conceitos sociológicos fundamentais* (1920), ele definiu sociologia como "uma ciência que almeja a compreensão interpretativa da ação social com o objetivo de chegar a uma explicação causal de seu curso e de seus efeitos"; e, embora ele se concentrasse em grupos, Weber estava interessado no que acontece com os indivíduos dentro dos grupos como resultado da ação social. Como consequência disso, ele levou as ciências sociais para além dos tratamentos empíricos propostos por seus precursores Auguste Comte e Émile Durkheim, desenvolvendo e refinando-os em instrumentos do entendimento humano. O trabalho mais conhecido de Weber, *A ética protestante e o espírito do capitalismo* (1905), é texto fundamental para as ciências sociais modernas. Trata-se de uma análise brilhante sobre os motivos pelos quais protestantes, e não católicos romanos, chegaram ao domínio do empreendimento capitalista, oferecendo o que alguns críticos chamaram de um estudo "pré-marxista" do capitalismo. O conhecimento que permitiu a Weber analisar o capitalismo e o espírito ascético do protestantismo tem origem em seus estudos iniciais sobre as estruturas econômicas e legais da Idade Média. Embora mais conhecido pelo grande público como um sociólogo, Weber deu aula em departamentos de economia política, primeiro em Heidelberg e depois em Viena.

Weber nasceu na Turíngia. Seus pais eram talentosos, prósperos e influentes. Seu pai (também Max) foi um industrialista de sucesso no ramo têxtil e também um membro nacional liberal do parlamento. O clima em casa era ao mesmo tempo mundano e ascético, cosmopolita e intelectual. Weber estudou direito nas universidades de Heidelberg e Berlim, tendo praticado os estudos por um período curto. Em 1892, publicou um documento de política social, *A situação dos trabalhadores rurais na Alemanha nas províncias do Além-Elba*, que o levou a uma entrevista em Freiburg e depois ao seu primeiro cargo de professor em Heidelberg. Sua esposa, Marianne (1870-1954), era uma socióloga e feminista notável, e, juntos, eles passaram a ser anfitriões regulares do que ficou conhecido como o Círculo de Weber, que incluía György Lukács (1885-1971), fundador da escola conhecida como marxismo ocidental e grande crítico literário. Ele e Weber viriam a se tornar amigos próximos de Karl Jaspers e exerceriam influência significativa um sobre o outro. Seu interesse comum era a situação do sujeito humano em um contexto social. Embora possamos considerar Weber um sociólogo do ponto de vista atual, sua reputação, na época, vinha do seu trabalho como economista político.

Afastamento da academia

Em 1906, Weber sofreu um colapso nervoso por conta da morte de seu pai. Ele sempre esteve em estado de desacordo com o pai (tomando partido da mãe em disputas), e, após uma briga particularmente dura com Weber, seu pai desfaleceu; morreu dois meses depois. O trabalho de Weber sofreu depois disso; ele não conseguia dar aulas. Em 1903, pediu demissão do cargo na universidade e não retornaria à vida acadêmica até 1919.

Nesse período, Weber desenvolveu seus melhores trabalhos como intelectual público. Além do estudo e da pesquisa na área da economia política, ele estabeleceu a sociologia da religião como uma disciplina, e foram tanto os resultados desses estudos quanto sua abordagem metodológica que o levaram à sua obra-prima sobre protestantismo e capitalismo. Ao contrário de Marx, que buscava derivar leis históricas do seu estudo com dados empíricos, Weber não acreditava que as ligações complexas obtidas em relações sociais e econômicas fossem redutíveis a leis; para ele, isso teria significado uma simplificação do sujeito.

Como filósofo, Weber foi profundamente influenciado por Friedrich Nietzsche e influenciou pensadores como Martin Heidegger, Karl Jaspers, Martin Buber e Michel Foucault, para citar apenas alguns. Ele foi um incansável pesquisador e coletor de dados empíricos. A teoria de Nietzsche das ciências sociais defendia que todos os julgamentos de dados partiam necessariamente de uma perspectiva e, portanto, não eram cientificamente objetivos. Weber era sensível a essa opinião, mas seu método – até onde se pode dizer que teve um – consistia em analisar os dados, explorá-los no contexto de múltiplas perspectivas que possam ter relação com eles e, depois de considerar essas perspectivas, fornecer um juízo objetivo, mas enriquecido pelo entendimento do perspectivismo.

A ética protestante e o espírito do capitalismo

Em *A ética protestante e o espírito do capitalismo*, Weber desenvolveu o conceito de *afinidade eletiva* para descrever o fato de que a visão de mundo do protestantismo tinha uma afinidade inerente com os objetivos do capitalismo, o que facilitava sua ascendência conjunta. A *racionalização* resultante dessa afinidade conduz ao aprisionamento do homem no que Weber chamou de "gaiola de ferro" da eficiência meios/fins. Embora Weber fosse um crítico do capitalismo, ele discordava de Marx quanto à ideia de que o socialismo libertaria o homem de suas correntes; ao substituir o capitalismo, argumentava ele, o socialismo não resolveria as doenças do capitalismo, mas, em vez disso, as incorporaria, porque precisaria criar uma máquina burocrática ainda maior, o que fatalmente levaria a uma nova racionalização e a uma nova gaiola de ferro, assim como a novas restrições à liberdade.

Ação social e poder

Por ação social, Weber se referia a "todo comportamento humano ao qual o indivíduo que age vincula um significado subjetivo". Essa definição estabeleceu para Weber uma linha de pesquisa que conduziria a uma consideração do modo como fatores sociais, políticos e econômicos influenciavam a felicidade do homem, que ele considerava cada vez mais ameaçada pelo processo de racionalização segundo o qual burocracias modernas transformavam seres humanos em engrenagens de uma máquina. Racionalização é o processo pelo qual ações sociais projetadas para levar à eficiência econômica se tornavam cada vez mais predominantes em sociedades capitalistas. Essas ações sociais substituíam as que anteriormente haviam guiado o desenvolvimento de sociedades (por exemplo, tradições, interesse comum, moralidade etc.).

Weber foi um estudioso dos mecanismos de poder e esteve entre os primeiros a defini-los como tema de estudo sério – o início de uma tradição que chegaria à maturidade com o trabalho de Michel Foucault. Em *Política como vocação* (1919), identificou o Estado como "única fonte do 'direito' de usar violência. Portanto, 'política', para nós, significa lutar para dividir o poder ou lutar para influenciar a distribuição de poder, seja entre Estados ou entre grupos dentro de um Estado." Em seu ensaio *Classe, estamento, Partido* (1922), Weber definiu o poder como "a chance de um homem ou um grupo de homens de satisfazer sua própria vontade em uma ação comum, até mesmo contra a resistência de outros que participam da ação". Ele listou três tipos de poder: tradicional (estabelecido há muito tempo pelo costume; por exemplo, a monarquia), carismático (autoridade com origem no apelo de um líder individual) e legal-racional (autoridade com origem, por exemplo, na constituição). Weber explorou o conflito que surgia entre a chegada de um líder carismático e uma burocracia legal-racional. Ele favorecia um equilíbrio no qual a autoridade legal-racional podia ser equilibrada por um parlamento e eleições livres de líderes políticos por plebiscito.

Weber teve grande influência sobre o trabalho de Jürgen Habermas, cujo conceito de "esfera pública" e cuja análise do capitalismo, da democracia e do direito muito lhe devem. Karl Jaspers, um dos fundadores do existencialismo, aprendeu muito com a análise social de Weber, que sustentou as teorias da intersubjetividade do filósofo. A influência de Weber pode ser ainda sentida, ainda que mais silenciosamente, no plano de fundo do trabalho de Hannah Arendt (embora eles discordassem quanto ao tema da violência política). O conceito de gaiola de ferro, de Weber, descrevia precisamente como Adolf Eichmann veio a colocar-se à frente da administração do transporte de judeus para campos de concentração nazistas.

O principal interesse filosófico de Weber era o mesmo de Kant: a situação da liberdade do homem em um mundo no qual o ritmo de mudança estava começando a se acelerar. A preocupação de Weber com a liberdade surgiu no momento em que o capitalismo ascendia e a velocidade do crescimento tecnológico e das mudanças sociais aumentava de modo nunca antes visto, com consequências desconhecidas. Weber buscava identificar os problemas que a liberdade humana encarava em uma sociedade cada vez mais racionalizada. Ele fez isso de modo não programático; e seu singular método *não* metodológico continua a fornecer uma maneira prática de compreender a situação do indivíduo na sociedade e identificar as circunstâncias que reforçam ou ameaçam a liberdade.

> A ideia da *obrigação* do homem perante as possessões que lhe são confiadas, às quais ele se subordina como servo e administrador, ou até como "máquina de fazer dinheiro", repousa sobre a vida com seu peso frio. *Se* ele somente persevera no caminho ascético, então quanto mais bens ele possui, mais pesado torna-se o sentimento de responsabilidade por preservá-los inalterados para a glória de Deus e ampliá-los pelo trabalho incansável. Algumas das raízes desse estilo de vida estão na Idade Média, assim como tantos elementos do espírito capitalista, mas foi somente na ética do protestantismo ascético que ele encontrou um fundamento ético consistente. Sua significância para o desenvolvimento do capitalismo é óbvia... ela elimina os grilhões na luta por ganho não somente ao legalizá-lo, mas (no sentido descrito) ao vê-lo como algo desejado diretamente por Deus.
>
> Max Weber, *A ética protestante e o espírito do capitalismo* (1905)

Max Weber é amplamente reconhecido como a maior figura na história das ciências sociais e, como Karl Marx ou Adam Smith – que poderiam ser considerados concorrentes deste título –, Weber foi muito mais que um estudioso de disciplinas... Ao contrário de Smith e Marx, não existe um "Weber ideológico": ninguém transformou o pensamento de Weber diretamente em uma visão de mundo política ou num conjunto de receitas políticas para consumo do público em geral. Mas existe um "Weber político" extremamente importante, cujo estudo da moralidade da vida política influenciou diversos políticos e pensadores e permanece essencial nas questões a respeito da natureza da responsabilidade política.

Stephen P. Turner, *'Introduction', The Cambridge Companion to Weber* ["Introdução", O companheiro de Cambridge para Weber] (2000)

24

G. E. Moore

4 de novembro de 1873 – 24 de outubro de 1958

Filósofo britânico que abandonou o idealismo para se tornar um fundador da filosofia analítica e que defendia o senso comum como uma postura filosófica.

G. E. Moore, junto com Bertrand Russell e Ludwig Wittgenstein, esteve entre os mais influentes filósofos britânicos da primeira metade do século XX. Sua produção não foi tão volumosa quanto a de Russell, mas o que ele publicou foi altamente influente. Seu artigo *A refutação do idealismo* (1903) foi publicado no principal periódico filosófico britânico, *Mind*, que Moore viria a editar de 1921 a 1947. *A refutação do idealismo* se tornou um documento fundador da filosofia analítica, e *Principia Ethica* (1903) tornou-se um dos seus textos principais. Seus ensaios *Uma defesa do senso comum* (1925) e *A Proof of the External World* [Uma prova do mundo externo] (1939) consolidaram a posição de Moore como um apóstolo do pensamento claro, em um estilo de prosa altamente acessível e envolvente.

Moore foi o lorde de Cambridge por excelência. Ele leu livros clássicos e de ciências morais no Trinity College, tornando-se membro e depois professor desse colégio, ocupando a cátedra de Filosofia Mental e Lógica de 1925 a 1939. Toda a sua vida profissional aconteceu em Cambridge, ao passo que seus colegas, Russell e Wittgenstein, empreenderam carreiras mais peripatéticas. Como a maior parte dos filósofos britânicos de então,

Moore começou sua vida como um idealista. Como aluno de graduação, estudou com J. M. E. McTaggart (1866-1925), que na época era membro do Trinity. Ao mesmo tempo, Moore foi seduzido pelo mais influente dos idealistas britânicos: o filósofo de Oxford, F. H. Bradley. Depois de se graduar em 1896, no entanto, Moore viu-se cada vez mais desencantado com o idealismo, voltando-se contra ele em vingança. Iniciou *A refutação do idealismo* dizendo que "o idealismo moderno, se declara qualquer conclusão geral que seja sobre o universo, declara que ele é espiritual". Moore começou a pensar que essa declaração levava a diversas suposições – em número grande demais – que exigiam provas que possibilitassem a sustentação do idealismo. E que, "se eu posso refutar uma única proposição que constitua uma etapa necessária e essencial para todos os argumentos do idealismo, então não importa quão bom seja o resto desses argumentos; eu terei provado que os idealistas não dispõem de razão alguma para suas conclusões". Esse era o início da filosofia analítica: a tentativa de reduzir a investigação filosófica a alguns fatos que possam ser provados por meio da lógica. O ensaio de Moore teve efeito profundo em seu colega Bertrand Russell, que era então um idealista. O efeito do ensaio de Moore foi abrir caminho para o fim do idealismo britânico.

Principia Ethica e a intuição da bondade

O livro *Principia Ethica*, de Moore, propôs uma refutação do naturalismo ético pela identificação do que ele denominou *falácia naturalista*: a ideia de que a "bondade" pode ser definida em termos de propriedades naturais como "agradável", "desejado" ou "evoluído". Moore acreditava que a bondade não é analisável, mas que somente se permite ser descoberta por meio da intuição. O bem é "um daqueles inúmeros objetos do pensamento que são incapazes de serem definidos, porque são os termos finais por referência aos quais tudo que é passível de definição deve ser definido". Ele propôs um conceito *consequencialista* que sustenta que o conceito principal da ética é o bem, e qualquer ação que maximize o bem é uma ação correta. O consequencialismo de Moore evitava o hedonismo inerente ao utilitarismo de Jeremy Bentham (1748-1832) e

John Stuart Mill. Moore acreditava que, em última análise, o bem residia no amor e na amizade e na contemplação da beleza e da arte. *Principia Ethica* se tornou um manual para o Grupo de Bloomsbury, que incluía outros influentes graduados de Cambridge, como o teórico político e editor Leonard Woolf (1880-1969), o economista J. M. Keynes (1883-1946) e o biógrafo Lytton Strachey (1880-1932).

Uma filosofia do senso comum

Enquanto o trabalho de Russell com lógica matemática é dificílimo para não matemáticos, e enquanto o estilo aforístico de Wittgenstein pode ser difícil de interpretar, por conta de sua incrível síntese e densidade, o uso que Moore faz do senso comum é encantador em sua aparente simplicidade. Ele utilizava linguagem comum e argumentos despretensiosos para demonstrar suas provas. Em uma palestra de 1939, por exemplo, ele resumiu sua refutação ao idealismo e ao ceticismo quanto ao mundo real levantando uma de suas mãos, agitando-a e dizendo: "Aqui está uma mão". Levantou, então, sua outra mão e disse: "Aqui está outra mão." A conclusão de Moore: *coisas existem*. Elas são reais. Não são produtos da percepção ou de alguma projeção da mente no mundo exterior. Para Moore, o idealismo é refutável porque suas mãos são demonstravelmente reais, embora idealistas pudessem contestar que, em um debate com Kant, Moore teria que se esforçar mais. Alguns dos argumentos ou provas encontrados na lógica de Russell ou Frege são difíceis de serem totalmente compreendidos, mas nenhuma prova complexa precisa ser entendida para acompanhar os argumentos de Moore. Como resultado, o estilo de sua prosa diverge muito do de Russell, que se mostra ansioso por encontrar uma prova lógica ou matemática para cada átomo de conhecimento. Moore, por outro lado, satisfaz-se em criar grandes alegações a respeito do que é. Um exemplo é o livro *Principia Ethica*, cuja alegação principal sobre ética é a de que "os princípios fundamentais da ética precisam ser autoevidentes". Em outras palavras, eles são o que são. As verdades fundamentais são consideradas irredutíveis por Moore, e ele não apresentava demais razões pelas quais isso seria verdadeiro.

O paradoxo de Moore

Wittgenstein cunhou o termo "Paradoxo de Moore" em resposta a um problema que Moore formulou em uma palestra. A questão que Moore considerou foi a natureza de significados problemáticos; ele propôs, e então passou a analisar, a seguinte frase: "Está chovendo, mas eu não acredito que esteja". A frase é absurda, mas era justamente a natureza do absurdo que Moore desejava entender. A primeira parte ("Está chovendo") simplesmente descreve um estado de coisas. A segunda parte ("mas eu não acredito que esteja") pode ser vista como uma verdadeira expressão em primeira pessoa de um estado mental. A natureza do paradoxo de que se trata é sedutora, uma vez que a frase, como descrita, pode ser verdadeira, logicamente consistente e não obviamente contraditória. O paradoxo surge com a tentativa de se analisar por que a frase é absurda ou sem sentido. Pode parecer um problema menor, mas sua natureza é discutida até hoje por filósofos. Em 2007, Mitchell Green e John N. Williams publicaram *Moore's Paradox: New Essays on Belief, Rationality and the First Person* [Paradoxo de Moore: novos ensaios sobre crença, racionalidade e primeira pessoa], uma coletânea substancial de ensaios que exploram questões de conhecimento, crença e consciência a partir da descoberta aparentemente simples de Moore.

A crença de Moore na amizade e na arte como fundamentos da ética também refletiram em sua vida pessoal. Ele era um colega de trabalho popular em Cambridge, um membro do Grupo de Bloomsbury, costumava entreter seus amigos cantando *lieder* alemãs ao piano e desfrutava um relacionamento feliz com sua esposa Dorothy, que o chamava afetivamente (se não estranhamente) de "Bill". Em oposição, seu colega e cofundador da filosofia analítica, Bertrand Russell, tinha um temperamento difícil, se casou quatro vezes e mostrava-se frequentemente grosseiro, o que fazia Moore recusar alguns dos convites para eventos sociais aos quais ele sabia que Russell compareceria. Os dois representam estilos diferentes de pensamento analítico, além de visões muito diferentes da relação entre filosofia e vida cotidiana, e do modo como vivemos nossas vidas. Russell foi um grande filósofo; Moore foi um bom filósofo, e um grande professor e amigo.

A pergunta que deve ser respondida sobre coisas materiais, então, não é esta: "Que razão temos para supor que existe qualquer coisa correspondente às nossas sensações?", mas esta: "Que razão temos para supor que coisas materiais não existem, uma vez que sua existência tem precisamente a mesma evidência de que dispõem nossas sensações?" A existência de ambas pode ser falsa; mas se esta for uma razão para duvidar da existência da matéria, de que ela constitui um aspecto inseparável da nossa experiência, o mesmo raciocínio provará conclusivamente que nossa experiência também não existe, uma vez que este deve ser também um aspecto inseparável da nossa experiência.

G. E. Moore, *A refutação do idealismo* (1903)

25

Bertrand Russell

18 de maio de 1872 – 2 de fevereiro de 1970

Filósofo e lógico britânico, pensador influente em lógica matemática e um dos responsáveis pelo desenvolvimento da escola analítica de filosofia.

Poucos filósofos britânicos do século XX escreveram tanto quanto Bertrand Russell; menos ainda publicaram tanto quanto ele. Alguns de seus trabalhos estão no nível dos melhores de seu tipo. Seu livro *Principia Mathematica* (1910-13), escrito em coautoria com Alfred North Whitehead (1861-1947), constitui uma tentativa ousada e monumental de reduzir a matemática a alguns princípios lógicos. É consenso universal que ele está entre os três textos seminais da lógica – os outros dois são o *Órganon*, de Aristóteles (384-322 a.C.), e *Os fundamentos da aritmética* (1893, 1903), de Gottlob Frege. Russell escreveu ainda um ensaio fundador da filosofia analítica – *On Denoting* [Sobre denotação] (1905) –, que introduz o conceito de "frase denotativa" e a teoria das descrições de Russell.

Russell é frequentemente considerado um dos grandes filósofos britânicos desde David Hume (1711-76) e John Locke (1632-1704), mas ele também escreveu um volume grande de filosofia popular, parte da qual é irregular. Seu trabalho mais bem-sucedido financeiramente, *História da filosofia ocidental* (1945), foi rejeitado pelo crítico e filósofo da linguagem George Steiner (1929-), que o considerou "vulgar", enquanto o filósofo americano George Boas (1891-1980) afirmou certa vez que Russell "nunca parece capaz de decidir se está escrevendo história ou polêmica".

A reputação de Russell repousa no brilhante início de sua carreira como lógico e matemático (ele observou certa vez que nenhum filósofo tem mais de dez anos de trabalho de qualidade em si, e seu próprio trabalho posterior pode ser visto como prova disso). No entanto, Russell utilizou sua duradoura reputação inicial para talhar para si mesmo uma posição singular como intelectual público que se manifestava contra armas nucleares e a Guerra do Vietnã.

Educação de um gênio matemático

Muitos filósofos podem ser descritos como "bem nascidos", mas Russell é mais merecedor deste epíteto que a maioria. Sua linhagem era aristocrática não somente no sentido de pertencer ao pariato, mas também no sentido de sua ascendência filosófica. Seu padrinho era John Stuart Mill, enquanto seu avô, Lord John Russell (1792-1878), era um rico proprietário de terras que por duas vezes foi primeiro-ministro. Russel teve uma infância infeliz: quando tinha dois anos de idade, sua mãe e sua irmã morreram, seguidas por seu pai, que morreu quando ele tinha quatro anos de idade. Órfão, Russell foi criado por sua avó, Lady Russell, e suas tias.

Ele foi educado em casa, onde aprendeu os clássicos, e também francês, alemão e literatura. Sua aptidão para o aprendizado de idiomas abriu-lhe a possibilidade de entrar em contato com o trabalho de pensadores europeus continentais e lhe preparou para sua carreira como um filósofo cuja influência iria muito além das fronteiras da Inglaterra, sua terra natal. Nos últimos anos do século XIX, Russell construiu uma reputação na Europa ao envolver-se num debate com o matemático francês Henri Poincaré (1854-1912) sobre os fundamentos da geometria e a natureza do espaço; e ao apresentar um artigo em 1900 no Congresso Internacional de Filosofia em Paris, respondendo ao convite do lógico francês Louis Couturat (1868-1914). Nesta época, Russell familiarizou-se com o trabalho do matemático e filósofo italiano Giuseppe Peano (1858-1932), cujas ideias lhe serviriam como fundamentos para o desenvolvimento de suas próprias ideias sobre lógica matemática e teoria dos conjuntos. Em 1902, ele começou a ler o então obscuro lógico Gottlob Frege, que o apresentaria a Ludwig Wittgenstein, seu mais famoso aluno e mais severo crítico.

Do idealismo à filosofia analítica

O desenvolvimento inicial de Russell foi peculiar. Como Wittgenstein, ele pensava frequentemente em suicídio quando criança, mas superou esse sentimento quando começou a se expressar sexualmente (um passo que foi mais problemático para Wittgenstein). O irmão de Russell Frank ensinou-lhe geometria euclidiana, e, a partir daquele momento, Russell foi fisgado pela matemática. Ele entrou no Trinity College, em Cambridge, em 1890, terminando como primeiro colocado da turma em 1893. Lá, tornou-se amigo do hegeliano J. M. E. McTaggart, cujo idealismo, junto com o de F. H. Bradley, era a corrente dominante na filosofia britânica. Depois de conhecer G. E. Moore, no entanto, Russell perdeu sua admiração inicial pela metafísica.

Embora Moore tenha tentado originalmente basear seu estudo da ética em uma forma de idealismo pós-kantiano, ele mudou o curso de sua atenção em 1903 com seu artigo *A refutação do idealismo*, que se tornou um marco e sinalizou um afastamento da tradição idealista britânica, descendente de George Berkeley (1685-1753), constituindo um esforço inicial de basear a ética na filosofia analítica. Moore estava fazendo pela ética o que Russel estava fazendo pela lógica. Juntos, eles lançaram os fundamentos para o tratamento da linguagem que seria adotado por Wittgenstein e todos os que seguiram a tradição analítica. Dois outros textos publicados em 1903 confirmaram a ascendência da filosofia analítica sobre o idealismo na Grã-Bretanha: *Os princípios da matemática* e, de Bertrand Russell, e *Principia Ethica*, de G. E. Moore.

O paradoxo de Russell

Em 1901, enquanto escrevia *Os princípios da matemática* (em que defendia que lógica e matemática são uma mesma coisa), Russell descobriu uma falha na lógica de Gottlob Frege. Ele escreveu para Frege justo quando o segundo volume do livro pioneiro do filósofo, *Os fundamentos da aritmética,* havia sido mandado para impressão. Ambos os filósofos estavam buscando objetivos similares: evitar o psicologismo e o *a priorismo* sintético de Kant e ao mesmo tempo reduzir as leis da aritmética a um conjunto de regras lógicas *a priori* determinadas analiticamente.

A falha que Russell expôs no trabalho de Frege é conhecida como Paradoxo de Russell e envolve o conceito do conjunto de todos os conjuntos que não são membros de si mesmos. Se tal conjunto existisse, ele seria membro de si mesmo somente se não fosse membro de si mesmo. Russell encontrou uma solução para o paradoxo por meio do desenvolvimento da teoria de tipos, que permitiu a separação entre propriedades, relações e conjuntos. O erro de Frege, argumentou Russell – e era um erro fatal – foi supor que classes e seus membros obedeciam a um único e homogêneo tipo em vez de um número de tipos que obedeciam a uma hierarquia.

Principia Mathematica

Escrito em parceria com o filósofo britânico A. N. Whitehead e publicado em três volumes em 1910, 1912 e 1913, *Principia Mathematica (Princípios da matemática)* é uma tentativa de reduzir as verdades da matemática à lógica. Extremamente influente, não somente na matemática, mas também na filosofia, o modo como esse livro desmembrou problemas filosóficos em unidades lógicas determinou a linha de abordagem analítica que dominou a filosofia anglófona no século XX. E influenciou também o positivismo lógico de Rudolf Carnap (1891-1970) e o Círculo de Viena.

Primeiras incursões na política e na filosofia da mente

Talvez porque o trabalho de Russell na matemática e na lógica seja tão avançado, e aberto realmente apenas a um pequeno grupo de especialistas, ele é mais conhecido por seu ativismo político, que se deslocou de uma postura intensamente nacionalista a favor da Segunda Guerra dos Bôeres (1899-1902) para uma objeção consciente durante a Primeira Guerra Mundial e, finalmente, o apoio ao argentino Che Guevara (1928-67), camarada de Fidel Castro (1926-), o líder da Revolução Cubana (1953-9). As ideias antigoverno de Russell fizeram com que lhe fosse temporariamente negado um passaporte, com que fosse demitido do seu cargo de professor no Trinity College, em Cambridge, e lhe renderam uma condenação de seis meses na prisão de Brixton. Sua experiência na cadeia, entretanto, foi diferente da reservada à maioria dos detentos. Russell foi colocado em uma cela espaçosa, na qual podia ter os livros que quisesse, assim como material para escrita e uma mesa; arranjos de flores eram enviados do famoso jardim de sua amante Ottoline Morrell, em Garsington; ele não comia com os outros prisioneiros – suas refeições eram servidas em sua cela; e ele empregou um outro prisioneiro para limpar sua cela e executar serviços gerais.

Após a Primeira Guerra Mundial, Russell publicou dois trabalhos filosóficos significativos: *A análise da mente* (1921) e *A análise da matéria* (1927). Em sua introdução ao primeiro, descreveu seu projeto como uma tentativa de reconciliar o que via como a tendência materialista da psicologia (comportamental) com a tendência antimaterialista da física; suas análises da mente e da matéria eram, portanto, uma tentativa de desenvolver a ideia do filósofo americano William James de que "o 'conteúdo' do mundo não é mental nem material, mas um 'conteúdo neutro' a partir do qual ambos são construídos".

Russell também visitou a Rússia e viveu por um ano na China (1920-1). Em *O problema da China* (1922), previu que "todo o mundo será vitalmente afetado pelo desenvolvimento dos assuntos chineses, que podem muito bem se provar um fator decisivo, para o bem ou para o mal, ao longo dos próximos dois séculos". Privadamente, Russell costumava fazer observações francamente racistas e antissemitas, que iam além dos casuais preconceitos da sociedade britânica da época.

Trabalhos populares e intelectual público

Russell, que foi casado quatro vezes e teve muitos casos, escreveu alguns de seus livros populares em defesa do seu estilo de vida: *No que acredito* (1925), *Por que não sou cristão* (1927) e *O casamento e a moral* (1929). Na Grã-Bretanha, sua incontinência sexual, seu ateísmo e suas visões políticas causavam apenas uma pequena agitação, mas a recepção era diferente nos Estados Unidos, onde Russell buscou repetidamente se empregar. Após uma breve passagem pela Universidade da Califórnia, em Los Angeles, ele foi nomeado para a faculdade de filosofia do City College, em Nova York, em 1940. Sua nomeação, entretanto, foi revogada por conta da reclamação dos pais de um aluno, e, ao ser julgado por um tribunal, Russell foi considerado "moralmente inadequado" para dar aulas lá. O advogado do denunciante disse à corte que Russell era "lascivo, libidinoso, venéreo, erotomaníaco, afrodisíaco, irreverente, intolerante, inconfiável e desprovido de fibra moral". Após essa derrota, Russell conseguiu trabalho na Fundação Barnes, em Merion, Pensilvânia, criada pelo médico e filantropo Albert C. Barnes, que defendia educação e promoção da arte para todos. Russell deu uma série de palestras lá que formaram a base para *História da filosofia ocidental* (ele conseguiu ser demitido, mas depois provou que a demissão havia sido injusta).

História da filosofia ocidental apareceu em 1945, e Russell recebeu o Prêmio Nobel de Literatura em 1950. O livro é um ensaio altamente opinativo no qual Russell apresenta as tradições filosóficas de acordo com suas próprias visões analíticas e estreitas. Pode-se argumentar que todos os ensaios sobre a história da filosofia – incluindo este – são marcados pela perspectiva do autor. Uma coisa, no entanto, é ser crítico quanto a uma tradição filosófica, outra coisa é partir da ideia de que toda metafísica é sem sentido e tratar o trabalho de mentes mais elevadas, espalhadas ao longo de dois milênios e meio, com desprezo e sarcasmo, como foi observado por diversos críticos.

Russell como ativista político: desarmamento nuclear e a Guerra do Vietnã

Em 1960, Russell liderou a Campanha Britânica pelo Desarmamento Nuclear, que ficou conhecida como Comissão dos 100. Esta comissão foi estabelecida com o objetivo de organizar ações diretas não violentas, seguindo a tradição de Mahatma Gandhi (1869-1948) e Martin Luther King (1929-68). Em fevereiro de 1961, Russell liderou 4 mil manifestantes em um protesto do lado de fora do Ministério Britânico da Defesa, em Whitehall, no qual os participantes se sentaram no chão. Um protesto em setembro daquele ano resultou em 1.300 pessoas presas na Trafalgar Square, entre elas, Russell (que tinha então 89 anos).

O ativismo de Russell levou a um dos pares filosóficos mais improváveis da história, uma vez que o avô da filosofia analítica se uniu ao mais famoso dos existencialistas – Jean-Paul Sartre. De 1966 a 1967, os dois filósofos lideraram juntos o Tribunal Internacional de Crimes de Guerra (chamado popularmente de Tribunal Russell-Sartre) para investigar o papel dos Estados Unidos na Guerra do Vietnã. O tribunal se baseou no livro de Russel *Crimes de guerra no Vietnã*, escrito em 1966, e foi uma questão totalmente privada, sem nenhum embasamento oficial. Ele concluiu (entre outras coisas) que "os Estados Unidos cometeram atos de agressão contra o Vietnã segundo os termos do direito internacional" e foi também culpado pelo "bombardeio de alvos puramente civis... hospitais, igrejas, unidades médicas, represas". O tribunal ainda considerou os Estados Unidos culpados por "repetidas violações da soberania, neutralidade e integridade territorial do Camboja" e por "ataques contra a população civil de um certo número de cidades e vilarejos cambojanos". A idade somente aumentou o radicalismo de Russell. Na época de sua morte, em 1970, ele apoiava o chamado de Che Guevara para uma revolução global contra o imperialismo americano.

O lugar de Russell na história da filosofia como lógico e matemático proeminente está assegurado. É verdade ainda que seus esforços extenuantes contra o idealismo e a favor do atomismo ajudaram a mudar o curso da filosofia no século XX. À medida que a filosofia analítica se exaurir, pode ser que a influência de Russell na filosofia diminua; mas suas contribuições para a matemática agora perduram no romance em quadrinhos *Logicomix: An Epic Search for Truth* [Logicomix: uma jornada épica em busca da verdade].

> A filosofia moderna começa com Descartes, cuja certeza fundamental é a existência de si mesmo e de seus pensamentos, a partir dos quais o mundo exterior deve ser inferido. Este foi apenas o primeiro estágio em um desenvolvimento que passou por Berkeley e Kant, até chegar a Fichte, para quem tudo é apenas uma emanação do ego. Isto era uma insanidade, e, desse extremo, a filosofia tem tentado desde então escapar para o mundo do senso comum cotidiano.
>
> Bertrand Russell, *História da filosofia ocidental* (1945)

> Minha única visão sobre a religião é a mesma de Lucrécio. Eu a considero uma doença nascida do medo e uma fonte de miséria indizível para a raça humana. Não posso, entretanto, negar que ela fez algumas contribuições à civilização.
>
> Bertrand Russel, *Has Religion Made Useful Contributions to Civilization?* [A religião trouxe contribuições úteis à civilização?] (1930)

> É difícil superestimar o domínio exercido pelo pensamento de Russell na filosofia analítica do século XX: praticamente todas as vertentes que apareceram em seu desenvolvimento tiveram origem nele ou se transformaram ao serem transmitidas por meio dele. A filosofia analítica em si deve sua existência mais a Russell que a qualquer outro filósofo.
>
> Nicholas Griffin, *"Introduction", The Cambridge Companion to Bertrand Russell* ["Introdução", O companheiro de Cambridge para Bertrand Russel] (2001)

26

Martin Buber

8 de fevereiro de 1878 – 13 de junho de 1965

Pensador austríaco judeu que desenvolveu uma filosofia do diálogo baseada na relação Eu-Tu; um sionista que desejava um Estado binacional para a Palestina.

Martin Buber esteve entre os primeiros existencialistas religiosos, e foi o primeiro judeu deles. Em sua filosofia e na sua política, ele promoveu o valor do diálogo entre indivíduos, grupos e nações. Seu trabalho mais importante é *Eu e tu* (1923), que conquistou grande número de leitores da tradução inglesa durante os anos 1960 e 1970. Buber era um homem religioso que lutava com a ortodoxia judaica. Ele se voltou para a filosofia, lendo Kant, Kierkegaard, Feuerbach e Nietzsche. Foi particularmente atraído pelo livro de Nietzsche *O nascimento da tragédia* (1872), por conta de seu tratamento dos modos de vida ou expressão apolíneos e dionisíacos, que podem ser entendidos como a tensão que existe entre pares "opostos", como pensar e sentir ou entre as artes plásticas e a música.

Relações Eu-Tu

O que Buber captura em *Eu e tu* é um momento na compreensão do que significa ser um ser humano, entre o idealismo de Kant e o existencialismo de Heidegger e Sartre. Utilizando um estilo aforístico que devia muito a Nietzsche, Buber estava interessado em situar a existência humana em um reino que desse conta da subjetividade humana e que ao mesmo tempo assegurasse que o mundo dos objetos – constituído pelo "Isso" – mantivesse um lugar adequado. Relações Eu-Isso podem ser traduzidas grosseiramente como as que são obtidas entre pessoas e objetos ou entre uma pessoa que aborda outra pessoa como um objeto (como no conceito sartreano do Outro). Relações Eu-Tu se referem àquelas em que uma pessoa se relaciona com outra em seu ser completamente humano, tomando-a como sujeito, e não como o meio para um fim – um conceito vislumbrado pelo filósofo alemão Ludwig Andreas von Feuerbach. Ao desenvolver o princípio dialógico do Eu e Tu, Buber acreditou ter revelado uma estrutura subjacente do ser que se encontrava aquém ou além da linguagem.

Na tradição teológica judaica, o nome de Deus tradicionalmente não é dito (a Torá refere-se a Deus como um Javé, traduzido na Bíblia do rei James como "Eu sou o que sou", e em outras como "Eu sou quem sou"). No entanto, Buber não somente diz o nome de Deus em seu trabalho como também o encontra: ele defendia que, em relações Eu-Tu, de fato se depara com Deus. Não necessariamente se encontra Deus quando se procura nos caminhos tradicionais da oração e meditação, afirmava Buber. Em vez disso, Deus nos encontra, inesperadamente, no processo do diálogo humano. Deus aparece nesse momento de intersubjetividade humana completamente interativa.

Conciliação e comunitarismo

Buber demitiu-se do seu cargo de professor na Universidade de Frankfurt em 1933, em protesto à ascensão de Hitler ao poder. Como a filósofa política germano-americana Hannah Arendt, Buber era um sionista cultural. Sua resposta ao nazismo foi dedicar-se à educação judaica adulta. Ele imergiu na tradição hassídica, na qual encontrou um modo autêntico de estar entre a crença e a prática religiosas. Com o filósofo e teólogo Franz Rosenzweig (1886-1929), ele traduziu a Bíblia para o alemão.

Buber passou por dois momentos de perda decisivos. Um deles foi quando se viu forçado a deixar a Alemanha e partir para a Palestina, em 1938. Buber amava a filosofia e a literatura alemãs e era mestre no idioma alemão, sua língua materna. O outro momento de perda aconteceu quando Buber tinha três anos de idade. Seus pais se separaram, e ele nunca mais viu a mãe. Este tipo de trauma frequentemente inicia uma reação negativa em uma criança, causando talvez um sentido corrompido de si mesmo, ressentimento em relação a outras pessoas ou dificuldades de se relacionar. Mas a reação de Buber foi inteiramente diferente. Ele transformou na missão de sua vida promover o diálogo e encontrar caminhos para restaurar a comunicação onde ela estivesse corrompida. Desse modo, quando fugiu da Alemanha nazista em 1938 e chegou à Palestina, ele passou a defender a criação de um Estado binacional que incluísse judeus e árabes. Seria possível dizer que ele aplicou sua filosofia Eu-Tu no campo religioso, lançando-a ao outro sem excluir ninguém.

Após a fundação de Israel, Buber deu aulas na Universidade Hebraica de Jerusalém. Seu livro *Caminhos da utopia* (1946) mostrou que ele era um dos primeiros a propor o comunitarismo (uma abordagem eticamente fundamentada à organização social e à ação política). Seu comunitarismo é definido por sua crença de que relações e esforços conjuntos, mais do que ações individuais, são forças positivas na construção de sociedades.

À medida que se desenrola o século XXI, é provável que o trabalho de Buber seja "redescoberto", de modo a ocupar uma posição mais proeminente no cânone da ontologia e da teologia filosófica, no mínimo porque sua elaboração do ser e do fenômeno da intersubjetividade – em conjunto com o também existencialista religioso Gabriel Marcel (1889-1973) – é atrativo para estudantes de todas as fés, ou de nenhuma.

> Se o *Tu* é dito, o *Eu* da cominação *Eu-Tu* é dito junto com ele.
> Se o *Isso* é dito, o *Eu* da combinação *Eu-Isso* é dito junto com ele.
> A palavra primária *Eu-Tu* somente pode ser dita com todo o ser.
> A palavra primária *Eu-Isso* jamais pode ser dita com todo o ser.
>
> Martin Buber, *Eu e tu* (1923)

27

Albert Einstein

14 de março de 1879 – 18 de abril de 1955

Físico alemão que propôs teorias da relatividade e foi o primeiro superstar da ciência.

Einstein – nome sinônimo de "gênio" – criou um rompimento fundamental com a física newtoniana ao oferecer novas teorias para explicar a natureza do espaço, tempo e gravidade. Mais que as de qualquer outro cientista na história, as implicações do trabalho de Einstein são conhecidas pela maioria das pessoas. Quase todos já ouviram falar de sua famosa equação matemática $E=mc^2$, que demonstra a interconvertibilidade de massa e energia. Nós a conhecemos porque ela foi a descoberta que tornou possíveis a bomba atômica e as subsequentes armas nucleares. Nenhuma descoberta científica na história da raça humana teve importância maior. Ela é essencial para uma compreensão da criação do universo e da composição do mundo físico, além de conter o conhecimento necessário à destruição do nosso mundo.

O caminho de Einstein para o sucesso científico não foi convencional, se considerarmos os padrões do século XXI. Ele nasceu em uma família judia não praticante em Ulm, Alemanha. Com seu tio, o pai de Einstein fundou uma empresa que fabricava equipamentos elétricos baseados em corrente contínua (CC). O negócio faliu porque o inventor americano Thomas Edison (1847-1931), um pioneiro em corrente alternada (CA), ganhou, algum tempo depois, a "guerra de correntes" (uma vez que a produção de CA se provou muito mais barata).

O jovem Einstein tinha um talento natural para matemática. Ainda criança, leu *Os elementos de Euclides* (c. 300 a.C.), o primeiro livro didático de geometria; e, quando jovem, leu *Crítica da razão pura* (1781), de Kant (1724-1804). Einstein foi aluno do Luitpold Gymnasium, em Munique, mas não se saiu bem (ele se opunha ao método mecânico de ensino da escola). Quando o negócio da família faliu, os Einstein se mudaram para a Itália, e, aos dezesseis anos de idade, o jovem Albert foi reprovado na prova de admissão da Politécnica Federal Suíça, em Zurique, apesar de ter tido um bom resultado em matemática e física. Depois de um ano estudando, Einstein entrou na politécnica de Zurique e conseguiu, após quatro anos, um diploma de professor de matemática e física.

Graduado, Einstein passou a procurar um cargo de professor, mas, depois de dois anos de procura, ainda não o havia encontrado. Foi trabalhar, então, no Escritório Federal de Patentes, em Berna, onde ficou de 1902 a 1909 como examinador assistente, cuja função era avaliar inscrições de patente envolvendo equipamentos eletromagnéticos. Embora esse possa parecer um lugar estranho para o amadurecimento de uma das maiores mentes da física, o trabalho de Einstein no escritório de patentes lhe deu a oportunidade de olhar para inventos que frequentemente levantavam problemas da física. Foi a contemplação desses inventos que deu origem aos famosos artigos científicos de 1905, que foi denominado seu *annus mirabilis*. Os artigos incluem *Sobre um ponto de vista heurístico relativo à produção e transformação da luz* (efeito fotoelétrico); *Sobre o movimento de pequenas partículas suspensas em um líquido estacionário, segundo a teoria cinética molecular do calor* (movimento browniano); *Sobre a eletrodinâmica dos corpos em movimento* (relatividade especial) e *A inércia de um corpo depende do seu conteúdo de energia?* (equivalência massa-energia).

1905: o *annus mirabilis* de Einstein

Os quatro artigos que Einstein publicou em 1905 lançaram grande parte das bases teóricas da física moderna. O artigo *Sobre um ponto de vista heu-*

rístico relativo à produção e transformação da luz estabeleceu o conceito de quanta de energia – a ideia de que a luz é transmitida (e absorvida) em "pacotes" não contínuos de quanta. Esta descoberta derrubou a teoria eletromagnética convencional de James Clerk Maxwell (1831-79) e a ideia antiga de que a luz poderia ser infinitamente divisível. Max Planck (1858-1947) demonstrou que existe um intervalo de tempo mínimo no qual a luz pode viajar no vácuo, conhecido como constante de Planck. A descoberta de Einstein nesse artigo é conhecida como efeito fotoelétrico e é o trabalho mencionado em primeiro lugar no seu Prêmio Nobel de 1921.

O segundo artigo revolucionário de Einstein de 1905, *Sobre o movimento de pequenas partículas suspensas em um líquido estacionário, segundo a teoria cinética molecular do calor*, provou a existência dos átomos. O conceito do átomo como um pequeno bloco de construção da matéria foi proposto primeiramente por Leucipo (5° século a.C.) e depois por Demócrito (460 -370 a.C.). Até Einstein, no entanto, a existência dos átomos não havia sido provada. O modo pelo qual ele demonstrou foi a utilização do conceito de movimento browniano, que havia sido desenvolvido por Robert Brown (1773-1858) para dar conta do movimento aparentemente aleatório de partículas suspensas em um líquido ou um gás. De fato, o desenvolvimento da ideia de Einstein – a teoria das partículas – se refere diretamente a esse entendimento inicial fornecido por Brown.

O terceiro artigo escrito por Einstein em 1905, *Sobre a eletrodinâmica dos corpos em movimento*, revela sua teoria especial da relatividade. A teoria de Einstein é baseada em duas suposições. A primeira é de que *todos os referenciais inerciais são equivalentes quando descrevem todos os fenômenos físicos*; a segunda é de que *a velocidade da luz é constante para qualquer observador, independentemente da velocidade em que o observador esteja viajando ou da fonte de onde é emitida a luz.* Um referencial inercial (ou um referencial newtoniano) se refere a um dispositivo pelo qual podem ser feitas medições e no qual um corpo não sujeito a forças resultantes se move em um caminho retilíneo com velocidade constante. A velocidade da luz (299.792.458 metros por segundo) é fixa, imutável, independentemente da velocidade do observador. Por conta disso, não importa quão rapidamente um observador viaje – ele não pode ultrapassar um raio de luz. À medida que o observador se aproxima da velocidade da luz, no entanto, medições de espaço, tempo e luz tornam-se relativas para ele. Como resultado, relógios desaceleram, distâncias se contraem e massa ganha densidade – efeitos que se tornam maiores com a proximidade do observador à velocidade da luz. Eventos medidos como simultâneos a partir de um referencial inercial não aparecerão como simultâneos àqueles medidos de um referencial inercial distinto. Uma consequência significativa disto é que espaço e tempo deixam de estar separados e passam a existir como uma unidade conhecida como espaço-tempo – as três dimensões do espaço, com a adição do tempo –, um conceito desenvolvido matematicamente por Hermann Minkowski (1864-1909). A consequência prática mais significativa da teoria especial da relatividade de Einstein veio da sua conclusão de que energia e massa são equivalentes.

A equação $E=mc^2$ está no quarto artigo do *annus mirabilis* de Einstein, que explora a principal consequência da teoria especial da relatividade: *A inércia de um corpo depende do seu conteúdo de energia?* A equação pode ser assim descrita: a energia de um corpo inerte (E) é igual à sua massa (m) vezes a velocidade da luz (c) ao quadrado: $E=mc^2$. Nesta equação, não é a massa que é convertida em energia, mas a *matéria* (da qual a massa é uma medida). Em 1919, Einstein descreveu a equivalência massa-energia como "o resultado mais importante da teoria especial da relatividade" (*O que é a teoria da relatividade*, 1919). É uma ideia central da física moderna que se mostrou essencial para se compreender os segredos do átomo que levaram à fissão e fusão nucleares, assim como ao desenvolvimento de armas nucleares. A equação de Einstein demonstrou como partículas aceleradas podiam alcançar grande massa e assim liberar enormes quantidades de energia em uma explosão nuclear.

Teoria geral da relatividade e física quântica

Enquanto a teoria especial da relatividade de Einstein lidava com referenciais *inerciais*, sua teoria geral (1916) considera o que acontece em sistemas *não inerciais* – sistemas que se aceleram um em relação ao outro.

A teoria geral subverte o antigo modelo newtoniano da gravidade, que agora é entendida como uma propriedade métrica do espaço-tempo que é curvado em relação à matéria. A nova descrição de Einstein dos blocos atômicos de construção do universo e de como funciona a gravidade levou à previsão e compreensão de diversos fenômenos físicos que (apesar de sua complexidade) adentraram a consciência pública: por exemplo, os buracos negros – os lugares de morte das estrelas, regiões do espaço onde a gravidade é tão densa que até mesmo a luz não consegue escapar.

Eu seu artigo de 1905 sobre o efeito fotoelétrico, Einstein propôs a ideia de que a luz é composta de "pacotes" de energia chamados de *quanta*. Em sua interação com a matéria, mostrou Einstein, a luz é absorvida – e emitida – em quanta. Esse entendimento da natureza da luz se mostraria essencial para o desenvolvimento da física de partículas. Seria provado que o átomo tem em seu centro um núcleo envolto por elétrons carregados negativamente, prótons carregados positivamente e nêutrons eletricamente neutros. Mas Einstein propôs a existência de uma quarta partícula elementar, o *fóton*, o quantum de luz e radiação eletromagnética, que carrega força eletromagnética. Os físicos demoraram a aceitar o fóton de Einstein, mas após quinze anos de experimentos que comprovavam sua existência, Niels Bohr (1885-1962), talvez o mais proeminente dos físicos antifótons, finalmente aceitou a descoberta de Einstein.

Einstein e os filósofos

Além de abrir o caminho para novos mundos na ciência, Einstein abriu também uma caixa de pandora para filósofos. No terceiro século a.C., Euclides de Alexandria estabeleceu os princípios da geometria a partir de algumas provas axiomáticas. A geometria euclidiana havia dominado por 23 séculos, mas não era denominada "euclidiana" até a chegada da teoria geral da relatividade de Einstein, uma vez que, antes desta teoria, ela era a única geometria existente. Uma das consequências da teoria de Einstein foi a criação de uma geometria não euclidiana para explicar a curvatura do espaço e do tempo (espaço-tempo) em razão da forte atração gravitacional dos corpos.

Uma parte da visão de mundo de Immanuel Kant – que havia, talvez, sustentado todo o período moderno, uma vez que os filósofos se viam obrigados a desenvolver as ideias dele ou responder a elas com novas ideias – foi seriamente desafiada por Einstein. O idealismo transcendental de Kant se sustentava em sua crença na verdade sintética *a priori* da geometria euclidiana. Será que todo o sistema de Kant se desintegra por conta da descoberta de Einstein de que, quando o espaço-tempo se dobra, os ângulos de um triângulo não somam 180 graus? Será que importa que o espaço-tempo é curvo, e não plano? O problema é resolvido se reconhecermos que, embora Kant de fato confiasse em um argumento da geometria para tratar a idealidade transcendental do espaço, e embora esta ideia esteja "intimamente ligada às suas visões de geometria", a doutrina de Kant da idealidade do espaço não é, afinal, dependente dessa geometria – veja Allison, *O idealismo transcendental de Kant* (1983). A teorização de Einstein e seu estilo de fazer ciência-filosofia não eram diferentes das de seu herói Kant, que concebeu a hipótese nebular há quase trezentos anos para descrever o nascimento do nosso sistema solar (as únicas ferramentas científicas de que ele dispunha eram caneta, papel e sua própria mente). Com variações, é a explicação que permanece boa atualmente. Neste sentido, embora seja principalmente um cientista, pode ser visto como herdeiro de Kant.

As consequências das descobertas de Einstein como a relatividade e o conceito de dualidade onda-partícula (a luz se comporta como onda ou partícula, dependendo da localização, ou ponto de vista, do observador) foram enormes não apenas para a ciência, mas para todos os campos de pesquisa. Sua ênfase na perspectiva foi problemática para a ciência, mas trouxe-lhe também uma compreensão mais madura do conceito de objetividade (e, consequentemente, de subjetividade).

O legado além da ciência

Einstein nasceu na Alemanha, mas conseguiu cidadania suíça e então, como tantos intelectuais judeus da Europa nesse período, emigrou para os Estados Unidos em 1933 para evitar a Solução Final de Hitler. Embora suas descobertas tenham sido as maiores responsáveis por liberar o poder destrutivo do átomo, Einstein era um pacifista. Subjacente ao seu pensamento científico, estava um profundo compromisso ético na tradição kantiana. Ele via a ciência como um "instrumento poderoso" para o bem ou para o mal e a comparava a uma faca – uma ferramenta útil, mas que também pode ser usada para matar. O pensamento de Einstein era igualmente composto de instinto e intelecto: "Meu pacifismo é um sentimento instintivo, um sentimento que me possui porque o assassinato de homens é abominável. Minha atitude não tem origem na teoria intelectual, mas está baseada na minha mais profunda antipatia por todo tipo de crueldade e ódio."

> A teoria geral da relatividade deve sua origem à tentativa de explicar um fato conhecido desde o tempo de Galileu e Newton, mas que até então iludia toda interpretação teórica: a inércia e o peso de um corpo – em si mesmos, duas coisas inteiramente distintas – são medidos pela mesma constante: a massa. Desta correspondência, deduz-se que é impossível descobrir por meio de experimentos se um determinado sistema de coordenadas é acelerado ou se seu movimento é reto e uniforme e os efeitos observados se dão em razão de um campo gravitacional (este é o princípio de equivalência da teoria geral da relatividade). Assim que se coloca a gravidade, quebram-se os conceitos do sistema inercial.
>
> Albert Einstein, *Os fundamentos da física teórica* (1940)

> Enquanto eu tiver escolha, somente ficarei em um país onde liberdade política, tolerância e igualdade de todos os cidadãos perante a lei sejam a regra... Estas condições não são encontradas na Alemanha neste momento.
>
> Albert Einstein, *Manifesto* (1933)

Um jornalista certa vez pediu a Albert Einstein, o maior gênio científico desde Issac Newton, para explicar sua fórmula do sucesso. O grande pensador ponderou por um segundo e então respondeu: "Se A é sucesso, devo dizer que a fórmula é A = X + Y + Z, onde X é trabalho e Y, lazer."

"E o que é Z?", perguntou o jornalista.

"É manter a boca fechada", respondeu ele.

Michio Kaku, *O Cosmo de Einstein* (2004)

28

José Ortega y Gasset

9 de maio de 1883 – 18 de outubro de 1955

Modernizou a filosofia espanhola, que vinha sendo trabalhada sob o jugo da escolástica.

José Ortega y Gasset foi um dos maiores responsáveis pela criação da filosofia espanhola do século XX. A Espanha havia estado sob influência da Igreja católica por mais tempo que qualquer outro país europeu, e, como consequência, o medievalismo perdurava, e ideias iluministas eram aceitas com dificuldade. A missão de Ortega foi popularizar a filosofia sem simplificá-la demais, e seu *O que é a filosofia?* (1957) é um marco no pensamento espanhol. Ele apresentou a fenomenologia de Husserl ao público espanhol em uma série de artigos publicados em jornal (seu pai era o diretor do jornal *El Imparcial*, de propriedade da família da sua mãe). Sob um regime repressivo, Ortega utilizou o poder da riqueza e privilégios para difundir ideias modernas. Fundou diversos jornais nos quais tais ideias podiam florescer: *Faro* (1908), *Espãna* (1915-23), *El sol* (1917) e *Revista de Occidente* (1923-36). Suas palestras sobre a história da filosofia foram um modelo de clareza e atraíram grandes públicos. A habilidade de Ortega como popularizador era semelhante às do filósofo alemão Christian Wolff (1679-1754), do francês Henri Bergson e do americano William James.

Razón vital

Um conceito-chave da filosofia de Bergson é o *élan vital*, que ele usava para descrever a evolução do homem em termos distintos daqueles mais redutivos utilizados por Charles Darwin; usava-o ainda para descrever o impulso criativo do homem. O conceito fundamental por trás do pensamento de Ortega é a *razón vital*, ou razão vital, que depois amadureceu e transformou-se na ideia de *razón histórica*, ou razão histórica. Ortega resumia sua ideia de razão vital na frase *yo soy yo y mi circumstancia* (eu sou eu e minha circunstância). Em certa medida, como o tratamento existencial do homem no contexto de sua *situação*, elaborado por Jean-Paul Sartre, a filosofia de Ortega se concentra na interação do homem com o mundo, que contém possibilidades que podem ser identificadas pela razão, que é intuitiva. O conceito de Ortega da razão é influenciado por Husserl e se refere à intuição sensível na qual a consciência constitui ativamente um "estado de coisas", que está mudando constantemente.

O que é incomum na filosofia de Ortega é que ela se inspira não somente em um interesse pelo contexto histórico do homem, mas também em uma ideia prescritiva do que a Espanha deveria ser como nação. Ortega foi influenciado pelo conceito científico de história do filósofo alemão Wilhelm Dilthey (1833-1911), que também exerceu influência sobre Martin Heidegger, que Ortega conheceu em 1951. Para Ortega, o dito *Eu sou eu e minha circunstância* se refere particularmente à circunstância da Espanha no momento histórico de seus escritos.

Se a Espanha ainda se encontrava sob os efeitos dos ensinamentos da Igreja medieval no início do século XX, sua situação era ainda mais complicada por seu ambiente político. Em 1923, o rei espanhol reconheceu a ditadura do general Miguel Primo de Rivera (1870-1930), que governou até 1930. A Guerra Civil Espanhola, que opôs republicanos a nacionalistas de direita, destruiu a Espanha de 1936 a 1939 e deixou o país sob a ditadura do general Francisco Franco (1892-1975), que governou até sua morte. A situação para a filosofia era grave. Os nacionalistas fascistas ofereciam apoio tão pequeno à pesquisa livre e ao debate quanto a Igreja católica.

Miguel de Unamuno y Jugo

O filósofo Miguel de Unamuno y Jugo (1864-1936) tentou forjar uma filosofia na qual a razão tivesse seu lugar ao lado da fé cristã. Ele expressou suas ideias com poesia e em romances, assim como com filosofia; seu trabalho mais famoso é *Do sentimento trágico da vida* (1911, 1912). Mas Unamuno foi vítima do caos político que se apoderou da Espanha. Ele foi dispensado de seu cargo de reitor da Universidade de Salamanca em 1914 e, durante a ditadura de Rivera, foi exilado para a França. Reassumiu seu posto em Salamanca em 1931, mas foi preso em 1936 por criticar Franco. Durante uma discussão pública acalorada na Universidade de Salamanca, quando o fascista José Millán-Astray y Terreros (1879-1954) gritou "Morte à *intelligentsia*!", Unamuno respondeu: "Este é o templo da inteligência, e sou seu sumo sacerdote. Você está profanando seu domínio sagrado. Você vai vencer, porque dispõe de suficiente força bruta. Mas você não vai convencer. Para convencer, é preciso persuadir, e para persuadir, você precisará de algo que não tem: razão e direito na luta."

A aprendizagem de Unamuno foi prodigiosa, e ele trouxe as filosofias do protoexistencialista Kierkegaard e do pragmático William James à atenção do público espanhol. Ortega teve mais sucesso em comunicar suas ideias filosóficas ao público geral, em parte porque tinha acesso à mídia e em parte porque era um excelente palestrante. Mas Unamuno foi também um prosador de estilo claro e conciso que se esforçou para tornar seus trabalhos acessíveis.

Fenomenologia e literatura

De modo pouco usual, Ortega utilizou um viés pragmático do método fenomenológico de Husserl em *Meditações do Quixote* (1914). Tomando uma abordagem fenomenológica em uma leitura crítica do grande romance de Miguel de Cervantes (1547-1616), Ortega faz duas coisas surpreendentemente originais. Ele é um dos primeiros a mostrar como a fenomenologia poderia ser incorporada na teoria crítica (a apropriação por críticos literários da filosofia continental como forma de abrir novos caminhos na análise textual). A segunda realização de Ortega em *Meditações do Quixote* foi ele ter usado um texto do século XVII que continuava sendo popular na cultura conservadora espanhola para fazer observações sobre o estado da Espanha na época e para onde ela deveria se dirigir. A estética de Ortega está ligada a uma filosofia ética e política que explora a relação entre o indivíduo e as massas – o grupo, o Estado. Em *Meditações*, ele proclama: "Tudo que é reconhecido hoje como verdade, como beleza perfeita, como altamente valioso, nasceu em algum momento do espírito de um indivíduo, misturado aos seus caprichos e humores".

Ortega via o totalitarismo como o inimigo da filosofia, mas ele também era um crítico dos movimentos de massa. Em *A rebelião das massas* (1930), defende que a liderança política seja exercida por uma minoria de cidadãos educados, em oposição ao governo de déspotas com apelo junto às massas. Ele defende o esforço em detrimento da inércia – sendo a inércia entre as massas uma precondição para o totalitarismo. Ortega desejava que a liderança emanasse de "minorias superiores", uma espécie de nova aristocracia intelectual. Ortega era incansável em seus esforços para criar uma Espanha que não apenas *tivesse* filosofia, mas que fosse *governada* por ela. Em *A rebelião das massas*, ele declarou:

> O dia em que uma filosofia genuína voltar a exercer influência sobre a Europa – esta é a única coisa que pode salvá-la – será o dia em que perceberá uma vez mais que o homem, quer goste ou não disto, é um ser forçado por sua natureza a buscar uma autoridade mais elevada. Se ele tiver sucesso em encontrá-la em si mesmo, ele é um homem superior; se não, ele é um homem da massa e deve recebê-la de seus superiores.

> No que diz respeito às ideias, a meditação sobre qualquer assunto, se positiva e honesta, inevitavelmente separa aquele que medita da opinião dominante em torno de si, daquela que, por razões mais sérias do que você pode supor neste momento, pode ser chamada de opinião "pública" ou "popular". Todo esforço intelectual nos distancia do lu-

gar-comum e nos conduz por caminhos escondidos e difíceis a lugares isolados, onde nos encontramos entre pensamentos incomuns. Estes são os resultados da nossa meditação.

José Ortega y Gasset, *O que é filosofia?* (1957)

Há um fato que, seja para o bem ou para o mal, é de maior importância na vida pública da Europa neste momento. Este fato é a adesão das massas ao completo poder social.

José Ortega y Gasset, *A rebelião das massas* (1930)

29

Karl Jaspers

23 de fevereiro de 1883 – 26 de fevereiro de 1969

Psiquiatra alemão que se tornou filósofo, enfrentou os nazistas e fundou o existencialismo humanista.

Karl Jaspers e Martin Heidegger foram os pais fundadores do existencialismo. Antes deles, Kierkegaard havia anunciado os temas essenciais do existencialismo, incluindo ideias sobre subjetividade e ansiedade em face da morte. Depois deles, Jean-Paul Sartre elaboraria temas existencialistas em romances, peças e trabalhos filosóficos ao longo do período de seu predomínio na França, do fim da Segunda Guerra Mundial aos anos 1960. Mas, entre os dois pais fundadores, Heidegger estava política e moralmente comprometido com o partido nazista, do qual era membro. Mais tarde, Sartre apoiaria Stálin e Mao Tsé-tung (1893-1976) por mais tempo que a maioria. Desses modernos existencialistas, somente Jaspers defendia a democracia liberal, desenvolvendo uma filosofia da existência que entendia a angústia subjetiva de viver, ao mesmo tempo em que incorporava ciência e religião como componentes essenciais. Sua corajosa escolha de um caminho do meio durante o mais tumultuado período da história moderna faz dele o único fundador do existencialismo humanista. Os principais trabalhos filosóficos de Jaspers são o livro em três volumes *Filosofia* (1932) e *Von der Wahrheit* (1947), cujo título pode ser traduzido como “Da verdade”. Um trabalho enorme, de mais de mil páginas, *Von der Wahrheit* constitui a expressão madura da filosofia de Jaspers – um livro que garante sua futura redescoberta e reavaliação.

O período pré-filosófico de Jaspers

Jaspers estudou direito e, depois, dotourou-se tanto em medicina quanto em psicologia, em Heidelberg, onde mais tarde se tornou professor de filosofia. Suas primeiras influências foram Kant, Nietzsche e Kierkegaard. Esse viés filosófico fez Jaspers questionar o método dominante do diagnóstico psiquiátrico; dirigindo sua atenção para além dos rótulos de diagnósticos, ele estudava as biografias dos pacientes. Seu método, então revolucionário, é hoje uma parte cotidiana da prática psiquiátrica. Seu trabalho de dois volumes *Psicopatologia geral* (1913) tornou-se um texto padrão. Em 1919, ele publicou *Psychologie der Weltanschauungen* [Psicologia das visões de mundo]. Este trabalho permanece não traduzido para o inglês, mas seu título dá uma ideia de como o pensamento de Jaspers havia evoluído e para onde estava se dirigindo, incorporando suas leituras de Wilhelm Dilthey e Friedrich von Schelling e adaptando suas hermenêuticas para uma nova era. Durante esse período "pré-filosófico", Jaspers desenvolveu uma forte crença na importância da ciência. Ao mesmo tempo, ele valorizava a religião e a fé (ele foi influenciado pelo conceito de Kierkegaard do "salto da fé"). No entanto, o respeito de Jaspers tanto pela ciência quanto pela religião trazia junto duas advertências: ele não acreditava em um Deus pessoal nem na objetividade da ciência. Era, acima de tudo, cético quanto ao tema da certeza.

A filosofia madura de Jaspers

Jaspers esteve aberto a uma ampla gama de conversações à medida que sua filosofia se desenvolvia. Encontrava-se com os sociólogos Max Weber e Georg Simmel (1858-1918) e com o teórico literário marxista György Lukács (1885-1971). O trabalho de Jaspers foi também influenciado profundamente pela fenomenologia de Edmund Husserl. Uma das realizações de Jaspers foi incorporar a atitude fenomenológica ao seu tratamento de pacientes psiquiátricos. Essa experiência clínica deu origem ao seu conceito de *situação-limite* – momentos em que o sujeito humano encara extremos de culpa ou ansiedade. Nestes momentos, o potencial de liberdade indeterminada do ser humano se manifesta como a possibilidade de transcendência. A ciência e a experiência do Eu – *Existenz* – são ambas os sujeitos (e os métodos para alcance) do objetivo último da transcendência, que é irredutível.

O objetivo de Jaspers era retirar do idealismo transcendental de Kant um modo de descrever a liberdade humana e a vida interna do sujeito de uma maneira que fosse alimentada por novas descobertas das ciências sociais e por sua própria experiência como psiquiatra. O sujeito *é ele próprio um método*, porque, na visão de Jaspers, a filosofia é sempre uma atividade, e nunca meramente um item em um currículo ou a história que reside em bibliotecas. Em seu foco nas situações-limite, Jaspers bebe da preocupação de Kierkegaard com o pessoal, mas move a atenção da filosofia para além da experiência do sujeito, levando-a até a *comunicação* dessa experiência por parte do sujeito. Nisto, ele prefigura a hermenêutica de Paul Ricoeur (1913-2005) e a racionalidade comunicativa de Jürgen Habermas. Depois da Segunda Guerra Mundial, na Alemanha pós-nazista, Jaspers dedicou a maior parte de seus esforços à promoção da democracia liberal.

Heidegger e os nazistas

Em 1910, Jaspers se casou com Gertrud Mayer. O fato de sua esposa ser judia determinaria o curso de sua carreira e foi um instrumento de sua separação do amigo e colaborador Martin Heidegger. A decência e a coragem fundamentais de Jaspers em face do Terceiro Reich contrastam fortemente com a bajulação de Heidegger em troca de favores dos nazistas. Jaspers até mesmo passou a orientar Hannah Arendt em seu doutorado depois que Heidegger, que vinha tendo um caso com ela, abandonou a função – ela era judia, e sua tese tratava do conceito de amor de Santo Agostinho (354-430). Os dois homens não poderiam ser mais diferentes. Jaspers, um médico e humanista, usou seu estudo amplo para criar uma filosofia que promovia a intersubjetividade, enquanto Heidegger, um gênio autocentrado, situava o *Dasein*, ou ser humano, na condição temporal de *ser-para-a-morte*.

Luta amorosa

No coração da filosofia de Jaspers, está o conceito de *luta amorosa*, que se refere ao modo pelo qual cada ser humano, ou *Existenz*, confronta o outro (não o Outro reificado de Sartre). Luta amorosa é um termo que Jaspers deriva do conceito hegeliano de *luta até a morte*, a batalha por supremacia quando subjetividades se confrontam sem reconhecer a consciência do outro (o conceito-chave por trás da dialética *mestre/escravo* de Hegel). Depois que os nazistas o privaram de seu cargo na Universidade de Heidelberg, em 1937, Jaspers deu uma série de palestras em Frankfurt que mais tarde seriam publicadas com o título *A filosofia da existência* (1956). Nelas, ele propôs uma ontologia existencial, descrevendo uma situação em que "em *Existenz*, o homem que está, ele mesmo, presente fala. Ele fala a um outro *Existenz* como um indivíduo insubstituível a outro".

Na Alemanha de Heidegger, indivíduos não eram insubstituíveis – eles eram descartáveis. A descrição feita por Jaspers da luta amorosa é completamente oposta à luta de um grupo pelo domínio ou eliminação de um outro grupo; é a arena em que a "comunicação se dá em uma luta amorosa – não por poder, mas por abertura –, na qual todas as armas são rendidas, mas todos os modos do abrangente aparecem". Jaspers usava "o abrangente" para descrever o horizonte indefinido além de nossa própria perspectiva, "*sendo* ele mesmo, que sempre parece se afastar de nós, na própria manifestação de todas as aparências que encontramos". "Não é o horizonte do nosso conhecimento em qualquer momento particular. Em vez disso, é a fonte da qual todos os novos horizontes emergem, sem que ela mesma jamais seja vista como um horizonte". Durante o processo de desnazificação do pós-guerra, Heidegger implorou a Jaspers que interviesse por ele; Jaspers se recusou a fazer isso.

Jaspers dedicou grande parte de seu trabalho após 1945 a reflexões políticas sobre temas como culpa alemã, armas nucleares e o futuro da democracia liberal. Estes trabalhos são, por necessidade, sóbrios e "pouco excitantes". Por serem seus últimos trabalhos e por terem sido amplamente traduzidos, eles dão uma impressão infelizmente incompleta da extensão do pensamento de Jaspers. À medida que ele é novamente estudado por leitores do século XXI, toda a extensão das suas conquistas deve se tornar mais clara. Filósofo negligenciado, Jaspers merece ser redescoberto.

> Sempre vivemos dentro de um horizonte do nosso conhecimento. Nós nos esforçamos para ultrapassar cada horizonte que ainda nos rodeia e obstrui nossa visão. Mas nunca atingimos um ponto de vista onde o horizonte limitante desapareça e de onde possamos enxergar o todo...
>
> Karl Jaspers, *A filosofia da existência* (1956)

30

Martin Heidegger

26 de setembro de 1889 – 26 de maio de 1976

Filósofo alemão que desenvolveu uma ontologia do ser que situava o homem em um contexto temporal, exigindo que o significado fosse encontrado no contexto do ser-para-a-morte.

Martin Heidegger é o filósofo europeu mais controverso pós-Hegel. A maioria dos filósofos continentais vê seu trabalho como um marco de inovação na história do pensamento; a maioria dos filósofos analíticos, por outro lado, rejeita-o como uma completa bobagem. Sua principal contribuição para o pensamento europeu é uma ontologia na qual ele situa o *Dasein*, ou o ser do homem, no fluxo do tempo, movendo-se em direção ao nada da morte. O homem define a si mesmo nesse contexto, em que confronta a oportunidade de um ser autêntico.

Em 1933, Heidegger caiu sob o feitiço de Adolf Hitler e se juntou ao partido nazista, embora depois de 1934 tenha sido marginalizado pelos nazistas como alguém pouco confiável. Após a derrota da Alemanha na Segunda Guerra Mundial, o tribunal aliado de desnazificação baniu Heidegger do ensino até 1950; ele nunca se desculpou por suas ações.

A influência do catolicismo

Heidegger nasceu em uma família católica romana de poucos recursos no sudoeste da Alemanha. Seu pai era um sacristão, e desde a infância Heidegger foi educado para seguir a carreira do sacerdócio. Em paralelo à sua vocação católica, Heidegger cultivava um interesse pela filosofia que, no princípio, servia à sua compreensão do catolicismo romano, mas que, depois, acabou se chocando com ela. Heidegger deixou a Igreja (embora sempre houvesse reconhecido sua importância e tenha tido um funeral católico).

Como seu mentor Edmund Husserl, Heidegger foi influenciado pelo trabalho de Franz Brentano (1838-1917), o filósofo alemão que se tornou padre jesuíta. O jovem Heidegger foi profundamente influenciado pelo ensaio de Brentano *Das múltiplas significações do ser em Aristóteles* (1862). Também leu (e releu diversas vezes) as *Investigações lógicas* (1900-1901) de Husserl. Husserl, por sua vez, recebeu grande influência do trabalho de São Tomás de Aquino (1225-74), especialmente do conceito tomista de intencionalidade, que ele transformou no conceito central da sua própria filosofia fenomenológica. Assim, Heidegger, desde cedo, desenvolveu as três influências que iriam se combinar para alimentar sua própria filosofia: uma crença de que somente os gregos – e Aristóteles em particular – haviam capturado o sentido de admiração e espanto que é o início de qualquer investigação filosófica; uma virada mental de inclinação tomista para entender como nós constituímos o mundo; e a fenomenologia de Husserl, que fornecia um ponto inicial e um método para suas próprias pesquisas ontológicas.

Heidegger foi noviço da ordem jesuíta, mas a abandonou, mencionando como causa uma "doença no coração" recorrente; seu biógrafo, Rüdiger Safranski, sugere que talvez o coração de Heidegger já não estivesse voltado à Igreja. Depois de estudar teologia por dois anos em Freiburg, Heidegger mudou para a filosofia, obtendo o doutorado em 1913. Sua tese foi sobre "A doutrina do juízo no psicologismo" (1914). Heidegger estava de olho na cátedra de filosofia católica em Freiburg e tentou conseguir o cargo por meio de relações políticas, qualificando-se com a dissertação "A doutrina das categorias e do significado em Duns Escoto"

(1916). Ele ficou amargamente decepcionado quando um candidato melhor qualificado conseguiu a vaga. Descontente, Heidegger continuou como professor em Freiburg. No entanto, sua sorte mudou em 1916, quando Edmund Husserl entrou na faculdade. O impacto da Primeira Guerra Mundial adiou o começo da relação pessoal de Heidegger com Husserl. Durante a guerra, Heidegger serviu como meteorologista – um trabalho importante para o planejamento de ataques de gás venenoso contra tropas americanas (seria um desastre para os alemães se o vento estivesse soprando na direção errada).

Assistente de Husserl

Após a guerra, Heidegger executou duas importantes mudanças em sua vida. A primeira foi sua rejeição formal do catolicismo romano. Ao fazer isso, ele quebrou o voto de educar seus filhos na fé católica, que era uma condição para o casamento com sua noiva protestante, Elfriede Petri. Elfriede havia sido aluna de Heidegger; era uma antissemita severa que expressava suas opiniões pública e ruidosamente.

A segunda mudança na vida de Heidegger aconteceu quando ele se tornou assistente de Edmund Husserl, sucedendo Edith Stein (1891-1942). Trabalhar para Husserl era penoso, mas fornecia a Heidegger um pequeno e muito necessário estipêndio (ele não recebia salário por seu cargo de professor em Freiburg). A situação financeira de Heidegger havia sempre sido precária. Ele havia usado doações da Igreja católica para pagar sua educação universitária, e agora o trabalho para Husserl contribuía para os cofres da família. A essa altura, Heidegger estava casado e tinha dois filhos (dos quais o primeiro havia nascido de um caso que sua esposa Elfriede tivera com o médico da família).

Husserl era um incansável escritor e revisor do seu trabalho. Ele escrevia em taquigrafia e frequentemente saltava de um tópico a outro, deixando ao assistente o trabalho de dar sentido a pilhas confusas de papel. Parte da função de Heidegger era pôr em ordem os pensamentos d'O Mestre (como lhe chamavam seus alunos). Como resultado, Heidegger desfrutava o privilégio de ter uma visão muito próxima do modo como sua grande mente funcionava. Observar em primeira mão como Husserl elaborava seu método fenomenológico seria fundamental para a formação de Heidegger como filósofo.

Heidegger sentiu-se atraído pela fenomenologia "científica" inicial de Husserl, que possuía como mantra um chamado para "as coisas mesmas". Foi esse método fenomenológico inicial de investigação das *coisas* que interessou Heidegger. Nas coisas mesmas, ele experimentou uma presença resplandecente que era surpreendente; percebeu a existência das coisas de um modo tão poderoso que podia ser aterrador. Não acreditava, como Kant, ou Husserl em sua maturidade, que os seres humanos atribuíam significado às coisas. As coisas já possuíam ser. O homem podia manipular o significado das coisas, mas elas já estavam lá, sendo elas mesmas, antes e depois do homem. Em seu desejo de evitar o neokantismo, Heidegger rejeitou amplamente a tradição idealista alemã e retornou a Aristóteles para constituir seu ponto de partida.

Ser e tempo

Com o tempo, a empolgação de auxiliar Husserl diminuiu, e Heidegger passou a desejar a promoção que ele considerava cabível a um filósofo do seu calibre. Havia vagas abertas em Marburg e Göttingen. Heidegger não havia publicado nenhum trabalho enquanto trabalhava para Husserl, então, na tentativa de conseguir o emprego em Marburg, ele escreveu rapidamente o ensaio *Interpretação fenomenológica de Aristóteles: Indicação da situação hermenêutica*, apresentado como uma série de palestras em Freiburg de 1921 a 1922 (mas não publicado até 1985). Heidegger foi nomeado professor e assumiu a tarefa de mudar a filosofia na Alemanha. Começou a desenvolver os temas que resultariam em sua obra-prima, *Ser e tempo* (1927), que definiu as visões de Heidegger sobre o ser em todas as suas manifestações: o ser dos objetos e a natureza da existência humana. O homem sempre procede do seu passado e existe em um presente que é eternamente transformado em passado à medida que se dirige ao futuro. O futuro contém a morte. Diante da morte iminente, o homem encontra ansiedade ou temor. Aqui, Heidegger mostra a influência recebida do filósofo dinamarquês Søren Kierkegaard, cujos livros *Temor e tremor* (1843), *O conceito de angústia* (1844) e *Doença até a morte* (1849) foram os primeiros trabalhos a explorar a situação do homem diante da morte a partir do que mais tarde seria denominado uma perspectiva existencialista. A outra importante influência recebida por Heidegger durante a composição de *Ser e tempo* foi Friedrich Nietzsche. Nietzsche havia proclamado a "morte de Deus"; Heidegger foi um dos primeiros a descrever a situação do homem nessa nova situação e como ele deveria proceder. *Dasein*, como Heidegger denomina a existência do homem, ocorre em um rio de tempo. À medida que *Dasein* corre para o futuro, em direção ao nada, ele alcança autenticidade por meio do reconhecimento dessa facticidade (*Faktizität*), ou do ser-lançado (*Geworfenheit*), como Heidegger o chamava, da qual procede.

Heidegger e Arendt

Em Marburg, Heidegger daria aulas para dois dos seus mais famosos alunos: Hans-Georg Gadamer e Hannah Arendt. Gadamer viria a desenvolver a hermenêutica filosófica dos últimos trabalhos de Heidegger em um ramo filosófico próprio. Arendt desenvolveria o método fenomenológico de Heidegger em diversos trabalhos importantes, incluindo *A condição humana* (1958) e *As origens do totalitarismo* (1951). O segundo destes livros tem importância tripla porque, como judia, Arendt fugiu da Alemanha para salvar a própria vida em 1933, ao mesmo tempo em que Heidegger se filiava ao partido nazista, após romper o caso secreto que mantinha com ela.

Desde o momento em que a conheceu, em 1924, Heidegger havia se encantado por Arendt, e ela havia retribuído. O caso amoroso dos dois durou vários anos, até mesmo depois de Arendt deixar Marburg para estudar com Karl Jaspers (1883-1969). Jaspers e Heidegger haviam sido amigos, mas o casamento de Jaspers com uma judia e o apoio de Heidegger aos nazistas tornaram a relação tensa. Após a guerra, Arendt perdoou Heidegger por sua ligação com o partido nazista. Ele havia implorado pelo perdão dela, assim como buscou "reabilitação" junto aos seus alunos, colegas e discípulos – Jaspers e Sartre, no entanto, recusaram.

Heidegger, Dilthey e o destino alemão

O máximo que pode ser dito para atenuar o nazismo de Heidegger é que ele não era um filósofo nazista nos moldes de Alfred Rosenberg (1893-1946), que defendia a tese de superioridade dos arianos e inferioridade dos judeus. O que Heidegger via em Hitler era uma renovação do espírito alemão, além da oportunidade pessoal de se tornar um filósofo que lideraria e definiria o pensamento alemão com a chegada de seu momento histórico (como se a filosofia alemã não houvesse sido dominante desde Kant!). Heidegger era um filósofo grande demais para se preocupar com as tendências gêmeas do socialismo e do fascismo, que dominavam a paisagem política dos anos 1930 na Europa. Sua preocupação estava voltada a um intervalo muito mais amplo da história, que, em sua visão, levava diretamente de Aristóteles até ele próprio. Além de Aristóteles, São Tomás de Aquino e Husserl, o filósofo que é central para o tratamento que Heidegger dá ao "seu" momento histórico é Wilhelm Dilthey.

Dilthey (1833-1911) foi o avô de uma hermenêutica moderna que se desenvolveria por meio de Heidegger e depois Gadamer, e ele forneceu a Heidegger o entendimento ousado de que o significado se origina no homem e em sua história. Embora evitasse o romantismo alemão pós-kantiano, Heidegger aderiu à sua versão kitsch conhecida como *Volkstum*, o que ficava evidente pelas batas camponesas especialmente desenhadas que ele vestia ou quando ele aparecia para dar aulas com um par de esquis sobre os ombros. Depois de se filiar ao partido nazista, ele comandou um "acampamento estudantil", em parte voltado para a juventude hitlerista, em parte um acampamento de verão tradicional, no qual o ar da montanha, discussões filosóficas e a pureza alemã eram experimentados ao redor de uma fogueira com o acompanhamento de um violão.

Após proclamar sua visão de que Hitler seria o salvador da Alemanha, Heidegger planejou e abriu caminho – com sucesso, dessa vez – para sua nomeação como reitor da Universidade de Freiburg. Ele impediu o progresso de colegas judeus e recusou-se a aceitar alunos de graduação judeus. Ele fazia a saudação nazista com um triplo *Sieg Heil*. Ele mostrou desprezo por seu mestre Husserl, que, assim como sua esposa, tinha ascendência judaica, embora acreditasse no cristianismo. Heidegger não foi ao enterro de Husserl em 1938 e, quando uma nova edição de *Ser e tempo* foi publicada em 1941, ele cedeu à exigência do censor nazista de que ele retirasse a dedicatória ao professor, que fora colocada na primeira edição.

Depois da Segunda Guerra Mundial, Heidegger foi brevemente impedido de dar aulas nas universidades alemãs. Seu antigo amigo Karl Jaspers não foi tão complacente em relação ao nazismo de Heidegger quanto Hannah Arendt havia sido. Em agosto de 1945, Jaspers afirmou ao conselho da Universidade de Freiburg, que analisava o caso de Heidegger: "O modo de pensar de Heidegger, que me parece fundamentalmente contra a liberdade, ditatorial e incomunicativo, teria efeito muito deletério em alunos no momento atual".

Julgando Heidegger

Por um lado, o caso de Heidegger não foi o único, uma vez que quase a metade dos filósofos da Alemanha se juntou ao partido nazista depois de 1933. Mas Heidegger continua a perturbar a filosofia no século XXI, porque foi provavelmente o maior pensador de seu tempo e porque seu exemplo é execrável. Entre os que apoiam a opinião de que ele foi um grande pensador, estão George Steiner (1929-) e Hannah Arendt. Steiner somente sobreviveu ao Holocausto porque seu pai se mudou com a família da França semanas antes da ocupação alemã, em 1940; Arendt fugiu da Alemanha em 1933 e depois, da França, pouco depois da ocupação. Para Steiner, Heidegger é um filósofo cuja grandeza está em sua forma única de fazer questionamentos sobre o ser e em seu foco no papel da linguagem no pensamento. Para Arendt, Heidegger é simplesmente um dos maiores filósofos de todos os tempos.

O filósofo britânico Gilbert Ryle (1900-76) está entre aqueles que rejeitam Heidegger por conta de seu comportamento. Embora ele tenha elogiado *Ser e tempo* em uma crítica escrita para a *Mind* em 1930, sabe-se que Ryle mais tarde observou que Heidegger não pode ter sido um bom filósofo, uma vez que foi um mau homem. Outros afirmaram que a filosofia de Heidegger é "ruim", especialmente Rudolf Carnap (1891-1970), o pai do positivismo lógico. Ele rejeitava o trabalho de Heidegger como uma completa bobagem. A. J. Ayer (1910-89) aderiu a esta visão em seu best-seller *Linguagem, verdade e lógica* (1936). Bertrand Russell (1872-1970) absteve-se até mesmo de mencionar Heidegger na popular *História da filosofia ocidental* (1945), assim como Anthony Kenny (1931-) em seu *História concisa da filosofia ocidental* (2006).

Talvez o dilema em torno de Heidegger esteja melhor refletido na visão de Emmanuel Levinas (1906-95), o filósofo judeu e estudioso do Talmude, francês nascido na Lituânia, que foi aluno de Husserl e Heidegger. Levinas via muito a ser apreciado em Heidegger, mas sentia que ele falhou em não tratar a questão da ética que se encontra por trás de investigações puras sobre o ser. Levinas afirmou certa vez que, embora fosse possível perdoar muitos alemães após a Segunda Guerra Mundial, era impossível perdoar Heidegger.

Temas duradouros

Heidegger foi sempre crítico em relação ao sujeito. Ele rejeitou a virada de Husserl em direção ao ego transcendental, preferindo ficar com "as coisas mesmas"; com isso, sua metafísica se desenvolveu em uma direção muito distinta da de Husserl. Heidegger, mais tarde, se distinguiu de Husserl por meio de seu interesse na linguagem. Os últimos anos de sua filosofia examinaram o papel da linguagem de um modo que ajudou a inaugurar a era do sujeito descentrado, que define o pensamento pós-estruturalista (linguagem falando através do homem, a morte do autor etc.). Michel Foucault, Jacques Derrida, Jacques Lacan, Julia Kristeva e qualquer outro que tenha trabalhado no meio pós-estruturalista entraram por uma porta aberta por Heidegger.

Heidegger criticava a tecnologia porque acreditava que ela deslocava o homem em relação ao tempo. Ele achava que a Europa estava espremida entre as pinças de um mal gêmeo: o "triste frenesi tecnológico" dos Estados Unidos e da União Soviética. Em *Uma introdução à metafísica* (1935), ele falou sobre como a tecnologia levava à "organização irrestrita do homem médio". A tecnologia fornece ferramentas de exploração, transformando a terra em lucro. A tecnologia conduz a uma aceleração dos homens e das informações, fazendo o tempo ser distorcido em mera "velocidade, instantaneidade e simultaneidade". Como resultado, "o tempo, como história, desapareceu das vidas de todas as pessoas". Alguns veem no trabalho de Heidegger as primeiras sementes do movimento verde. No entanto, a desconfiança que Heidegger nutria pela tecnologia era acompanhada por uma crença romântica em "sangue e solo", que se encaixava na ideologia nazista da Pátria. Em uma palestra dada em Bremen, em 1949, Heidegger conseguiu combinar seus pensamentos sobre tecnologia e a Terra com sua única menção registrada a respeito do Holocausto. Disse ele: "A agricultura é agora uma indústria alimentícia motorizada – em sua essência, está a mesma coisa que estava na produção de cadáveres nas câmaras de gás, a mesma coisa dos bloqueios e redução de países à fome, a mesma coisa da fabricação de bombas de hidrogênio".

> Afirmamos agora que *o ser é o verdadeiro e único tema da filosofia.* Isto não é uma invenção nossa; é apenas uma maneira de tratar o tema que surge com o início da filosofia, na antiguidade, e que assume sua forma mais grandiosa na lógica de Hegel. Atualmente, afirmamos apenas que o ser é o verdadeiro e único tema da filosofia.
>
> Martin Heidegger, *Os problemas básicos da fenomenologia* (1927)

> O que caracteriza o pensamento metafísico que estabelece a base para os seres é o fato de que o pensamento metafísico, começando no que é presente, representa-o em sua presença e, assim, exibe-o como algo estabelecido por sua base.
>
> Martin Heidegger, *O fim da filosofia e a tarefa do pensamento* (1969)

Para Heidegger, o significado de Ser é Tempo: passando e acontecendo. Para ele, não existe ideal de permanência do Ser; de fato, ele sustenta que a tarefa do pensamento é tornar o homem sensível à passagem do tempo.

Rüdiger Safranski, *Martin Heidegger: Entre o Bem e o Mal* (1998)

31

Gabriel Marcel

7 de dezembro de 1889 – 8 de outubro de 1973

Dramaturgo francês, filósofo e existencialista cristão.

Gabriel Marcel cunhou o termo "existencialismo" em meados da década de 1940, mas se distanciou dele depois que Jean-Paul Sartre o utilizou em sua determinante palestra *O existencialismo é um humanismo* (1946). Sartre dividia os existencialistas em dois campos: cristãos, como Gabriel Marcel e Karl Jaspers, e ateus, como ele próprio, Simone de Beauvoir e Albert Camus (1913-60). Depois de 1946, Marcel passou a rejeitar o termo "existencialismo" em seu trabalho. Ele preferia o termo "filosofia da existência" e frequentemente se referia a si mesmo como um neossocrático. Crítico feroz da influência do cartesianismo, ele afirmava que o homem sofre dos efeitos redutivos e desumanizadores da ciência e tecnologia, que, pressagiando Hannah Arendt, ele via como ameaças à subjetividade humana. Ele evitou o jargão filosófico em favor da linguagem comum e desenvolveu uma fenomenologia independente da de Edmund Husserl para descrever o que denominava "o mistério ontológico". Entre seus trabalhos mais conhecidos, estão *Ser e ter* (1935) e *O mistério do ser* (1951).

O mundo partido e a pessoa funcionalizada

De uma perspectiva do século XXI, Marcel é considerado principalmente um filósofo; a maior parte dos seus contemporâneos, entretanto, o conhecia sobretudo como dramaturgo, crítico de música e compositor. Marcel via o palco como o local mais eficaz para a propagação de suas ideias filosóficas. Ele escreveu quase trinta peças, a mais bem-sucedida foi *O mundo partido* (1932), na qual ele traçou uma visão crítica da modernidade. Mais tarde ele dirigiria sua atenção no trabalho filosófico de sua peça. Marcel achava que o mundo estava "partido" porque o homem havia se funcionalizado, em decorrência de uma predominante visão mecanicista do mundo que negava a transcendência do homem – sua capacidade de ir espiritualmente além da sua situação imediata.

Marcel utiliza a imagem do bilheteiro para ilustrar a pessoa funcionalizada, alguém cuja vida é reduzida a uma função repetitiva, como a de uma máquina. Seu anseio natural pela transcendência – o que Marcel chama de sua *exigência ontológica* – se perde na repetição diária de uma existência maquinal. Com o tempo, o poder do mundo mecanizado torna-se tão grande que destrói a sensação natural da pessoa funcionalizada de que algo está errado – de que, realmente, o mundo está partido. O sentimento de deslocamento, a preocupante sensação do rompimento do mundo, é, com o tempo, corroída pela repetição da funcionalidade, e a pessoa funcionalizada perde seu desejo de transcendência, criando a base para o desespero.

No período anterior à Primeira Guerra Mundial, Marcel organizava um encontro em Paris que incluía importantes filósofos franceses, como Jean Wahl, Paul Ricoeur, Emmanuel Levinas e Sartre, que se reuniam para discutir ideias filosóficas de interesse mútuo. Marcel permaneceu agnóstico até sua conversão ao catolicismo romano, aos 39 anos de idade, e, depois disso, rompeu com Sartre.

O estilo de fenomenologia de Marcel

O foco de Marcel estava em oferecer uma descrição fenomenológica da subjetividade do homem e da possibilidade de intersubjetividade – temas que eram centrais também para Martin Buber e Karl Jaspers. Marcel delineou sua versão do método fenomenológico em *O mistério do ser*, onde ele atribui os sujeitos investigados a uma de duas categorias: *problemas* ou *mistérios*. Marcel pergunta: que tipo de pensamento é específico para cada tipo de problema? A resposta é que problemas exigem uma abordagem técnica, individual. Mistérios, por outro lado, devem ser explorados de um modo que envolva todo o ser do sujeito. Marcel identifica essas duas abordagens radicalmente distintas como *reflexão primária* e *reflexão secundária*. A reflexão primária é analítica; a secundária é sintética. A reflexão primária desmembra o objeto investigado em suas partes constituintes; é uma abordagem técnica. A reflexão secundária não tenta reduzir um mistério às partes que o compõem; ela é o que Marcel denomina um ato "recuperativo", que se dispõe a restaurar e realizar a unidade da experiência.

Como existencialista e fenomenologista, Marcel estava mais preocupado com o método do que com o sistema. Ele poderia ser descrito como um filósofo temático, em oposição a um filósofo sistemático. Ele não fez uma tentativa de apresentar um relato completo do mundo, mas sim de introduzir ferramentas metodológicas com as quais se pudesse dar sentido ao mundo. Sua análise levou a temas-chave, que incluíam a distinção entre *ser* e *ter*, a ideia de *disponibilidade/indisponibilidade* em relação aos outros e as possibilidades de *intersubjetividade* por meio da *reciprocidade*.

Ser e ter

Em *Ser e ter*, Marcel traçou uma importante distinção ontológica: eu posso ter uma bicicleta, mas não *tenho* raiva, ou amor ou fé – eu *sou* raiva ou amor ou fé; eu estou *sendo* essas coisas. O uso mais desafiador da distinção entre ser e ter é na consideração dos nossos corpos – nós mesmos, como sujeitos humanos incorporados. Nós tanto *temos* nossos corpos como *somos* nossos corpos. Nem ter nem ser, sozinhos, dão conta apropriadamente do que é nossa experiência dos nossos corpos; ela é uma amálgama singular de ser e ter.

A distinção de Marcel entre disponibilidade e indisponibilidade é fundamental para o seu tema da intersubjetividade. Para criar um mundo compartilhado com outros, é preciso estar disponível a eles. A falha ou ausência de disponibilidade é um obstáculo a relações intersubjetivas. Orgulho – a suposição incorreta de que se é autossuficiente, por exemplo – é uma obstrução à intersubjetividade. Estar em um estado de indisponibilidade significa estar alienado dos outros, considerá-los objetos, e não sujeitos. Tratando este tema, Marcel se dirige a uma área similar à de Martin Buber, o que se evidencia inclusive pela sua definição de intersubjetividade, baseada em uma relação Eu-Tu, e não em uma relação Eu-Isso. Para que o sujeito disponível alcance intersubjetividade com um outro, é preciso atender à condição de *reciprocidade*.

O que distingue Marcel dos existencialistas sartreanos é seu otimismo final, seu foco na intersubjetividade. Durante sua vida, Marcel foi eclipsado por Sartre, tanto como filósofo quanto como dramaturgo, mas seu trabalho está carregado de ideias significativas que terão muitas oportunidades de desenvolvimento por futuros filósofos e teólogos.

> Há uma ordem em que o sujeito se encontra na presença de algo completamente fora de seu alcance. Eu acrescentaria que, se a palavra "transcendente" tem algum significado, ele está aqui – ela designa o absoluto, intransponível abismo que se abre entre o sujeito e o ser, na medida em que o ser escapa a toda tentativa de fixá-lo.
>
> Gabriel Marcel, *Tragic Wisdom and Beyond* [Sabedoria trágica e além] (1973)

> O leitor que estiver buscando um "sistema" de pensamento com linhas claras de demarcação e conexão pode ter certeza de que sairá decepcionado. E aqueles leitores que não se incomodam com a falta de um sistema podem achar o estilo de Marcel fácil como o de uma conversa; enganoso, pois a falta de um sistema não significa falta de ordem. Existem uma ordem e uma direção, assim como um rigor subjacente, que permeiam todo o trabalho de Marcel.
>
> Clyde Pax, *An Existential Approach to God: A Study of Gabriel Marcel* [Uma abordagem existencial de Deus: um estudo de Gabriel Marcel] (1972)

32

Ludwig Wittgenstein

26 de abril de 1889 – 29 de abril de 1951

Filósofo austríaco que estudou a linguagem e a lógica e estabeleceu o assunto em questão da filosofia analítica britânica e americana.

Comentadores de língua inglesa frequentemente se referem a Wittgenstein como o maior filósofo do século XX. Talvez seja mais correto dizer que ele foi o mais influente filósofo na tradição anglo-americana da filosofia analítica, assim como Edmund Husserl foi o mais influente na tradição continental.

Wittgenstein conseguiu isso tendo publicado apenas um livro em vida, o excepcionalmente denso e aforístico *Tractatus Logico-Philosophicus* (1921). Nele, Wittgenstein desenvolveu duas teorias: o *atomismo lógico* e a *teoria pictórica do significado* (ou linguagem). O atomismo lógico foi primeiramente sugerido por Bertrand Russell em seu artigo de 1918 "A filosofia do atomismo lógico", que sustenta que problemas filosóficos podem ser resolvidos ao serem desmembrados em átomos de significado. Inteiramente original para Wittgenstein, foi a teoria pictórica do significado, segundo a qual uma frase compartilha uma forma pictórica com um estado de coisas. Após a Segunda Guerra Mundial (1939-45), Wittgenstein abandonaria sua teoria pictórica por considerar sua estrutura subjacente rígida demais e desenvolveria a noção de *jogos de linguagem* para tratar a linguagem do modo como ela é realmente utilizada.

Apesar de ser classificado como um filósofo analítico na tradição britânica, os interesses de Wittgenstein tinham pontos em comum com os de vários filósofos continentais – incluindo Kant, Kierkegaard, Schopenhauer, Nietzsche e Heidegger –, e somente este fato já o separa de seus colegas britânicos. Onde quer que ele seja "colocado", no entanto, Wittgenstein permanece um pensador de raras intensidade e originalidade, cujos estilo de escrita aforístico e profundidade mística o marcam como um pensador singular.

Uma vida atormentada

Embora Wittgenstein nunca tenha publicado uma autobiografia, ele considerou fazê-lo diversas vezes, pois acreditava ser uma obrigação moral do homem deixar um relato de si mesmo. Apesar de ter nascido em uma das famílias mais abastadas da Europa, Wittgenstein escolheu tornar a própria vida difícil, abrindo mão de sua fortuna em nome das irmãs e perseguindo um estilo de vida contemplativo e ascético. Homossexual, ele se sentia torturado por suas necessidades físicas, que entravam em conflito com sua busca pela pureza. Era um homem religioso cujas lutas com a fé eram dignas de Kierkegaard. A família do pai de Wittgenstein era formada por judeus que haviam se convertido ao luteranismo; sua mãe era uma católica romana. Em seus diários do período de entreguerras, Wittgenstein mostra que passou por um intenso período de antissemitismo. Três dos seus quatro irmãos cometeram suicídio, e o próprio Wittgenstein estava frequentemente à beira do suicídio, desde a juventude até a naturalização como cidadão britânico, em 1939.

O atomismo lógico e o *Tractatus*

Wittgenstein havia pretendido originalmente se tornar um engenheiro aeronáutico, tendo estudado engenharia mecânica na Technische Hochschule de Berlim. Mas era obcecado por problemas filosóficos, particularmente os que tinham a ver com os fundamentos da matemática.

Em 1911, em um esforço para descobrir se seria ou não um candidato apropriado ao estudo filosófico, Wittgenstein visitou Gottlob Frege na Universidade de Jena. Frege não considerou Wittgenstein particularmente talentoso, mas o apresentou a Bertrand Russell, que reconheceu o gênio de Wittgenstein e tomou-lhe como aluno em Cambridge.

A Primeira Guerra Mundial separou Wittgenstein dos seus colegas de Cambridge. Ele se alistou no exército austro-húngaro e levou consigo, dentro da mochila, rascunhos iniciais do *Tractatus*. Durante os anos de guerra, ele lutou com a fé religiosa cristã, os pensamentos sobre o suicídio e as exigências de sua filosofia inteiramente original. O *Tractatus* – como todos os escritos de Wittgenstein – passou por um processo inusitadamente doloroso de rascunhos e revisões. O trabalho foi finalmente terminado e apresentado como sua tese de doutorado em Cambridge, sob a supervisão de G. E. Moore. Russell contribuiu com uma introdução, assegurando que o *Tractatus* e seu autor seriam amplamente conhecidos.

O *Tractatus Logico-Philosophicus* (1921) argumenta que análises filosóficas podem reduzir a linguagem a "átomos" de significado, que se relacionam a estados de coisas ou fatos. Assim, escreveu Russell em sua introdução, "o trabalho essencial da linguagem é afirmar ou negar fatos". Wittgenstein começou o *Tractatus*, de modo mais intrigante, a primeira de sete proposições:

1 O mundo é tudo que é o caso.

1.1 O mundo é a totalidade dos fatos, não das coisas.

1.11 O mundo é determinado pelos fatos, e por serem todos os fatos.

As outras seis proposições que formam a estrutura do *Tractatus* são:

2 O que é o caso (o fato) é a existência de estados de coisas.

3 Uma imagem lógica dos fatos é um pensamento.

4 Um pensamento é uma proposição com sentido.

5 Uma proposição é uma função de verdade de proposições elementares. (Uma proposição elementar é uma função de verdade de si mesma.)

6 A forma geral de uma proposição é a forma geral de uma função de verdade, que é: $[\bar{p}, \bar{\xi}, N, (\bar{\xi})]$.

7 Sobre aquilo de que não se pode falar, deve-se calar.

O *Tractatus* se dirige para além do atomismo lógico para fazer uma contribuição original (mais tarde rejeitada por Wittgenstein): a teoria pictórica do significado. Assim como Russell e outros analíticos, Wittgenstein sustentava inicialmente que a metafísica não fazia sentido. Isto porque "a maior parte das proposições e perguntas dos filósofos nasce da nossa capacidade de entender a lógica da nossa linguagem... E não é surpreendente o fato de que os problemas mais profundos, na verdade, *não* são problemas de modo algum" (*Tractatus*, 4.003). Quando a linguagem é entendida e usada apropriadamente, os problemas se dissolvem. Na teoria pictórica do significado, uma frase compartilha uma forma pictórica com um estado de coisas. Para ilustrar seu argumento, Wittgenstein compara a linguagem à notação musical, que ele descreve como a forma pictórica do estado de coisas que é a composição musical.

Mas Wittgenstein não acreditava completamente que a filosofia ou a lógica linguística realmente "dissolvessem" todos os problemas filosóficos, uma vez que ele lutava com questões existenciais e religiosas para as quais a filosofia analítica não tinha resposta alguma. Ele escreveu no *Tractatus* que "existem, de fato, coisas que não podem ser transformadas em palavras. Elas *se manifestam a si mesmas*. Isto é o místico" (6.522). Soando mais nietzscheano do que um filósofo analítico, Wittgenstein termina o *Tractatus* com estas palavras: "Sobre aquilo de que não se pode falar, deve-se calar."

Após seu serviço na Primeira Guerra Mundial, Wittgenstein estudou para se tornar professor e pediu deliberadamente para ser enviado a um cargo em um distrito rural. Ele ficou amigo de garotos de famílias mais pobres que acreditava serem promissores, mas mostrou-se excessivamente liberal no uso da punição corporal quando os alunos não respondiam corretamente às questões. Ele rotineiramente batia nos alunos ou puxava seus cabelos com tanta força que chegava a arrancar tufos. Finalmente, ele teve que abandonar o ensino após bater em um garoto com tanta força que o deixou inconsciente.

Relações com Russell, Moore e a academia britânica

Enquanto Russell considerava Wittgenstein um gênio, este achava que Russell era obtuso e imoral: obtuso porque Russell pedia repetidas e enfadonhas explicações sobre o que ele havia querido dizer em partes do *Tractatus*, e imoral porque Wittgenstein reprovava com veemência a licenciosidade de Russell. Como resultado, Wittgenstein se exaltava com Russell, dizendo a ele que já havia explicado determinada parte do *Tractatus* e que não perderia tempo escrevendo sobre isso novamente para ele. Quanto a G. E. Moore, Wittgenstein o considerava um bom exemplo de "até onde um homem sem inteligência alguma podia ir". No entanto, foi Moore quem conseguiu que Wittgenstein recebesse o doutorado pelo *Tractatus* em 1929, ainda que Wittgenstein não houvesse preenchido todos os requisitos necessários para tanto. A ligação de Wittgenstein com Cambridge, além disso, salvou sua vida. Como filho de um judeu, ele estava destinado às câmaras de gás na Segunda Guerra Mundial, mas, porque ele havia ensinado no Trinity College, em Cambridge, o economista John Maynard Keynes (1883-1946) conseguiu usar sua influência para acelerar a naturalização britânica de Wittgenstein.

Como professor universitário em Cambridge, Wittgenstein não se entregava às sutilezas da concepção acadêmica, uma vez que seu temperamento puramente filosófico não o pemitia. Ele falava sem anotações, extemporaneamente, muitas vezes caindo em longos silêncios em frente a uma classe. Ele favorecia alunos de origens menos privilegiadas e os aconselhava a não escolher a filosofia como profissão, mas a fazer algo útil no mundo real (carpintaria ou medicina, no caso de dois alunos que seguiram seu conselho). Como professor e pensador, Wittgenstein evitava a teoria, embora fosse fascinado pelo trabalho de Sigmund Freud. Ele não considerava as explicações elaboradas por Freud sobre o funcionamento da mente humana científicas no sentido em que se considera a teoria da evolução de Darwin científica, mas considerava a psicanálise convincente, tendo muitas vezes buscado entender os sonhos que registrava em seu diário. Wittgenstein estava cada vez mais interessado naquelas coisas "de que não se pode falar", as coisas sobre as quais "deve-se calar".

Jogos de linguagem

Durante os anos do entreguerra, Wittgenstein passou a rejeitar o atomismo lógico do *Tractatus*, e, no seu pensamento e em suas aulas em Cambridge, recusou a ideia de que o significado de uma palavra é aquilo a que ela se refere. Abandonou a noção de linguagem e significado como uma questão fechada em si, assim como a noção de que o papel de uma proposição é descrever um estado de coisas. Ele já não acreditava que frases com significado dependiam de uma estrutura lógica escondida correspondente a uma estrutura lógica similar subjacente aos fatos sendo retratados por aquelas frases. Passou a pensar que a linguagem somente podia ser compreendida ao se prestar atenção ao modo como as palavras eram realmente utilizadas na vida cotidiana. Com este fim, ele desenvolveu o conceito de jogos de linguagem, que adveio como resultado da sua experiência como professor escolar e de sua reflexão sobre como as crianças adquirem e usam a linguagem.

Uma apreciação completa da teoria dos jogos de linguagem de Wittgenstein apareceu somente depois de sua morte. Em *Investigações filosóficas* (1953), ele tentou esclarecer problemas da filosofia que acreditava serem causados pela linguagem. Esse é um dos textos-chave do que viria a ficar conhecido como escola filosófica da *linguagem comum*, em Oxford, cujos proponentes incluíam Gilbert Ryle e J. L. Austin (1911-60). A teoria dos jogos de linguagem de Wittgenstein tenta mostrar como o significado se origina no uso cotidiano da linguagem. A linguagem não tem significados rígidos, o que pode ser demonstrado por qualquer palavra. A palavra "seguro", por exemplo, pode ser usada como diferentes partes do discurso, i.e., como verbo, adjetivo e substantivo. Como verbo, posso dizer que eu seguro um objeto na minha mão ou que eu seguro a porta para alguém passar. Como adjetivo, "seguro" pode se referir à característica de alguém que não hesita (ele está muito seguro quanto ao que fará amanhã). E, como substantivo, pode se referir ao contrato pelo qual uma das partes se obriga a pagar uma indenização à outra parte na ocorrência de determinado evento (só vou tirar o carro da garagem depois que renovar o seguro). Wittgenstein desenvolveu a visão de que, embora a linguagem tenha regras, elas não podem ser definitivamente fixadas. Linguagem é uma atividade social, não uma coleção de definições fixas empregadas de acordo com um conjunto estrito de regras. O significado da linguagem reside no uso que lhe é dado.

Em *Investigações filosóficas*, Wittgenstein introduz o problema hipotético de *linguagens privadas*. "As palavras dessa linguagem se referem a algo que pode ser conhecido apenas pelo falante", escreveu ele em *Investigações filosóficas*, "por suas sensações imediatas, privadas. De modo que um outro não pode entender a linguagem". Uma linguagem privada seria compreendida somente pelo indivíduo que a inventou. Um dos principais usos filosóficos da ideia de linguagem privada é desafiar a ideia de significados fixos. Wittgenstein afirma que filósofos cometem erros quando consideram problemas envolvendo números ou sensações que nos forçam regras fixas para o modo como os nomeamos. Wittgenstein defende que a noção de uma linguagem privada é um pressuposto não reconhecido de grande parte da epistemologia, metafísica e teoria representacional da mente do século XX.

O problema da crença *versus* conhecimento

À medida que Wittgenstein se aproximava do fim de sua vida, ele passava mais tempo contemplando a crença religiosa. Embora não pudesse ser um cristão do ponto de vista doutrinário, durante seu serviço na Primeira Guerra Mundial, rezava frequentemente para Jesus. Ele acreditava no conceito de salvação e, de fato, pode-se argumentar que foi esta a razão que o impediu de cometer suicídio. Apesar de ter publicado somente um livro em vida, Wittgenstein era prolífico. Ele preenchia cadernos com observações sobre matemática, ética, teoria da cor etc. Mas as últimas palavras que ele escreveu, nos momentos em que já se via diante da morte, foram uma refutação da dúvida e do ceticismo. Elas foram publicadas em 1969 com o título *Sobre a certeza*. Ele teve um enterro católico romano.

> Agora pense sobre o seguinte uso da linguagem: eu envio alguém para fazer compras. Dou-lhe uma tira de papel em que está escrito "cinco maçãs vermelhas". Ele leva o papel ao vendedor, que abre o caixote onde está escrito "maçãs"; então, ele procura em uma tabela a palavra "vermelhas" e encontra ao lado dela um modelo da cor; depois, ele enuncia a série dos numerais – suponho que a saiba de cor – até a palavra "cinco" e, a cada numeral, tira do caixote uma maçã da cor igual à do modelo. – É desta maneira, e de outras similares, que se opera com as palavras. – "Mas como ele sabe onde e como deve procurar a palavra "vermelhas" e o que deve fazer com a palavra "cinco"? – Bem, eu suponho que ele "age" como eu descrevi. Explicações encontram um fim em determinado momento. – Mas qual é o significado da palavra "cinco"? – Tal coisa não estava em questão aqui, apenas o modo como a palavra "cinco" é usada.
>
> Ludwig Wittgenstein, *Investigações filosóficas* (1953)

> Eu acredito que todo ser humano tem um pai e uma mãe humanos; mas os católicos acreditam que Jesus teve somente uma mãe humana. E poderia haver outras pessoas que acreditassem que há seres humanos sem pai nem mãe, e não dar crédito nenhum a todas as evidências contrárias. Católicos acreditam ainda que, em certas circunstâncias, uma hóstia muda completamente de natureza, mesmo que todas as evidências provem o contrário. Portanto, se Moore dissesse: "Eu sei que isto é vinho, e não sangue", ele seria contradito pelos católicos.
>
> Ludwig Wittgenstein, *Sobre a certeza* (1969)

> Wittgenstein ocupa um lugar único na filosofia do século XX e, por esta razão, é difícil submetê-lo às categorias filosóficas usuais... A dificuldade é ampliada por ele ter chegado à filosofia sob condições complexas que tornam plausível a determinados intérpretes ligá-lo a Frege, Russell e Moore, com o Círculo de Viena, a Filosofia da Linguagem de Oxford e a tradição analítica da filosofia como um todo, enquanto

outros o trazem para junto de Schopenhauer ou Kierkegaard, de Derrida, do budismo zen ou da arte de vanguarda.

Hans Sluga, *Ludwig Wittgenstein: Life and Work, An Introduction* [Ludwig Wittgenstein: vida e obra, uma introdução] (1996)

33

Herbert Marcuse

19 de julho de 1898 – 29 de julho de 1979

Filósofo germano-americano e pai da Nova Esquerda que cunhou o termo "tolerância repressiva"; sua filosofia visava à libertação por meio de uma leitura revolucionária de Freud e Marx.

Herbert Marcuse representa o auge de um marxismo humanista que tinha por fim transformar a sociedade ao eliminar as restrições à liberdade (que Marcuse localizava na sexualidade) e, assim, acabar com a alienação. Em *Eros e civilização* (1955), ele usou categorias estabelecidas por Sigmund Freud (1856-1939) para examinar o modo como os mecanismos de repressão do indivíduo também se aplicavam ao Estado; e, para Marcuse, a revolução marxista incluiria a libertação da sexualidade. Essa ideia era atraente para o movimento de contracultura dos anos 1960, quando uma época propícia para uma política radical e uma revolução sexual criou o clima para o florescimento do trabalho de Marcuse. Por um bom tempo, ele foi o pensador de esquerda mais lido nos Estados Unidos.

O caminho intelectual de Marcuse – como o da também imigrante judia Hannah Arendt – começa com Martin Heidegger. Depois de servir no exército alemão na Primeira Guerra Mundial, Marcuse doutorou-se em literatura alemã. Por seis anos, foi vendedor de livros em Berlim, antes de retornar a Freiburg, em 1928, para estudar com Heidegger, que acabara de publicar *Ser e tempo*. Diferentemente de Heidegger, que se juntaria ao partido nazista, Marcuse chegou aos seus estudos filosóficos como um estudante empenhado de Karl Marx (1818-83), embora também fosse crítico. Marcuse estava buscando uma maneira de combinar ideais revolucionários marxistas com a preocupação com o indivíduo. Assim, ele antecipou-se em quase uma geração a tentativas similares dos existencialistas franceses Jean-Paul Sartre e Maurice Merleau-Ponty (1907-61).

Marcuse e a Escola de Frankfurt

Após apresentar uma tese sobre a *Ontologia de Hegel e a teoria da historicidade* (1932), Marcuse se mudou para Frankfurt para se juntar ao Instituto de Pesquisa Social – mais conhecido como a Escola de Frankfurt, que é também um termo genérico para abranger a teoria crítica marxista que se tornou famosa pelo trabalho de Max Horkheimer (1895-1973), Theodor Adorno (1903-69) e Erich Fromm (1900-80). No instituto, Marcuse escreveu contra a crescente onda do fascismo, localizando sua fonte no liberalismo do livre mercado – que considerava repressivo, e não "livre".

"A virada do Estado liberalista para o totalmente autoritário se dá com a estrutura de uma única ordem social", afirmou Marcuse em sua tese. "Em relação à unidade dessa base econômica, podemos dizer que é o liberalismo que 'produz', a partir de si mesmo, o Estado autoritário total, como sua própria consumação em um estágio mais avançado de desenvolvimento."

Em 1934, Marcuse saiu da Alemanha, foi para Nova York, e um ano depois, toda a Escola de Frankfurt se transferiu para a Universidade de Columbia. Ela só voltaria para a Alemanha em 1953. Em 1940, Marcuse se tornou cidadão americano e decidiu permanecer no país que havia adotado.

Um intelectual marxista nos Estados Unidos do pós-guerra

Durante a Segunda Guerra Mundial, Marcuse era conselheiro da Agência de Serviços Estratégicos americana (que foi sucedida pela CIA) sobre fascismo e comunismo: do fascismo, ele havia sido testemunha direta; e do comunismo, era um dos principais teóricos existentes. No pós-guerra, seu trabalho para o programa de desnazificação do Departamento de Estado americano levou Marcuse a ter contato novamente com seu antigo professor, Heidegger, a quem fez uma visita em 1947 em uma tentativa infrutífera de persuadi-lo a renegar seu passado nazista. Em sua penúltima carta a Heidegger, Marcuse escreveu: "Eu – e muitos outros – o admiramos como filósofo; de você, aprendemos infinitamente. Mas não podemos fazer a separação entre o Heidegger filósofo e o Heidegger homem, pois isso entra em contradição com sua própria filosofia" (28 de agosto de 1947). Tão dolorosa quanto essa experiência foi a percepção crescente de Marcuse de que a União Soviética de Joseph Stálin não era uma utopia marxista, e, em 1958, ele publicou *Marxismo soviético: uma análise crítica.*

Esse ano marcou ainda o início de sua atividade como professor na Universidade Brandeis, em Massachusetts, onde permaneceu até 1965, quando a universidade decidiu não renovar seu contrato (a Universidade da Califórnia, em La Jolla, o recebeu, entretanto, e ele ficou lá até sua aposentadoria). Os anos de Marcuse em Brandeis foram dos mais produtivos e, para as autoridades, dos mais perturbadores, uma vez que a tolerância americana com o pensamento de esquerda começava a se reduzir. Em 1964, ele publicou *O homem unidimensional: estudos sobre a ideologia da sociedade industrial avançada*. A obra é uma descrição acidamente concisa das consequências da industrialização e do liberalismo econômico. "A liberdade de empreendimentos, desde o início, não foi, de modo geral, uma bênção", afirma Marcuse. "Com a liberdade para trabalhar ou passar fome, ela lançou exaustão, insegurança e medo à vasta maioria da população." Ele defende que, uma vez que as liberdades e os direitos humanos se tornaram institucionalizados, "essas liberdades e esses direitos passaram a partilhar do destino da sociedade de que se tornaram parte. A realização cancela as premissas."

Em *Tolerância repressiva* (1965), Marcuse identificou o mecanismo que governa a servidão como "a ideologia da tolerância, que, na realidade, favorece e fortalece a manutenção do *status quo* de desigualdade e discriminação". A análise marxista de Marcuse lhe permite apontar aspectos do que Michel Foucault (1926-84) identificaria mais tarde como os discursos do poder que regem nossa vida diária. Para Marcuse, a análise demanda ação por parte do intelectual, cujo papel no período industrial avançado é "recuperar e preservar possibilidades históricas que parecem ter se tornado possibilidades utópicas – é sua função romper a concretude da opressão de modo a abrir o espaço mental no qual essa sociedade pode ser reorganizada como o que é e o que faz". Marcuse foi adotado por grande número de grupos da Nova Esquerda, incluindo os violentos, como o Grupo Baader-Meinhof. Em *O problema da violência* (1967), Marcuse descreveu a postura da gangue: "Talvez em lugar de invocar o 'direito de resistência', devamos dizer que estamos sacrificando leis de nível mais baixo para defender a lei constitucional. Além disso, as razões teóricas contra o princípio de não violência contradizem as razões humanitárias para tanto."

Por volta de 1978, Marcuse já não acreditava que a revolução utópica com a qual sonhava fosse possível nos Estados Unidos. Ele transferiu seu foco para a arte e o papel que ela exerce no desenvolvimento de uma consciência revolucionária. Em *A dimensão estética: para uma crítica da estética marxista* (1978), Marcuse insistiu na relevância da arte e da crítica de arte não apenas para o pensamento marxista, mas em sua função social mais ampla. Marcuse estava impaciente com a atitude esquerdista que considerava a arte frívola e um desvio de ação política. Embora reconhecesse que "em uma situação na qual a realidade miserável somente pode ser alterada por uma práxis política radical, a preocupação com a estética demanda justificação", Marcuse mostra que obras de arte são produtos que nascem de circunstâncias sociais, econômicas e políticas específicas e, portanto, têm muito a nos dizer sobre suas origens, que constituem o sujeito último da análise marxista. "Parece", diz Marcuse, "que arte como arte expressa uma verdade, uma experiência, uma necessidade que, embora não estejam no domínio da práxis radical, são componentes essenciais da revolução".

O período Nixon e o colapso da esquerda americana

Marcuse pertenceu a uma era na qual a política de direita e esquerda nos Estados Unidos colidiram em uma poderosa batalha de ideologias contrárias – presente não apenas na carnificina da Primeira Guerra Mundial, mas também como resposta filosófica à Guerra Fria. Ele representa uma medida vital da *realpolitik* dos Estados Unidos no período entre sua entrada na Segunda Guerra Mundial, em 1941, e a eleição de Richard Nixon como presidente em 1968. Em 1941, o clima em Washington era tal que um revolucionário marxista imigrante como Marcuse podia ser empregado pela principal organização de segurança nacional, a Agência de Serviços Estratégicos, e, depois da guerra, pelo Departamento de Estado americano, como chefe da divisão que tratava da Europa Central, um cargo do qual Marcuse se aposentou em 1951. Por outro lado, os anos que se seguiram à eleição de Nixon marcaram uma virada da política americana para a direita, reforçada, mais do que amenizada, pelo fim da União Soviética em 1991. Nos anos 1990, a influência do marxismo na vida americana tinha praticamente desaparecido; mais significativamente, ela tinha quase se extinguido nas universidades americanas. No período após o 11 de Setembro, o que começou como uma virada conservadora se transformaria em uma onda direitista contra qualquer pensamento que questionasse a legitimidade do capitalismo e seus valores, ou que até mesmo tentasse compreender seu funcionamento usando as ferramentas críticas da análise marxista.

A influência de Marcuse não tem encontrado terreno para florescer nos primeiros anos do século XXI. Ele tem sido eclipsado por sucessores da Escola de Frankfurt como Jürgen Habermas (1929-) e por contemporâneos como Adorno, que permaneceram na moda entre os pós-estruturalistas franceses, cujo discurso dominante está em desacordo com o de Marcuse. O projeto pós-estruturalista e desconstrucionista está preocupado com a linguagem e o problema do significado e do Eu. Marcuse, por outro lado, perseguiu o que os pós-estruturalistas chamariam de uma "grande narrativa", uma explicação teórica que daria conta da história ao "totalizá-la". Em linguagem comum, ele utilizou a análise marxista para examinar o mundo no qual vivia, de modo a propor um mundo melhor, cheio de significado. À medida que o capitalismo oscila de uma crise a outra neste início do século XXI, com consequente agitação política e social, é provável que filósofos políticos revisitem Marcuse, cuja crítica da organização social capitalista pode desfrutar de renovada relevância.

Liberdade econômica significaria estar *livre da* economia – de ser controlado por forças e relações econômicas; liberdade da luta diária por existência, de ganhar a vida. Liberdade política significaria libertação dos indivíduos *da* política, sobre a qual não têm controle efetivo. De modo semelhante, liberdade intelectual significaria a restauração do pensamento individual, agora absorvido pela comunicação de massa e doutrinação, e a extinção da "opinião pública", junto com seus criadores. O tom irrealista destas proposições é indicativo não de seu caráter utópico, mas da intensidade das forças que impedem sua realização.

Herbert Marcuse, *O homem unidimensional* (1964)

A organização fascista da sociedade exige uma mudança em toda a configuração da cultura. A cultura com a qual estava ligado o idealismo alemão, e que sobreviveu até a era fascista, acentuava liberdades e direitos privados, de modo que o indivíduo, ao menos como pessoa privada, podia se sentir seguro no Estado e na sociedade.

Herbert Marcuse, *Razão e revolução* (1941)

Porque ele estivera tão concreta e imediatamente envolvido na oposição ao fascismo alemão, esteve também apto e interessado em identificar tendências fascistas nos Estados Unidos.

Douglas Kellner, *Radical Politics, Marcuse, and the New Left* [Política radical, Marcuse e a Nova Esquerda] (2001)

34

Gilbert Ryle

19 de agosto de 1900 – 6 de outubro de 1976

Filósofo britânico que cunhou o termo "fantasma na máquina" para descrever o dualismo cartesiano, que ele refutava.

Gilbert Ryle foi o mais proeminente dos chamados filósofos da linguagem comum, que se encontravam em Oxford entre a Primeira e a Segunda Guerra e incluíam J. L. Austin (1911-60) e Peter Strawson (1919-2006). Ryle escreveu em seu ensaio de 1970, *Autobiográfico,* que, para ele, a filosofia consistia em se perguntar: "Em que consiste um problema filosófico; e qual o caminho para resolvê-lo?" A crua apresentação de Ryle do seu projeto esconde mais do que revela. Alguns de seus rivais em Cambridge o rejeitavam como um pensador simplório e derivativo – mas a verdade é que Ryle era tudo menos isso. Ele é o autor de um dos textos duradouros da filosofia britânica moderna, *O conceito de mente* (1949), que identifica o dualismo cartesiano como um problema que atormenta a filosofia desde o Iluminismo. Referindo-se à divisão cartesiana entre mente e espírito como o problema de "um fantasma na máquina", Ryle desenvolve uma teoria da linguagem baseada no que ele denomina "erros categoriais". *O conceito de mente* é normalmente visto como "comportamental", na medida em que descreve disposições de comportamento que uma pessoa poderia ter. O próprio Ryle o chamava de "um ensaio sustentado na fenomenologia, se você está à vontade com esse rótulo" ("Fenomenologia *versus* 'O conceito da mente'", *Collected*

Papers [Escritos reunidos], Vol. 1, 1974); uma afirmação provocativa, uma vez que os filósofos britânicos geralmente não se sentiam nem um pouco confortáveis com esse rótulo.

Ryle e os fenomenologistas

Mais que qualquer outro filósofo analítico, Ryle fez um estudo detalhado sobre o pai da fenomenologia, Edmund Husserl, e seus predecessores, Alexius Meinong (1853-1920) e Franz Brentano (1838-1917). Ryle visitou Husserl na Alemanha em 1929, e sua primeira publicação foi uma crítica de *Essentiale Fragen*, do aluno de Husserl, Roman Ingarden (1893-1970). De volta a Oxford, ele ofereceu aulas sobre Husserl, Brentano e Meinong, às quais ninguém apareceu. Autodidata em alemão, Ryle esteve entre os primeiros em qualquer língua a tratar de *Ser e tempo*, de Heidegger (ele fez uma crítica sobre o livro para a *Mind*, Vol. XXXVIII, 1928). No entanto, embora ele reconhecesse o valor da fenomenologia, Ryle depois a rejeitou como uma empreitada fatalmente falha e repleta de jargões. Ele não acreditava que a fenomenologia de Husserl fosse uma investigação verdadeiramente livre de pressuposições, e achava que ela punha a doutrina antes da descrição. Em sua crítica surpreendentemente positiva de *Ser e tempo*, ele observou: "É minha opinião pessoal que, como Filosofia Primeira, a Fenomenologia está atualmente se dirigindo à falência e ao desastre, e terminará em um Subjetivismo autoarruinado ou em um Misticismo vazio".

Ryle e o problema mente-corpo

O dualismo cartesiano – que Ryle diz ser a "doutrina oficial" do pensamento ocidental – é, afirma ele, baseado em "um grande erro, e um erro de um tipo especial": um erro categorial. Um erro categorial "representa os fatos da vida mental como se eles pertencessem a um tipo ou categoria lógica... quando, na verdade, eles pertencem a outro". Seu exemplo famoso é o de um visitante estrangeiro ao qual se mostram as universidades de Oxford ou Cambridge. O visitante poderia ver o que parece ser uma coleção díspar de edifícios universitários individuais, bibliotecas, campos de futebol, escritórios administrativos – mas não um campus facilmente identificável. O visitante poderia perguntar: "Onde está a universidade?" Seu erro estaria, assim, em não entender que a universidade *é* as coisas que ele acabou de ver. Erros categoriais, diz Ryle, conduzem ao absurdo. "Quando dois termos pertencem à mesma categoria, é apropriado construir proposições conjuntivas abrangendo-os. Assim, um comprador pode dizer que comprou uma luva para a mão esquerda e outra para a mão direita, mas não que comprou uma luva para a mão esquerda, outra para a mão direita e também um par de luvas." Portanto, unir termos de diferentes tipos leva ao absurdo. Ryle dá como exemplo o solecismo humorístico de Charles Dickens em *As aventuras do Sr. Pickwick* (1836-7): "A Sra. Bolo foi para casa em um dilúvio de lágrimas e em uma liteira". A questão, argumenta Ryle, é que "teria sido igualmente ridículo construir a disjunção 'Ela veio para casa em um dilúvio de lágrimas *ou* em uma liteira'".

Na visão de Ryle, o dualismo cartesiano mente-corpo incorre precisamente nesse erro categorial, porque, ao inserir um "fantasma na máquina", cria uma conjunção absurda. Ryle usa este exemplo de absurdo para rejeitar a afirmação do dualismo cartesiano de que há tanto mentes quanto corpos, processos físicos e mentais. A observação sobre a liteira de Dickens é um exemplo da figura de linguagem que linguistas e gramáticos chamam de zeugma (de uma palavra grega que significa "vínculo", "ligação"), na qual um único adjetivo ou verbo é empregado para modificar dois ou mais substantivos, mesmo quando isso é inapropriado ou ilógico. É este tipo de recurso às regras da gramática que dá à filosofia da linguagem comum de Ryle boa parte de sua força.

O conceito de mente

Ryle acreditava que o trabalho do filósofo era semelhante àquele do gramático ou do cartógrafo. Ao desenhar sua teoria da mente, ele notou que "muitas pessoas conseguem ser racionáveis ao falar com conceitos, mas não o conseguem ao falar sobre conceitos". Elas sabem como empregar os conceitos, mas "elas não conseguem formular as regras lógicas que governam seu uso". Ryle compara essas pessoas (outros filósofos?) "a gente que sabe andar bem em sua própria cidade, mas que não tem capacidade de desenhar ou se guiar por um mapa dessa mesma cidade, muito menos um mapa da região ou continente em que essa cidade se encontra". Indo além do dualismo cartesiano, Ryle aborda problemas de conhecimento, vontade, emoção, autoconhecimento e imaginação. Uma das distinções duradouras que ele faz em *O conceito de mente* é entre saber *como* e saber *que*; por exemplo, eu sei *como* jogar xadrez; por outro lado, eu sei *que* meu nome é Stephen.

O estilo da prosa de Ryle é um dos melhores argumentos a favor da filosofia da linguagem comum, e ele possuía o raro talento de tornar a prosa filosófica atraente, inteligente e concisa ("Somente uma pessoa que é pelo menos um mestre parcial da língua russa pode dar o sentido errado a uma expressão russa. Erros são exercícios de competências"). Ele era um filósofo britânico dominante num momento em que a influência de Russell e Moore havia diminuído e o brilho de seus companheiros de filosofia da linguagem comum – J. L. Austin, H. L. A. Hart, Peter Strawson e o maduro Ludwig Wittgenstein – estava em ascensão. Russell sentia-se profundamente irritado por Ryle, e é difícil imaginar duas personalidades mais diferentes entre si: Russell era agressivo e socialmente desagradável; Ryle era afável e gostava de críquete, jardinagem e de jogar bridge. Russell condenou a filosofia da linguagem comum em seu artigo *The Cult of "Common Usage* [O culto ao "uso comum"] (1953) como uma investigação trivial e desinteressante. "Discutir infinitamente o que pessoas tolas querem dizer quando dizem coisas tolas pode ser divertido, mas dificilmente pode ser importante." Mais tarde, em *Some Replies to Criticism* [Algumas respostas ao criticismo] (1959), Russell observou com mau humor que "não é, de modo algum, uma experiência agradável, ver-se considerado antiquado após se ter estado, por um tempo, na moda. É difícil aceitar simpaticamente essa experiência."

Ryle solidificou ainda mais sua influência na filosofia britânica ao suceder a G. E. Moore como editor do principal periódico de filosofia na Grã-Bretanha, a revista *Mind*, cargo em que ele se manteve de 1947 a 1972. Essa posição deu-lhe grande controle sobre quem ou o que era publicado (e qual livro era criticado por quem). À medida que a profissionalização da filosofia, que começou com T. H. Green, prosseguia em ritmo acelerado, Ryle exercia enorme influência sobre quem conseguia qual emprego e onde.

> Há uma doutrina sobre a natureza e o lugar das mentes que é tão dominante entre teóricos, e mesmo entre leigos, que merece ser descrita como a teoria oficial. A maior parte dos filósofos, psicólogos e professores religiosos concorda, com pequenas reservas, com seus principais artigos, e, embora admitam certas dificuldades teóricas, eles tendem a supor que estas podem ser superadas sem que modificações sérias sejam feitas na arquitetura da teoria. Defender-se-á aqui que os princípios centrais dessa doutrina são infundados e conflitam com o inteiro corpo do que sabemos sobre mentes quando não estamos especulando a respeito delas.
>
> Gilbert Ryle, *O conceito de mente* (1949)

35

Hans-Georg Gadamer

11 de fevereiro de 1900 – 13 de março de 2002

Criador alemão da hermenêutica moderna, que ele mostrou ter relevância para além da estética e da filosofia, chegando à política e ao direito.

Um dos filósofos mais prolíficos do século XX, Gadamer tomou a ideia alemã de hermenêutica (o estudo do significado de textos, normalmente bíblicos) e a transformou em uma ferramenta sofisticada para a interpretação de "textos", entendidos mais amplamente, capaz de incluir – na esteira do estruturalismo e pós-estruturalismo – qualquer coisa ou fenômeno que o pesquisador deseje investigar. Para além do texto, Gadamer via a postura hermenêutica como decisivamente filosófica; para ele, hermenêutica *é* filosofia. Seu principal trabalho é *Verdade e método* (1960), que continua atraindo estudantes atualmente, sobretudo porque enxerga a filosofia não apenas como uma disciplina acadêmica, mas como um estudo que aborda o todo da experiência.

Para apreciar a obra de Gadamer, precisamos conhecer Wilhelm Dilthey (1833-1911), filósofo que estabelece uma ligação vital entre Kant e a hermenêutica atual, assim como o trabalho de Friedrich Schleiermacher (1768-1834). Dilthey teve atuação importante na transformação da hermenêutica, ajudando a levá-la de suas raízes históricas na exegese bíblica a um método para leitura de textos no contexto social e histórico em que são criados. Ele é mais famoso pelo conceito do círculo hermenêutico, um processo interpretativo que dá conta da relação entre as partes e o todo de um texto, com um sempre se referindo ao outro em um movimento circular. A contribuição de Schleiermacher para a hermenêutica moderna foi considerar obras de arte e literatura como sujeitos legítimos do estudo filosófico. A exegese bíblica constituía somente um uso da hermenêutica. Schleiermacher enxergava a hermenêutica como uma ferramenta interpretativa que podia ser aplicada a todos os textos. Com isto, ele estabeleceu um precedente que abriu caminho não apenas para Dilthey, mas também para Heidegger e pós-estruturalistas como Foucault e Derrida.

O "Eu" autoral

Diferentemente dos pós-estruturalistas que surgiram um século depois, Dilthey "acreditava" no autor (os pós-estruturalistas diminuiriam a importância do papel do autor, enxergando os textos como o resultado de convenções sociais, históricas, linguísticas e políticas). Dilthey incluía no círculo hermenêutico a biografia do autor, as circunstâncias de sua vida – nascimento, educação, profissão, experiências de vida em geral – assim como o texto em si, considerado a partir de uma variedade de pontos de vista. Todas essas partes se combinavam para formar um todo que revelaria novas camadas de significado, à medida que o tempo passasse e as circunstâncias do texto – incluindo o leitor – fossem alteradas. Dilthey via a vida como um *continuum* e, o círculo hermenêutico, como uma vívida e pulsante força da história, reinterpretando a si mesmo na medida em que se move adiante no tempo.

A visão de Dilthey das mudanças e do fluxo históricos influenciou Heidegger e sua ontologia do *Dasein*, ou ser humano. O principal trabalho histórico de Dilthey é *A construção do mundo histórico nas ciências humanas* (1910), que traz para a história a análise estrutural, desenvolvida em sua psicologia, sobre como os seres humanos se organizam. Dilthey vai além da preocupação com o indivíduo e os grupos para abordar a compreensão histórica universal, levando em conta partes tão pequenas quanto a "biografia" individual e tão grandes quanto uma nação.

Essas partes, pequenas e grandes, servem informações umas às outras em um entendimento do todo sempre mais completo. O comportamento de indivíduos e dos grupos formados por eles era importante para Dilthey porque ele tinha por objetivo encontrar nele uma definição de objetividade para as ciências sociais. Em *O surgimento da hermenêutica*, Dilthey escreveu: "Ação pressupõe sempre a compreensão de outras pessoas; grande parte da nossa felicidade como seres humanos vem de sermos capazes de sentir os estados de mente dos outros; toda a ciência da filologia e da história é baseada na pressuposição de que tal nova compreensão do que é singular pode ser levada à objetividade". Dilthey levou a um uso mais comum o conceito de "visão de mundo" – ou seja, a tentativa da ciência ou da filosofia de propor uma visão unificada da vida. Ele considerava que as filosofias tinham especial relevância para suas épocas.

Gadamer e os anos de guerra

A carreira de Gadamer começou sob circunstâncias probatórias. Ele foi um dos alunos mais ilustres de Martin Heidegger, e, diferentemente dos também alunos Herbert Marcuse e Hannah Arendt, ele não era judeu e, portanto, não foi forçado a deixar a Alemanha nazista; mas não se filiou ao partido nazista, como seu mentor. No entanto, sua assinatura apareceu junto às de outros acadêmicos em um documento de 1933 em apoio a Hitler e à sua liderança. Mais tarde, Gadamer declarou que era um "inocente político" e que não sabia o que estava assinando. Dado, entretanto, que sua obra está baseada em análises detalhadas de linguagem e significado, essa desculpa parece muito pouco convincente. Para Gadamer, existir é usar a linguagem, é *estar* na linguagem. Ele foi nomeado professor em Leipzig em 1938 e, após a Segunda Guerra Mundial, assumiu a reitoria da universidade. Sob as ordens do governo comunista, Gadamer organizou a reconstrução da universidade. Em 1947, ele retornou para a Alemanha Ocidental, indo trabalhar na Universidade de Frankfurt. E em 1949, sucedeu a Karl Jaspers como professor em Heidelberg.

Finitude

Apesar de influenciado pelo método fenomenológico de Husserl de proceder sem preconceitos e de considerar a hermenêutica um empreendimento descritivo, e não prescritivo, Gadamer sabia que não podemos suspender totalmente nossos preconceitos, que trazemos sempre, por conta de nossa história, alguns pré-julgamentos. Aqui, o teórico hermenêutico francês, Paul Ricoeur, que compartilha com Gadamer a linhagem intelectual descendente de Husserl, que passa por Heidegger e Jaspers, marca o ponto inicial da pesquisa com "a humildade de reconhecer as condições históricas às quais todo o entendimento humano está compreendido na região da finitude" (*Hermenêutica e as ciências humanas*, 1981). Não é apenas o pesquisador que está "compreendido na região da finitude"; o texto também traz consigo uma história: feito por tal pessoa em tal lugar e em tal momento.

Hermenêutica, história e significado

Hermenêutica clássica, do modo como é praticada por Schleiermacher e (com modificações) Dilthey era executada com base na suposição de que pode haver uma interpretação de textos "correta" ou "objetiva". Os limites que Gadamer e Ricoeur traçam para a ontologia – o reconhecimento do preconceito e a compreensão de que não pode haver conhecimento final – são, na verdade, libertadores. Mostram que toda a compreensão humana ocorre em um contexto histórico e que o contexto temporal afeta a ontologia daquele que interpreta e também do texto. Este aspecto temporal do entendimento hermenêutico vem, obviamente, do Heidegger de *Ser e tempo* (1927) e, em menor grau, de Heráclito (535-475 a.C.):

> De todas as coisas, um, e de um, todas as coisas...Nada vejo senão Tornar-se. Não vos deixeis iludir! É culpa da vossa visão limitada, e não da essência das coisas, se acreditais ver terra firme no mar do Tornar-se e do Perecer. Precisais de nomes para as coisas como se elas tivessem

> duração rígida, mas o próprio rio em que vos banhais pela segunda vez já não é o mesmo em que entrastes antes. (*Fragmento 41*)

O entendimento de Gadamer da história e do significado é expresso no conceito da "fusão de horizontes", segundo o qual "novo e velho estão sempre se combinando em algo de valor vívido". A fusão de horizontes dá à hermenêutica de Gadamer sua qualidade de perpétuo frescor, uma vez que os significados são revisados a cada pesquisa. Sua visão da história se opõe ao historicismo, que pretende fixar o texto como fato imutável; Gadamer, em vez disso, usa a história para criar uma consciência "historicamente efetuada". "Nossa necessidade de nos tornarmos conscientes da história efetiva é urgente", escreve ele em *Verdade e método*, "porque isso é necessário para a consciência científica". A consciência historicamente efetuada é fundamental para a hermenêutica, uma vez que "ela é um elemento no ato de entender a si mesma"; na prática, ela é utilizada para ajudar a "*encontrar as perguntas certas a serem feitas*" (grifo de Gadamer).

O valor da intersubjetividade

Gadamer, como o psicanalista francês Jacques Lacan, caracteriza o sujeito como "descentrado". Nós nos encontramos "fora" de nós mesmos em um mundo de significado gerado pela linguagem; mas, uma vez que todos os sujeitos se encontram nessa posição, nossa experiência e nosso conhecimento são intersubjetivos. O autor dá vida a um texto por meio da linguagem, mas, uma vez publicado, o texto já não é definido por intenção autoral. Agora ele pertence ao tempo, à história – à interpretação. Isso não significa, no entanto, que o texto e seu significado estejam perdidos em uma bruma de relativismo. Ao mesmo tempo em que Gadamer afirma que não existe uma única leitura "correta", ele deixa claro que não existe um número ilimitado de leituras corretas.

Mesmo que se aceitasse, no estudo de uma disciplina "não prática", como a poesia, a espécie de relativismo estético que Gadamer rejeitava, tal postura nunca poderia ser aceita no direito ou na jurisprudência, onde a lei precisa ser reconhecida pelo que é e acolhida criteriosamente. Ou seja, para Gadamer, interpretações de textos tornam-se significativas quando são racionais e coerentes, e quando têm valor *intersubjetivo*. Não se pode imaginar o código legal da Alemanha estando sujeito a interpretações arbitrárias e subjetivas; assim como qualquer outro código legal ou conjunto de regras, ele depende da concordância de membros de uma comunidade. O método de Gadamer para encontrar verdades às quais todos poderíamos aderir é o diálogo. Seguindo Platão (428/7-348/7 a.C.), ele promove uma versão do diálogo socrático que estimula a livre troca e o desenvolvimento de visões de modo a se encontrar interpretações de textos adequadas por meio de um processo hermenêutico que resulta em autoconhecimento e autotransformação, e na descoberta das verdades intersubjetivas de um mundo compartilhado.

> A compreensão e a interpretação de textos não é meramente uma preocupação da ciência, mas pertence, obviamente, à experiência humana do mundo em geral.
>
> Hans-Georg Gadamer, *Verdade e método* (1960)

> [Gadamer] tem exemplificado, tanto em sua pessoa quanto em seus textos, as dimensões morais do projeto hermenêutico. Ele foi, durante a maior parte da nossa época, o *phronemos* [sabedoria prática] da hermenêutica, o praticante exemplar das virtudes da hermenêutica, tanto intelectuais quanto morais. Pode ser que no futuro outros sejam capazes de levar adiante a empreitada hermenêutica, mas, se assim for, isto acontecerá somente porque eles puderam primeiro aprender o que ensinou Gadamer.
>
> Alasdair MacIntyre, *On Not Having the Last Word: Thoughts On Our Debts to Gadamer* [Sobre não ter a última palavra: pensamentos sobre nossas dívidas com Gadamer] (2002)

> A hermenêutica é a teoria das operações do entendimento em sua relação com a interpretação de textos.
>
> Paul Ricoeur, *Hermenêutica e as ciências humanas* (1981)

36

Jacques Lacan

13 de abril de 1901 – 9 de setembro de 1981

Psicanalista e filósofo francês que defendia que o inconsciente é estruturado como a linguagem.

A obra de Jacques Lacan combina uma leitura profunda da história do cânone filosófico ocidental com um conhecimento teórico e prático de psicanálise, resultando em um modo extremamente original de definir o sujeito humano e de abordar problemas que nascem do fato da existência. A teorização de Lacan tem origem em grande número de fontes, incluindo medicina, matemática, biologia, mitologia e literatura, o que tem como consequência a utilização de seu pensamento por diversas disciplinas. Neste sentido, ele pode ser considerado um "fundador" dos estudos interdisciplinares.

A interpretação que Lacan faz da psicanálise freudiana se concentra no papel da linguagem na análise, e também na criação do sujeito e de seu mundo. Neste ponto, ele foi influenciado pelo trabalho de Ferdinand de Saussure. O efeito da teoria de Saussure da natureza arbitrária do signo no que é significado pela linguagem, combinada com uma visão crítica do sujeito delineada por Martin Heidegger, e depois desenvolvida na hermenêutica de Hans-Georg Gadamer e no desconstrutivismo de Jacques Derrida, foi a criação de um *sujeito descentrado*. Não mais o sujeito de ação confiante que figura na filosofia de Immanuel Kant – o sujeito agora é definido "fora" de si mesmo pela linguagem. O conceito do sujeito descentrado está no coração da contribuição mais famosa de Lacan para a psicanálise: o *estágio do espelho*. No estágio do espelho, a criança vê um reflexo do qual deriva um sentido de si mesma, mas como "outro", como um objeto. É a partir desta experiência que se desenrola o restante do pensamento de Lacan.

Um freudiano e um dissidente

Lacan era o garoto rebelde do cenário psicanalítico francês. Do seu ponto de vista, a psicanálise havia se tornado confortável demais, enraizada em um dogma aplicado repetidamente em um trabalho terapêutico de rotina. Ele defendia que a psicanálise (assim como qualquer conjunto de ideias) era dinâmica e constantemente mutável, e que as regras que a governavam precisavam considerar esse fato. Os psicanalistas tradicionais da França se indignaram quando Lacan introduziu sessões de duração variável – Freud havia fixado a duração de uma "hora" psicanalítica em cinquenta minutos. Em protesto, Lacan e seus seguidores deixaram a Société Parisienne de Psychanalyse e criaram a Société Française de Psychanalyse. Psicanalistas, como socialistas, são quase patologicamente cismáticos.

O seminário lacaniano: filosofia como teatro

Lacan rejeitou a tradição de publicações acadêmicas, preferindo que seu trabalho "aparecesse" na forma de seminários regulares organizados em diversos locais de Paris, incluindo a École Normale Supérieure e depois a Sorbonne. Os seminários aconteceram de 1953 a 1980, e seleções deles estão publicadas em português com o título *O seminário*. Oralmente, Lacan construiu ideia sobre ideia, enquanto, à medida que prosseguia, derrubava a estrutura que lhe cercava.

Seus seminários atraíam multidões de gente brilhante, elegante e de curiosos; a filosofia não havia sido um espetáculo tão público desde Henri Bergson. O que Bergson e Lacan tinham em comum era um público amplo; o que os separava era a inteligibilidade. A filosofia de Bergson era apresentada em prosa excelente, o que tornava seu pensamento acessível a um público variado; a filosofia de Lacan, por outro lado, era expressa em neologismos e referências obscuras a ponto de confundir todos os que não tinham conhecimento profundo do assunto. Ele se inspira fortemente na história da filosofia após Aristóteles (384-322 a.C.): há aqueles que tomam tijolos para a construção do seu próprio edifício – Karl Jaspers, Heidegger, Hegel – e aqueles que rejeitam, definindo-se em oposição a eles – J. S. Mill e Jeremy Bentham (1748-1832), por exemplo.

Jouissance

Um bom exemplo da densidade filosófica do pensamento de Lacan é o uso que ele dá à palavra *jouissance*. Um dicionário daria como tradução a palavra "gozo" (mas traduções de Lacan para o inglês normalmente não traduzem a palavra, porque os equivalentes em inglês não carregam a carga sexual do original francês). Lacan a utiliza para se referir a uma espécie de prazer orgástico que vai além do falogocentrismo – termo de Jacques Derrida para denominar o discurso dominado pelo homem. *Jouissance* é uma espécie de tendência rebelde, dissidente, que busca a felicidade suprema, um *id* deixado sem supervisão paterna, livre para fazer o que quiser, sem interferência do ego ou do superego. Em certa ocasião, Lacan define *jouissance* como "não mais que uma instância negativa"; uma definição que ele suplementa com a explicação de que *jouissance* "é o que não serve a nenhum propósito" (*Sobre sexualidade feminina: os limites do amor e do conhecimento*, 1999).

Em outro momento, ele oferece o conceito de *jouissance* como a chave para a pergunta "O que sou *eu*?" (*Écrits*, grifo de Lacan). Ele responde a essa pergunta retórica como se ela houvesse sido formulada como "*Onde* estou?, em oposição a "O *que* sou *eu*?". "*Eu*", diz Lacan, "estou no lugar de onde é vociferado 'o universo é uma falha na pureza do Não-Ser'". Umberto Eco (1932-) mais tarde tomaria essa ideia em *Kant e o ornitorrinco* (1999), observando que aqui nos vemos confrontados com a grande pergunta metafísica "Por que existe ser em vez de nada?", e com sua resposta: "*Porque existe*" (grifo de Eco). Retornando ao posicionamento do "Eu", definido por Lacan, no "lugar de onde é vociferado 'o universo é uma falha na pureza do Não-Ser'", ele comenta: "E, não sem razão, protegendo-se, esse lugar faz o próprio ser definhar. Esse lugar é chamado de *Jouissance*, e é a *Jouissance* cuja ausência tornaria o universo vaidoso." E assim por diante... É por meio desse método incremental que Lacan constrói seus conceitos, olhando para eles como se fossem novos a cada vez que os visita. Eles são alimentados não apenas pela mudança por que passam assim que são proferidos em público, mas também pela nova vida que adquirem por terem sido entendidos (ou não) por outros; e também pelo contínuo programa de estudo de Lacan.

Pensamento lacaniano: metodologia e estilo

Talvez os alunos de estudos críticos tomem as ideias de Lacan com tanta naturalidade por conta do seu método de incorporação em seu trabalho de textos da filosofia, literatura e ciências sociais, de modo a encontrar neles significados novos e metodologicamente úteis. Em alguns casos, a leitura de Lacan de um texto forma o fundamento para um elemento central em sua teoria. Por exemplo, ele toma eventos do conto *A carta roubada*, de Edgar Allan Poe, para formar seu conceito de "automatismo de repetição", que ele usa para descrever a "repetição ou reprodução compulsiva de uma estrutura social internalizada que o sujeito reencena repetida e compulsivamente" (*Enciclopédia de análise lacaniana*).

A densidade do pensamento de Lacan – e sua economia – pode ser ilustrada por uma passagem dos *Seminários* na qual ele descreve um aspecto da fase do espelho. Escreve ele: "Independentemente do que cobre a imagem, ainda assim, este último meramente centra um poder que é enganoso, na medida em que desvia a alienação – que já situa o desejo no campo do Outro – na direção da rivalidade totalitária que prevalece devido ao fato de que a aparência exerce um fascínio diádico nele: aquele 'um ou outro' é o retorno repressivo da segunda fase da obra de Melanie Klein; é a figura do assassinato hegeliano." É como se Lacan estivesse tendo uma conversa íntima com outro pensador que (a) dominou a obra de Freud; (b) tem familiaridade com a natureza da reificação pela qual o Outro se materializa via alienação, em Karl Marx, e com subsequentes tratamentos dados na França, primeiro por Simone de Beauvoir e depois por Jean-Paul Sartre; (c) dominou a obra da discípula de Freud, Melanie Klein (1882-1960); (d) tem familiaridade com o romance *O Estrangeiro* (1942), de Albert Camus, e com a visão de Lacan do assassinato que acontece nele como evidência da "ideia de que o Eu está sempre em conflito com o outro, sempre busca a morte do outro" (notas do tradutor, *Os seminários*). A citação acima é um bom exemplo de por que os críticos de Lacan dizem que ele é ininteligível, um charlatão e um fornecedor de jargões; mas é também um exemplo de como, em 74 palavras, ele constrói um pensamento extremamente condensado.

O ato de pensar de Lacan tem o poder incontrolável de uma locomotiva puxando atrás de si todo o trem do pensamento europeu enquanto abre caminho para o futuro. Seu legado está assegurado em parte porque suas análises da sexualidade feminina ajudaram a resgatar a psicanálise do seu destino de discurso falogocêntrico e em parte por conta da influência de sua aluna Julia Kristeva, cuja obra influencia grande número de disciplinas.

> O homem que nasce e chega à existência lida em primeiro lugar com a linguagem; esta é um dado. Ele é capturado por ela antes mesmo do seu nascimento.
>
> Jacques Lacan, *Les Clefs de la Psychanalyse* [As chaves da psicanálise] (1957)

> Não estou brincando de ser paradoxal ao dizer que a ciência não precisa saber nada sobre a verdade. Mas não estou esquecendo que a verdade é um valor que (cor)responde à incerteza com a qual a experiência de vida do homem é marcada fenomenologicamente ou que a busca pela verdade historicamente motiva, sob o título de espiritual, os voos do místico e as regras do moralista, o progresso do asceta e os achados do mistagogo.

Essa busca, ao impor sobre toda uma cultura a primazia da verdade em testemunho, criou uma atitude moral que era e continua sendo uma condição de existência para a ciência. Mas a verdade, em seu valor específico, permanece estrangeira à ordem da ciência: a ciência pode se orgulhar das suas alianças com a verdade; pode adotar o fenômeno e o valor da verdade como seu objeto; mas ela não pode de maneira alguma identificar a verdade como seu próprio fim.

Jacques Lacan, *Beyond the "Reality Principle"* [Além do "princípio de realidade"] em *Écrits* (2002)

Eu continuo tentando lê-lo e falhando, e lendo livros sobre ele e não o entendendo.

Richard Rorty, entrevista com Josefina Ayerza em *Flash Art* (1993)

37

Karl Popper

28 de julho de 1902 – 17 de setembro de 1994

Pensador nascido na Áustria que transformou a filosofia da ciência em uma disciplina estabelecida e traçou as origens do totalitarismo em Platão, Hegel e Marx.

Como diversos filósofos austríacos notáveis, Karl Popper foi um judeu que fugiu dos nazistas – primeiro, para a Nova Zelândia e depois, para o Reino Unido, onde estabeleceu sua reputação como o mais significativo filósofo da ciência de sua geração. De modo pouco comum, fez grandes contribuições para a filosofia em dois campos separados (embora ele defendesse que eles estavam relacionados).

Primeiramente, preocupou-se em explicar como teorias científicas passam a existir e por que motivos algumas delas têm sucesso e conseguem prosperar. Ele aborda essas questões em seu primeiro livro, *A lógica da pesquisa científica* (1934), e em uma série de palestras publicadas como *Conjecturas e refutações* (1963). Em segundo lugar, atacou o historicismo, identificando-o como um ingrediente essencial do pensamento totalitário. Seu trabalho inicial sobre esse tema é *A pobreza do historicismo* (1936), seguido por seu estudo em dois volumes, *A sociedade aberta e seus inimigos* (1945). Popper era um defensor apaixonado da democracia liberal.

Nasceu em uma família de judeus vienenses que se converteram ao luteranismo. Seu pai era um advogado importante, sua mãe era música e a casa estava repleta de livros, que ele era estimulado a ler. O ano de 1919 – quando Popper tinha dezessete anos de idade – se provaria decisivo para ele por três razões. Primeiro, iniciou um flerte apaixonado com o marxismo. Entrou para a Associação de Estudantes Socialistas, mas não levou muito tempo para rejeitar suas atitudes doutrinárias. Em segundo lugar, desenvolveu interesse pela psicanálise. Foi apresentado à teoria freudiana por Alfred Adler, que rapidamente conseguiu para Popper um emprego como assistente social com crianças desfavorecidas. A terceira e mais importante experiência que Popper teve em 1919 foi ouvir a palestra de Albert Einstein a respeito de sua teoria da relatividade, em Viena. Este evento mostrou-se crucial no desenvolvimento intelectual de Popper. Fez com que aderisse com intensidade ao campo científico. Popper reconheceu de imediato que a teoria de Einstein era um modelo de pensamento científico: suas hipóteses eram testáveis e verificáveis. Ele viria a acreditar que as ideias de Marx, Darwin e Freud, por outro lado, não o eram. E assim, no espaço de apenas um ano, Popper se familiarizou com (e fez escolhas filosóficas permanentemente definidoras sobre) as quatro grandes tendências do pensamento ocidental do século XX.

Popper diplomou-se como professor de escola primária em 1925, obteve um PhD em filosofia em 1928 e se qualificou para ensinar matemática e física na escola secundária, o que fez de 1930 a 1936. Publicou *A lógica da pesquisa Científica* em 1934, enquanto ainda era professor escolar. Neste livro, ele apresentou sua teoria de que falseabilidade potencial é o critério a ser usado para distinguir ciência de não ciência. Em 1937, vendo a ameaça nazista pelo que era, Popper emigrou para a Nova Zelândia, onde trabalhou como professor de filosofia na Universidade de Canterbury, em Christchurch.

A filosofia da ciência de Popper

Popper rejeitou o positivismo lógico do Círculo de Viena, liderado por Moritz Schlick (1882-1936), particularmente seu foco na verificabilidade de declarações como teste de seu significado. Em vez disso, defendia que a falseabilidade deveria ser o critério para o trabalho científico. Ele dizia que hipóteses deveriam, na verdade, ser elaboradas de modo a atraírem tentativas de falsificação de si mesmas. Teorias científicas autênticas estão em busca de um contra-argumento capaz de invalidar a teoria. Popper chamava sua abordagem de *racionalismo crítico*, apresentando a si mesmo como herdeiro de David Hume e Immanuel Kant.

Para Popper a questão crucial na filosofia da ciência é o *problema da demarcação* – o trabalho de identificar as diferenças entre o que é ciência e o que não é. Essencialmente, ele toma uma posição radicalmente oposta à dos positivistas lógicos, que alegam que seu trabalho é "científico". A abordagem empírica destes pesquisadores à filosofia leva-os a *inferir* conclusões a partir de premissas empíricas que implicam algo além do seu conteúdo como provável. Para Popper – e para aquele outro crítico do positivismo vienense, W. V. Quine –, observação empírica "simples" nunca é simples; ela é sempre seletiva, no sentido de que ocorre a partir de uma perspectiva; e essa perspectiva é sempre colorida pela vertente teórica que conduz à pesquisa. Popper traz um problema incômodo aos empíricos ao argumentar que a ciência não pode ser reduzida a uma metodologia específica como a dedução. Ele vê a ciência como um esforço de resolução de problemas, de um tipo singularmente humano.

A filosofia política de Popper desenvolve-se diretamente do seu pensamento sobre ciência. Partindo das suas regras de verificação, ele analisa as teorias mais populares do final do século XIX e início do século XX – as de Marx, Freud e Darwin – para julgar cientificamente a legitimidade das suas alegações. Marx e Freud não passam no teste, conclui Popper, e apenas Darwin pode ser chamado de cientista. Os critérios de Popper, aqui, têm a ver com o modo pelo qual a ciência procede. A teoria da evolução de Darwin é científica porque partes dela são falseáveis; outras não são, e correções são feitas por futuras gerações de cientistas, de modo que a explicação darwinista das origens da vida, cujos detalhes exigem constantes ajustes, é vista como bastante precisa. Marx e Freud, por outro lado, são "totalizadores" não científicos; em vez de usarem objeções para invalidar suas teorias, eles fazem-nas desaparecer ao incorporá-las em sua teoria.

A filosofia política de Popper

Popper passou a considerar que o historicismo de Marx – ou qualquer historicismo, na realidade – trazia consequências desastrosas para a raça humana. O primeiro volume de *A sociedade aberta e seus inimigos* se concentra em Platão – seu subtítulo é *O sortilégio de Platão* – como o primeiro de uma longa lista de historicistas que passa por Hegel e Marx, que são tratados no segundo volume (cujo subtítulo é *A preamar da profecia*). Por quase 2.500 anos, Platão desfrutou a reputação de um pai benigno da filosofia moderna, aluno fiel de Sócrates e sábio em quase tudo. Em contraste com essa visão, a leitura de Popper do livro *A república*, de Platão, destaca a natureza totalitária do Estado platônico. Ele identifica quatro ingredientes do totalitarismo platônico: (1) "rígida divisão de classes... pastores e sentinelas devem ser estritamente separados do gado humano"; (2) o destino do Estado deve se identificar com a classe dominante, com "regras rígidas de reprodução" – um programa de eugenia precoce; (3) a classe dominante é militar, mas excluída das atividades econômicas; (4) censura de todas as atividades da classe dominante.

No segundo volume, Popper trata de Marx. O problema do marxismo, argumenta ele, é que ele utiliza a ciência erroneamente. Marx e todos os historicistas (incluindo Hegel) acreditam de maneira equivocada que a história humana pode ser prevista de acordo com princípios "científicos"; isto é impossível, segundo Popper, uma vez que o conhecimento adquirido pelas sociedades no curso de seu desenvolvimento afeta essa história de maneiras que não podem ser previstas. Em sua raiz, liberdade significa imprevisibilidade.

Popper, Polanyi e Kuhn: a história da ciência como disciplina

Popper trouxe a filosofia da ciência para a vanguarda da disciplina de filosofia e criou um ambiente no qual ela podia prosperar. Suas pesquisas tinham necessariamente um elemento histórico, e, a partir dos anos 1960, a história da ciência começou a se desenvolver por conta própria como disciplina, fomentando e sendo fomentada pela filosofia da ciência. As figuras centrais de exploração de ambas as áreas são o filósofo húngaro-britânico Michael Polanyi (1891-1976) e o físico americano T. S. Kuhn (1922-96). O livro de Polanyi *Personal Knowledge: Towards a Post-Critical Philosophy* [Conhecimento pessoal: em direção a uma filosofia pós-crítica] (1958) tratou de temas levantados pela subjetividade do observador científico. Kuhn foi um físico praticante que se voltou para a história da ciência, tendo sido influenciado pelo trabalho de Polanyi.

O livro de Kuhn *A estrutura das revoluções científicas* (1962) teve enorme efeito sobre o modo como o progresso científico é visto. Anteriormente, pensava-se que o conhecimento científico era acumulado de maneira linear e ordenada, com um descobrimento conduzindo a outro, e assim por diante, numa espécie de progresso evolutivo estável. Kuhn derrubou essa ideia com a tese de que cada era científica é governada por um paradigma – uma visão de mundo, uma maneira de enxergar o mundo e de executar ações dentro dele – que é eliminado em uma violenta ruptura epistêmica, o que leva à substituição por um novo paradigma. Esta é a estrutura da revolução científica.

A maior parte dos trabalhos científicos trata-se do que Kuhn denomina ciência "normal" – trabalho de laboratório e experimentações executadas para apoiar o novo paradigma dominante. Não é função da ciência "normal" desafiar o novo paradigma. A teoria da relatividade de Einstein, por exemplo, necessitou de uma mudança de paradigma. Einstein desafiou a ordem do universo segundo estabelecida na física de Isaac Newton (1643-1727); em consequência disso, o trabalho de cientistas pós-Einstein é solucionar as diversas questões levantadas pela mecânica quântica e o novo modo de conceber o universo que derrubou o paradigma de Newton.

> Eu esperava chamar atenção... para a teoria conspiratória da ignorância, que interpreta a ignorância não como uma mera falta de conhecimento, mas como o trabalho de algum poder sinistro, a fonte de influências más e impuras que pervertem e envenenam nossas mentes e instilam em nós o hábito da resistência ao conhecimento.
>
> Karl Popper, *Conjecturas e refutações* (1963)

O elemento profético no credo de Marx foi dominante nas mentes de seus seguidores. Ele marginalizou todo o resto, banindo o poder do juízo frio e crítico e destruindo a crença de que, por meio da razão, podemos mudar o mundo. Tudo que restou do ensinamento de Marx foi a filosofia oracular de Hegel, que, em sua pompa marxista, ameaça paralisar a luta por uma sociedade aberta.

Karl Popper, *A sociedade aberta e seus inimigos, vol. 2* (1962)

38

Jean-Paul Sartre

21 de junho de 1905 – 15 de abril de 1980

Filósofo, dramaturgo e romancista francês que popularizou o existencialismo. Ele definiu o papel do intelectual público do século XX.

Talvez o mais conhecido filósofo dos tempos modernos, Jean-Paul Sartre definiu o papel do intelectual público engajado politicamente de um modo singularmente francês. Em uma cultura que atribui grande valor às suas instituições educacionais e suas qualificações, Sartre nunca se tornou professor universitário. Embora tenha ficado em primeiro lugar no teste para a *agrégation* de filosofia da École Normale Supérieure, em 1927, sua carreira acadêmica, depois disso, distribuiu-se entre diversos liceus, onde ele deu aulas por vários anos. Sua posição como pensador teve como base apenas seus trabalhos publicados – dos quais o mais importante foi *O ser e o nada* (1943) –, e a força dos seus argumentos públicos presentes em peças, romances, ensaios e trabalhos filosóficos era tão grande que toda uma nação lhe tinha respeito. O tamanho da consideração que se tinha por Sartre na França – apesar de sua simpatia impopular pelos regimes soviético e maoísta, muito tempo depois de os horrores desses regimes totalitários terem se tornado públicos – pode ser medido pelo fato de que o seu cortejo fúnebre atraiu uma multidão de 50 mil pessoas. Ao perdoar Sartre depois de sua prisão durante os eventos de Maio de 1968, o então presidente francês Charles de Gaulle afirmou: “Não se prende Voltaire”.

Em 1936, Sartre apareceu em cena com dois livros: *A imaginação*, uma pesquisa sobre teorias filosóficas da imaginação pré-husserlianas e *A transcendência do ego*, que apresenta argumentos contrários à visão de Husserl do ego transcendental, definindo-o como um construto criado por outros. Sartre, em seguida, rejeitou a visão de Freud do inconsciente em *Esboço para uma teoria das emoções* (1939). Mas foi seu romance *A náusea* (1939) que trouxe para Sartre o início da sua fama e, para o mundo, uma primeira prova do seu existencialismo. O principal personagem do romance, Roquentin, sente-se literalmente nauseado pelo fato de sua existência no mundo; pela sua percepção da "coisidade" dos objetos e da falta de significado a ser encontrado no mundo exterior a si mesmo. O conceito de Sartre de *facticidade* se refere à situação em que o sujeito encontra a si mesmo: seu gênero, filiação, nacionalidade, habilidades etc. É no contexto dessa situação que o sujeito confronta sua liberdade, que é limitada pela facticidade. Para Sartre, o homem está condenado a ser livre. Essa situação deu origem ao conceito do "absurdo".

Albert Camus e o absurdo

Uma das expressões mais coerentes do absurdo pode ser encontrada nos romances e ensaios do amigo e rival de Sartre, Albert Camus (1913-60). Camus era um *pied noir* (colono de língua francesa) da Argélia que foi criado na pobreza e ganhou o Prêmio Nobel de Literatura em 1957. Seu romance *O estrangeiro* (1942) conta a história de um assassinato cometido, ao que tudo indica, sem motivo pelo protagonista, Meursault, que é aparentemente indiferente em relação às suas ações e seu destino. No universo ateísta de Camus, todo comportamento humano é permitido. Mas as consequências dessa liberdade sem limites também precisam ser aceitas; Meursault precisa aceitar sua punição por um assassinato sem sentido: ele é condenado à morte. Em seu ensaio *O Mito de Sísifo* (1942), Camus utiliza uma história da mitologia grega sobre um rei condenado a rolar uma grande pedra até o topo de uma montanha somente para vê-la rolar para baixo novamente, assim que a tarefa é cumprida – ação que ele é condenado a repetir eternamente – para examinar o dilema do homem moderno em um mundo sem Deus. A tarefa é inútil; mas, ao assumi-la, o homem define a si mesmo.

Fortunas de guerra contrastantes

Camus era comunista. Excluído do serviço no exército francês porque sofria de tuberculose, ele editou o jornal de resistência *Combat* durante a ocupação nazista na França, muitas vezes correndo grande risco pessoal. A guerra de Sartre foi diferente. Ele serviu no corpo meteorológico do exército francês e foi capturado durante a queda da França, em maio de 1940, sendo enviado para um campo alemão de prisioneiros de guerra chamado Stalag XIID, próximo a Trier, onde ficou por quase um ano. Durante esse tempo, continuou a estudar o livro *Ser e tempo* (1927), de Heidegger, que ele havia começado a ler em Berlim em 1933. Sartre passava o tempo ensinando a fenomenologia de Husserl aos padres que eram prisioneiros junto com ele e, no Natal de 1940, escreveu e produziu uma peça de teatro para os companheiros de cela. *Bariona* ou *O filho do trovão* era, segundo ele assegurou em uma carta à sua amante Simone de Beauvoir (1908-86), uma peça de Natal que não se apoiava na crença cristã para ser apreciada. Enquanto era prisioneiro, Sartre iniciou também sua mais importante obra filosófica: *O ser e o nada*. Com o auxílio de um padre, ele obteve documentos médicos falsos e foi libertado da prisão alemã em 1941. Sartre voltou a Paris para viver com Beauvoir e seu círculo de amigos e amantes, e passou a dar aulas nos liceus Pasteur e Condorcet enquanto terminava *O ser e o nada*.

Durante a ocupação, Sartre ainda escreveu e produziu duas peças bem-sucedidas que foram autorizadas pelos censores nazistas. *As moscas* (1943) trata-se de uma leitura existencialista da histórica de Electra, da mitologia grega, enquanto *Entre quatro paredes* (1944) apresentava quatro personagens em um quarto sem portas ou janelas e era concluída pela famosa fala "O inferno são os outros".

A natureza do existencialismo sartreano

O existencialismo é uma refutação do essencialismo, a doutrina que sustenta que coisas ou pessoas possuem essências intrínsecas. O famoso ditado de Sartre é que "a existência precede a essência". Para ele, a existência tem dois modos: ser e nada. O ser tem duas categorias: "em-si" e "para-si". O em-si é o ser como um objeto desprovido de consciência. O para-si é o ser consciente, mas não é um objeto: é uma não-coisa. O em--si e o para-si são distintos e não podem se combinar. Combiná-los constituiria uma "totalidade não realizável". Este ideal, afirma Sartre, constituiria Deus.

Outras pessoas são problemáticas, na visão de Sartre, porque elas dão origem a uma confrontação na qual uma subjetividade reduz outras subjetividades ao que Beauvoir chamou de "o Outro". Tomando emprestado de Hegel, Sartre vê as relações com os outros em termos de uma dialética mestre/escravo. Em resumo, nós alienamos uns aos outros. O componente ético da ontologia de Sartre consiste no que ele chama de "má fé". Má fé significa, em essência, mentir para si mesmo. Ele dá três exemplos famosos: o garçom que exagera os gestos do serviço, enquanto diz a si mesmo que está somente "encenando" o papel de um garçom; a mulher que estende a mão para um homem, negando a provocação sexual que está implícita no gesto e o de um pederasta que nega ser "em essência" ou "por natureza" um pederasta, dizendo a si mesmo que é simplesmente alguém que faz sexo com garotos.

Sartre e Merleau-Ponty

Em 1945, Sartre e Beauvoir convidaram seu amigo Maurice Merleau--Ponty (1908-61) para lançar a revista filosófica e literária *Les temps modernes*. A obra de Merleau-Ponty também era influenciada por Husserl e Heidegger, mas, enquanto Sartre se concentrava em problemas de ontologia, Merleau-Ponty estava preocupado com a percepção: como o sujeito apreende o mundo? Seu livro *Fenomenologia da percepção* (1945) é uma das obras centrais no que poderia ser frouxamente denominado "existencialismo francês". Merleau-Ponty trata do papel da personificação humana e do seu papel em compreender como os homens percebem. Para Merleau-Ponty, é o sujeito personificado que encontra o mundo, engajando-se nele ativamente e nele criando significado. Como Gabriel Marcel, Merleau-Ponty rejeita o dualismo cartesiano. Ele vai além da redução fenomenológica de Husserl para estabelecer a categoria-chave da sua filosofia: *estar-no-mundo*. Estar-no-mundo precede a "objetividade" e a "subjetividade", e é o que dá significado a ambas. Um entendimento do tempo como algo constituído subjetivamente completa a fenomenologia da percepção de Merleau-Ponty.

Em 1945, Sartre e Merleau-Ponty concordavam amplamente no que dizia respeito às suas visões políticas de esquerda. Em *Humanismo e terror* (1947), Merleau-Ponty examinou o experimento marxista da Revolução de Outubro até o fim da Segunda Guerra Mundial e fez a seguinte pergunta: o terror de Stálin era justificado? Ele respondeu com um "não". Mas ele também defendeu que era preciso dar tempo à União Soviética, que o marxismo precisava trabalhar, porque seu fracasso seria o fracasso da raça humana. No que diz respeito ao seu pensamento sobre a União Soviética, Merleau-Ponty já foi comparado a Kant e sua avaliação da Revolução Francesa. Embora Kant não pudesse perdoar o regicídio, a ideia de um governo baseado nos princípios da razão lhe parecia atraente. No entanto, Merleau-Ponty discordou de Sartre a respeito da Guerra da Coreia (1950-53), que ele considerou um exercício do poder imperialista soviético. Os dois amigos romperam por conta dessa questão, e, em 1948, Merleau-Ponty renunciou ao cargo de editor da *Les Temps Modernes*.

Crítica da razão dialética

Sartre começou a revisar sua filosofia existencialista para dar conta do marxismo em *Questão de método* (1957), que mais tarde foi incorporado em uma longa e não terminada obra, *Crítica da razão dialética* (vol. 1, 1960; vol. 2, 1985). Sartre pertence à lista daqueles filósofos cujos textos são excepcionalmente desafiadores para o leitor. *O Ser e o nada* é um livro mais comprado do que lido e mais lido do que entendido, pode-se suspeitar. Isso, em parte, acontece por conta da dificuldade inerente do pensamento de Sartre (ele gostava de provocar Camus, a quem não considerava inteligente o suficiente para entender suas ideias) e em parte porque sua terminologia tem origem na ainda mais complexa linguagem técnica alemã empregada por Husserl e Heidegger. A *Crítica* de Sartre é ainda mais difícil de ser lida do que *O Ser e o nada*, e não seria impiedoso atribuir isso em parte ao seu vício de toda uma vida em anfetaminas e álcool. Ele escrevia durante longos períodos, milhares de palavras por dia, com mais ênfase na quantidade do que na qualidade. Ainda assim, o esforço de Sartre para reconciliar a liberdade do existencialismo com o determinismo do marxismo constitui um feito notável de análise filosófica. Enquanto trabalhava na *Crítica* (do período pós-guerra até o fim da vida), Sartre trabalhou também em outro projeto enorme e inacabado: a biografia em cinco volumes do romancista Gustave Flaubert (1821-1880), intitulada *O idiota da família* (1971-2).

O existencialismo dá lugar ao estruturalismo

Sartre continua sendo uma figura imponente na filosofia do pós-guerra, mas a influência do existencialismo começou a diminuir com a ascensão do estruturalismo, praticado por Claude Lévi-Strauss e depois por Roland Barthes. O movimento pós-estruturalista terminou o trabalho que o estruturalismo havia iniciado, com seu foco nos textos, e não nos autores (o "Eu des-centrado"). O fato de que um trabalho de volume tão poderoso como o de Sartre foi suplantado tão rapidamente é uma medida da enorme velocidade do desenvolvimento e das mudanças incessantes no cenário da filosofia continental. Nos Estados Unidos, o interesse por Sartre diminuiu com o declínio da filosofia marxista, na esteira de uma guinada geral para a direita por parte da opinião pública após o colapso da União Soviética em 1991. Filósofos, como roupas e carros, não estão imunes aos caprichos das mudanças de gosto e de moda. Não há dúvida, no entanto, de que a obra de Sartre será lida e reavaliada por futuras gerações de estudiosos interessados nos usos que ele deu ao método fenomenológico de Husserl e às análises existenciais de Heidegger.

> O homem está todo o tempo fora de si mesmo: é ao se projetar e se perder além de si mesmo que ele dá existência ao homem; e, por outro lado, é ao perseguir objetivos transcendentais que ele próprio se torna capaz de existir. Uma vez, então, que o homem é autossuperante, e pode alcançar objetos somente em relação com sua autossuperação, é ele próprio o coração e o centro da sua transcendência.
>
> Jean-Paul Sartre, *O existencialismo é um humanismo* (1946)

> Estou no parque. Eu me jogo em um banco entre grandes troncos pretos de árvore, entre as mãos pretas e cheias de nós estendidas na direção do céu. Uma árvore raspa a terra sob meus pés com uma unha negra. Eu gostaria tanto de me deixar ir, me esquecer, dormir. Mas não posso, estou sufocando: a existência penetra-me em todos os lugares, pelos olhos, pelo nariz, pela boca...
>
> Jean-Paul Sartre, *A náusea* (1938)

> Central em todas as atividades de Sartre foi sua tentativa de descrever as principais características da existência humana: liberdade, responsabilidade, as emoções, relações com os outros, trabalho, personificação, percepção, imaginação, morte e assim por diante. Deste modo, ele tentou trazer clareza e rigor ao reino sombrio do subjetivo, sem limitar seu foco nem ao lado puramente intelectual da vida (o mundo do raciocínio, ou, mais amplamente, do pensamento) nem àquelas características objetivas da vida humana que permitem o estudo a partir de "fora". Assim, sua obra se dirigiu, de maneira fundamental, e primordialmente, a partir de "dentro" (onde as habilidades de Sartre como romancista e dramaturgo lhe serviram bem) à questão de como um indivíduo se relaciona a tudo que compreende sua situação: o mundo físico, outros indivíduos, coletivos sociais complexos e o mundo cultural de artefatos e instituições.
>
> David Detmer, *Sartre Explained: From Bad Faith to Authenticity* [Sartre explicado: da má fé à autenticidade] (2008)

39

Hannah Arendt

14 de outubro de 1906 – 4 de dezembro de 1975

Filósofa política judia e alemã que emigrou para os EUA e analisou o totalitarismo, cunhando o termo "banalidade do mal" para descrever as ações dos nazistas no Holocausto.

Hannah Arendt ajudou a definir e a defender o centro ético da filosofia durante o período do governo totalitário de Hitler e Stálin. Sua conquista duradoura é a aplicação bem-sucedida do método fenomenológico à filosofia política. Uma realização imponente é seu estudo – e, pela primeira vez, útil definição – do totalitarismo no livro *As origens do totalitarismo* (1951). Em *A condição humana* (1958), ela desenvolveu uma análise pós-marxista do indivíduo na sociedade e, em *Eichmann em Jerusalém: um relato sobre a banalidade do mal* (1963), ela ofereceu um relato altamente controverso, mas também honesto e detalhado, do caminho trilhado por Adolf Eichmann, que era funcionário do partido nazista e se tornou o responsável pela efetivação do Holocausto.

Arendt foi criada em Königsberg, local de nascimento de Immanuel Kant, em uma família de judeus seculares. Ela se matriculou na Universidade de Marburg para estudar o Novo Testamento com Rudolf Bultmann (1884-1976) e filosofia com Martin Heidegger. Heidegger estimulou sua paixão por filosofia grega, e ela frequentemente retornava a Platão e Aristóteles para compor os conceitos fundamentais de seu trabalho. Ela foi profundamente influenciada pelo método fenomenológico de Edmund Husserl, de quem se tornou aluna depois de se mudar para Heidelberg. Em Heidelberg, ela estabeleceu uma amizade íntima e duradoura com seu orientador, o psiquiatra e filósofo Karl Jaspers. Sua tese tratava da questão do amor na obra de Santo Agostinho e foi intitulada *O conceito de amor em Santo Agostinho* (1929).

De Heidegger a Heidelberg; de Paris a Portugal

De todos os seus interesses filosóficos, foi a ontologia desenvolvida por Heidegger em suas aulas sobre Aristóteles e depois em *Ser e tempo* (1927) que realmente instigou a imaginação filosófica de Arendt. Muitos consideram Heidegger o maior filósofo do século XX, e Arendt certamente tinha essa opinião. Ela foi estimulada por sua investigação da existência humana, ou *Dasein*, como ele a chamava. A partir de Heidegger, ela desenvolveu a noção de que a existência humana demanda reflexão. Esta tarefa urgente deve ser conduzida no fluxo do tempo por um sujeito cuja existência é suspendida pela morte. Como Nietzsche, Heidegger buscou o significado da existência humana após a "morte de Deus". Para Heidegger, *Dasein* é definido por seu movimento em direção à morte. É no contexto do tempo, no fato da morte que o homem encontra autêntico ser.

Arendt foi – em todos os sentidos da palavra – seduzida por Heidegger. Durante seu período em Marburg, ela se tornou sua amante secreta (ele era casado e tinha dois filhos), e o caso dos dois durou até que Heidegger se filiou ao partido nazista, em 1933. A essa altura, Arendt havia se mudado para Heidelberg, e Heidegger não aceitava mais alunos de graduação judeus. Arendt foi casada com Günther Anders (1902-92) de 1929 a 1937 e, então, em 1940, ela se casou com Heinrich Blücher. Arendt foi presa e interrogada por vários dias pela Gestapo e depois disso fugiu da Alemanha nazista. Chegou finalmente a Paris, onde se tornou parte de um grupo de intelectuais que incluía o filósofo alemão expatriado Walter Benjamin e o filósofo francês Raymond Aron.

Pouco depois da ocupação alemã da França, Arendt e Blücher se mudaram para a chamada Zona Livre no sul da França, controlada pelo governo de Vichy. No entanto, Arendt foi capturada em uma ronda policial e enviada a um campo de concentração em Gurs. Prevendo o destino de judeus apátridas em sua situação, ela fugiu. Arendt e Blücher conseguiram vistos de saída para os Estados Unidos e, ficando um passo à frente da polícia francesa, pedalaram até Portugal. Depois, velejaram de Lisboa a Nova York – e à liberdade da perseguição – em 1941.

Natalidade e pluralidade: o método fenomenológico de Arendt

Em Nova York, Arendt começou a desenvolver uma posição filosófica que devia muito a Heidegger, ao mesmo tempo em que levava seu pensamento aquém e além dele. Arendt concordava com Heidegger que a existência humana devia estar dirigida, em última análise, à morte, mas defendia que ela também procede *da* natalidade. O conceito de natalidade – o fato de seres humanos individuais nascerem em um estado de liberdade e encararem uma plenitude de escolhas – está no centro do pensamento de Arendt. Ele infunde sua filosofia em uma atitude de positividade que se coloca em claro contraste com as perspectivas menos otimistas de Heidegger e do seu seguidor, Sartre.

Como Husserl, Arendt estava preocupada em descrever começos filosóficos. Em qualquer investigação, ela tinha o cuidado de marcar seu ponto de partida e identificar o método que empregaria. A natalidade era o ponto inicial de Arendt. Partindo do momento do nascimento e observando as possibilidades inerentes à vida, Arendt desenvolveu um método fenomenológico que buscava descrever o modo como experimentamos nossa existência. Para Arendt, a existência humana deve ser entendida como um fenômeno que ocorre tanto individualmente quanto em relação com outros. Ela parte de Heidegger em seu desenvolvimento da ideia de pluralidade para descrever um mundo de sujeitos em interação que têm capacidade de participar de atividades de grupo, das quais a mais importante é a ação política. Isso não significa que Arendt não tem nada a dizer da existência individual e suas manifestações e preocupações. Em última análise, ela identifica o amor como uma característica definidora da existência humana. Neste ponto, ela é acompanhada por outros filósofos de vertente fenomenológica ou existencial, como Jaspers, Edith Stein, Max Scheler e Gabriel Marcel.

Totalitarismo e antissemitismo

Arendt afiou suas habilidades fenomenológicas em seu primeiro livro, *As origens do totalitarismo*. Escrevendo em inglês, uma língua que ela havia aprendido apenas recentemente, depois de ser obrigada a trocar seu amado alemão pelo francês, Arendt fornece uma investigação crítica abrangente da história do antissemitismo na Europa, identificando as condições que permitiram ao fascismo criar raízes na Alemanha e o comunismo soviético, na Rússia. Tanto o Holocausto nazista quanto a liquidação em massa de "inimigos do Estado" por Stálin se apoiavam em um mecanismo de terror que integrava o objetivo do Estado totalitário de criar permanentes estados de medo. Assassinato em grande escala e genocídio eram a consequência de ideologias que prescreviam a inevitabilidade histórica de seus resultados desejados. Para os comunistas, esse resultado era a ditadura do proletariado; para os nazistas, era uma nação racialmente pura e militarmente dominante. O totalitarismo, é claro, consiste em um tipo de ação, mas ele não é o tipo de ação autêntica que Arendt considerava originária de uma verdadeira pluralidade. Por pluralidade, Arendt se refere a uma situação em que sujeitos individuais existem em sua singularidade, em uma condição de liberdade, e que escolhem se unir na ação política. Ela observa que um dos solos mais férteis para as ideias totalitárias criarem raízes é a classe de pessoas em uma democracia que decide não votar.

A condição humana: labor, trabalho e ação

Em *A condição humana*, Arendt está interessada em retomar a ação (*vita activa*) como mais alta forma de atividade humana. Desde Platão, afirma ela, a *vita activa* tinha sido suplantada por uma obsessiva celebração do pensamento (*vita contemplativa*). Ao colocar a ação acima do pensamento, Arendt contradiz Heidegger diretamente. Em uma das meditações mais teoricamente sustentadas na história da fenomenologia, Arendt identifica três ações humanas: labor, trabalho e ação. Labor é a produção de materiais de consumo necessários para a sobrevivência humana. Arendt descreve o labor como um estado de escravidão, em oposição a Marx, que o caracteriza como a mais alta atividade humana. Trabalho, como algo distinto do labor, produz coisas duráveis (tanto objetos quanto instituições) que permitem ao homem separar-se da natureza e estabelecer um mundo unicamente humano. É na ação, entretanto, que o ser humano encontra sua liberdade. Labor é uma atividade característica dos animais; trabalho cria as coisas duradouras que determinam o homem em oposição à natureza e ação é a esfera na qual o homem realiza sua existência por meio do exercício de liberdade.

Perdoando Heidegger

Após a Segunda Guerra Mundial, Arendt voltou à Europa diversas vezes por conta de trabalhos de reparação de guerra. Lá, ela restabeleceu sua relação com Heidegger, e também com Jaspers. Heidegger nunca se desculpou por sua filiação ao partido nazista, suas atividades ou as visões que expressara; e, embora ele nunca tenha defendido o lado extremo da política racial nazista, bloqueou o avanço de colegas judeus em Freiburg. Como, então, Arendt veio a perdoá-lo? Uma resposta pode ser encontrada em um capítulo de *A condição humana* intitulado "Irreversibilidade e o poder de perdoar". Neste trabalho, é mais heideggeriana do que o próprio Heidegger: é como se ela fosse sua irmã gêmea boa, tomando dele conceitos como a "localização" da atividade humana, a "característica-coisa do mundo", "instrumentalidade" com relação à atividade humana e "desvelamento" do Eu na linguagem e na ação. Arendt toma esses conceitos e os desenvolve no contexto de um mundo entendido como uma pluralidade de indivíduos com uma capacidade de agir livremente de uma maneira ética. No capítulo "Irreversibilidade e o poder de perdoar", Arendt reflete que os atos humanos, uma vez executados, podem ter consequências inimagináveis, ou consequências muito diferentes do que previa a intenção de quem age. Ações são imprevisíveis; elas e suas consequências são a expressão última da liberdade humana. Podem resultar em boas coisas e podem resultar em danos. Onde o dano é feito e reconhecido, o que pode ser feito, uma vez que as ações são irreversíveis?

O perdão, argumenta Arendt, é a ação pela qual somos "liberados das consequências daquilo que fizemos". Por que isso é necessário? Sem o perdão, diz ela, estaríamos condenados a existir somente no interior da má ação e de suas consequências. Sem o perdão, a má ação conduziria, se não a uma sentença de morte metafórica para a liberdade humana, ao menos à sua prisão perpétua e a uma negação do futuro. Arendt diz que "o perdão é o exato oposto da vingança". A vingança é natural, mas leva a um ciclo interminável de ofensas e mais ofensas. É um círculo de falta de liberdade determinada. O perdão, por outro lado, é um poderoso ato de libertação que abre caminho para o futuro e oferece uma saída dos empecilhos de ódio e vingança. O ato de perdoar dá com a existência humana no que ela tem de mais heideggeriano: no fluxo do tempo, consiste em uma ação que é imprevisível em sua ocorrência, com resultados potenciais que são, eles próprios, imprevisíveis. É a concessão de um novo começo para um outro; é o renascimento metafórico, cuja possibilidade resulta da natalidade. O "perdão" de Arendt não é restrito a Heidegger; ele está disponível para qualquer um que seja conhecedor – e um guardião atencioso – da liberdade. Heidegger foi o afortunado destinatário da generosidade de uma mente que, se não tão aguda e profunda como a sua própria, era infinitamente mais clarividente. Ele foi o beneficiário de uma generosidade de espírito cuja profundidade era provavelmente incapaz de imaginar.

A banalidade do mal

Em 1963, Arendt foi enviada pela revista *New Yorker* para cobrir o julgamento em Jerusalém do nazista Adolf Eichmann (1906-62), o homem responsável pelo transporte em massa de judeus aos campos de concentração durante a Segunda Guerra Mundial. Ao observar Eichmann, e refletir sobre sua própria experiência como judia que havia fugido da Alemanha nazista em 1933, Arendt cunhou o termo "banalidade do mal" para descrevê-lo e aqueles como ele. Ela observou que Eichmann não possuía um ódio feroz pelos judeus nem era motivado por visões políticas extremas. Ele era um funcionário de nível intelectual abaixo da média que fazia o que lhe mandavam fazer. Havia (e ainda há) muitos que consideravam a descrição de Arendt falha, porque sentiam que de alguma maneira ela desvalorizava o horror do Holocausto. A verdade terrível da análise de Arendt, no entanto, é que ela torna a contemplação do Holocausto ainda *mais* terrível.

No caso de Eichmann, Arendt não podia defender o perdão, e ela aprovou a sentença de morte a que ele foi condenado. O projeto de vida de Arendt era estudar o que ela considerava as três atividades humanas mais importantes: pensar, agir e julgar. Ela sentia que o mundo do pós-guerra estava se distanciando da faculdade de julgamento; que um relativismo crescente estava conduzindo a uma obsessão com falsas igualdades e a uma tendência a "não julgar" indivíduos, grupos, nações e suas ações. Mas seu estudo da filosofia, dos gregos antigos ao Iluminismo, havia lhe ensinado que há "proposições esquecidas há muito tempo" que nos confirmam a existência de grandes crimes contra a natureza e nos dizem que eles pedem vingança. O Holocausto era um crime como esse. Em *Eichmann em Jerusalém*, ela observa: "Acredito ser inegável que foi precisamente sobre o solo formado por essas proposições esquecidas há muito tempo que Eichmann foi trazido à justiça em primeiro lugar, e que elas foram, de fato, a suprema justificação para a sentença de morte". A ofensa de Heidegger era perdoável para Arendt; a de Eichmann não era, e, como consequência, ela julgou que sua existência na comunidade de homens já não era apropriada.

Ao viver durante os anos da República de Weimar, experimentar a ascensão do partido nazista em primeira mão e comentar esses eventos, relacionados ao presente em que se encontrava (e ao futuro que ela antecipava), Arendt conduziu investigações filosóficas que descreveram em detalhes terríveis o cenário do totalitarismo e ofereceram ferramentas para a organização humana futura em busca de liberdade real. Ela considerava os Estados Unidos a fonte de maiores chances para a liberdade e para a democracia no mundo do pós-guerra. Das duas grandes revoluções provocadas pelo Iluminismo – a Revolução Francesa e a Revolução Americana (1775-83) –, a americana era superior por conta de sua constituição escrita, com sua garantia de liberdades civis.

> Perdoar... é a única reação que não apenas re-age, mas age nova e inesperadamente, incondicionada pelo ato que a provocou, libertando de suas consequências, assim, tanto aquele que perdoa quanto o que é perdoado.
>
> Hannah Arendt, *A condição humana* (1958)

> Arendt, que escapou do Holocausto, desenvolve em *A condição humana* os grandes contornos de uma filosofia do ser capaz de começar. E esta filosofia em particular carrega um traço de seu amor por Heidegger. Nos dias em que ele costumava subir até seu sótão em Marburg, ele estava trabalhando em sua filosofia do ganho de autenticidade por meio da "antecipação da morte". Ela, tendo escapado da morte, responde, da maneira complementar dos amantes, com uma filosofia da capacidade de começar.
>
> Rüdiger Safranski, *Martin Heidegger: Entre o bem e o mal* (1998)

40

Simone de Beauvoir

9 de janeiro de 1908 – 14 de abril de 1986

Filósofa e romancista francesa que trabalhou na tradição fenomenológico-existencialista e cujo livro O segundo sexo tornou-se o texto fundador da segunda onda do feminismo.

Simone de Beauvoir estabeleceu a agenda para o movimento feminista dos anos 1960 e 1970 com *O segundo sexo* (1949), no qual ela afirmava que "não se nasce uma mulher, torna-se uma". Em outras palavras, uma mulher é um construto social. Ela pertence a uma classe de outros reificados, desprovidos de subjetividade e existindo, literalmente, para o prazer dos homens. Mas Beauvoir não foi somente uma cronista revolucionária do lugar da mulher no mundo. Ela foi uma filósofa por seus próprios méritos, cujas contribuições somente foram valorizadas por uma profissão dominada por homens após sua morte. (E apenas, pode-se acrescentar, por conta da influência crescente das mulheres na academia resultante da publicação de *O segundo sexo*.)

Em *Pirro e Cíneas* (1944) e *A ética da ambiguidade* (1947), Beauvoir desenvolveu temas existencialistas originais que foram considerados interligados aos de seu parceiro por toda a vida, Jean-Paul Sartre. Embora se credite amplamente a Sartre a disseminação das ideias de Martin Heidegger para um público amplo na Europa e nos Estados Unidos, ele reconhecia privadamente que Beauvoir tinha um conhecimento mais claro e profundo do heideggerianismo. Em seus romances, sobretudo *Ela veio para ficar* (1943) e *Todos os homens são mortais* (1946), Beauvoir explorou temas existencialistas no contexto de vidas vividas por seus colegas, amigos e amantes. Em 1945, ela cofundou , junto com Sartre e Maurice Merleau-Ponty (1908-61), a revista filosófica e literária *Les temps modernes*.

Beauvoir nasceu em uma sólida família burguesa de Paris que estava passando por tempos difíceis. Seu pai a encorajava a ler, e sua mãe devotamente católica enviou Simone a uma escola cristã para meninas. De fato, Beauvoir era extremamente devota e desejava, inclusive, tornar-se freira, até que, aos quatorze anos de idade, abandonou a religião e se tornou ateísta. Sua vida e obra não podem ser entendidas fora do contexto de sua existência compartilhada com Sartre, com quem ela formou uma relação para toda a vida baseada no amor "necessário" entre ambos, com a concordância de que cada um deles podia adquirir amantes "contingentes". Como alunos da École Normale Supérieure, eles terminaram em primeiro e segundo lugar na *agrégation* de filosofia, em 1927 (a *agrégation* é um teste de serviço civil que qualifica candidatos bem-sucedidos para dar aulas em liceus como *professeurs agrégés*). Embora Sartre tenha terminado em primeiro, Beauvoir, aos 21 anos de idade, conquistou a distinção de tornar-se a mais nova *professeur agrégé* na história da França.

Sartre, Beauvoir e Heidegger

Juntos, Beauvoir e Sartre liam Søren Kierkegaard, Edmund Husserl e o *Ser e tempo* (1927), de Heidegger. A influência de Heidegger em Sartre é bem conhecida, e *O ser e o nada* (1943) é, em parte, resultado do entendimento de Sartre dos temas principais de *Ser e tempo*. Mas Beauvoir também leu Heidegger a fundo e explorou sua ideia de "desvelamento" em *A ética da ambiguidade*. Por revelação, Heidegger se referia ao momento autêntico da autorrevelação do *Dasein*. *Dasein*, que significa 'existência' no uso comum do alemão, é empregado por Heidegger para se referir à condição humana de ser. A autorrevelação que *Dasein* experimenta no desvelamento é a abertura para todas as possibilidades humanas, incluindo a morte. De fato, é a morte que dá urgência e autenticidade ao *Dasein* por meio do desvelamento. Em *O ser e o nada*, Sartre havia caracterizado o homem como uma "paixão inútil". Beauvoir encontrou na noção heideggeriana de desvelamento um reconhecimento de um ser humano e do Outro como livres e agora abertos para experimentar a "alegria da existência". Seu existencialismo, portanto, é mais otimista que o de Sartre, e seus pensamentos sobre esse princípio básico do existencialismo são elaborados em *Pirro e Cíneas*.

Ao longo de sua vida compartilhada, Beauvoir prestaria auxílio a Sartre, tendo mais de uma vez escrito artigos que foram publicados com o nome dele quando ele era incapaz de cumprir um prazo devido ao álcool ou às drogas. Durante a ocupação nazista de Paris, era Beauvoir quem encontrava comida, cozinhava e alimentava a família estendida de amantes mútuos e amigos que viviam desconfortavelmente no Hôtel Mistral, em Montparnasse. Apesar de sua rejeição inicial do catolicismo romano e dos valores burgueses, do entendimento de Beauvoir de que a mulher não nascia, mas era construída como um construto social, e de sua crença radical na ideia de que se podia fazer o próprio mundo por escolha – apesar de tudo isso –, ela ainda se encontrava em um estado de Alteridade que não se aplicava aos homens poderosos a quem era ligada. Esse estado reduzido se aplicava a ela e a todas as mulheres.

O segundo sexo e sua influência

Em *O segundo sexo*, Beauvoir combinou seu domínio do método fenomenológico de Husserl com a compreensão de Heidegger de *Dasein* para criar um relato histórico e filosófico da mulher. Ela foi atraída pela declaração do seu amigo Maurice Merleau-Ponty, em seu *Fenomenologia da percepção* (1945), de que "o homem é uma ideia histórica". Entre as ferramentas teóricas que ela utilizou, estavam o conceito de dialética mestre/escravo desenvolvido por Hegel e uma análise baseada em suas leituras do primeiro Karl Marx, que a levou a concluir que, em virtude de sua capacidade reprodutiva e de sua exclusão da produção e economia, e por conta de seu papel como mães e esposas, as mulheres estavam reduzidas a um estado de absoluta Alteridade.

Na França, O segundo sexo foi recebido com repulsa, e Beauvoir foi castigada como uma destruidora do tecido social, porque ela rejeitava o casamento e a maternidade e defendia que as mulheres eram livres para escolher suas vidas (incluindo o direito ao aborto). Ela foi alvo de mensagens de ódio e ameaças, cuja violência a surpreendeu. Mas quando foi traduzido para o inglês, em 1963, *O segundo sexo* se tornou o texto inspirador da segunda onda de feminismo, sobretudo nos Estados Unidos, onde *A mística feminina* (1963), de Betty Friedan (1921-2006), miraria a situação da dona de casa suburbana, cuja posição Beauvoir considerou tão terrível em sua primeira viagem aos Estados Unidos, em 1947.

Dois outros textos importantes da segunda onda do feminismo que deveram muito a *O segundo sexo* foram *Política sexual* (1970), de Kate Millett (1934-), e *A mulher eunuco* (1970), de Germaine Greer (1939-). *Política Sexual* examina a história do patriarcado e o papel das mulheres segundo retratado na literatura, particularmente na obra de D. H. Lawrence (1885-1930), Henry Miller (1891-1980) e Norman Mailer (1923-2007). Em *A mulher eunuco*, Greer, como Friedan, foca na família nuclear suburbana. Ela conclui que sua organização é repressiva, transformando as mulheres em "eunucos". Mais tarde, feministas da terceira onda, como Bell Hooks (1952-) e Maxine Hong Kingston (1940-), argumentariam que a perspectiva de classe média alta das feministas de segunda onda ignorou mulheres negras e questões de diversidade.

O feminismo europeu, depois de Beauvoir, tendeu a ter um aspecto marxista que não esteve presente no movimento americano. Na França, Beauvoir é reverenciada por feministas contemporâneas, mesmo que o existencialismo do qual ela era uma expoente central, junto com Sartre e Merleau-Ponty, tenha dado o lugar de discurso dominante da vida intelectual, depois de 1970, ao estruturalismo e pós-estruturalismo. Ainda assim, feministas pós-estruturalistas como Julia Kristeva, Luce Irigaray e Hélène Cixous reconhecem sua dívida com Beauvoir.

O romance como filosofia

Beauvoir foi uma romancista prolífica, mas pode-se argumentar que seus romances são ao mesmo tempo obras de literatura e trabalhos filosóficos preenchidos por personagens. Em seu primeiro romance, *Ela veio para fi-*

car, ela criou personagens velados para explorar um evento real: o efeito que teve sobre a relação entre Beauvoir e Sartre a experiência de um *ménage à trois* (na verdade, um ménage à quatre), quando se juntaram a eles a jovem aluna de Beauvoir, Olga Kosakiewicz, e, depois, a irmã de Olga, Wanda. Nesse romance, Beauvoir desenvolveu os conceitos do "Olhar" e do "Outro" para definir o sujeito em relação com outros sujeitos: dois temas que seriam cruciais em *O ser e o nada*, de Sartre. Beauvoir venceu o Prix Goncourt em 1954 por outro *roman à clef*, *Os mandarins*. Foi dedicado ao romancista americano Nelson Algren, com quem ela tinha um caso.

Questões de autenticidade

Beauvoir publicou cinco volumes de autobiografia, começando com *Memórias de uma moça bem comportada* (1958), assim como uma memória de Sartre, *A cerimônia do adeus* (1981), ambos saudados como obras de honesto autoexame. Após sua morte, no entanto, começaram a surgir evidências de que o comprometimento público de Beauvoir com a autenticidade mascarava ações e comportamentos privados que poderiam ser considerados inautênticos. Ela foi criticada por ter cedido à exigência do governo de Vichy de que todos os professores escolares assinassem um certificado declarando não serem judeus nem maçons e por ter aceitado trabalho na Radiodiffusion Nationale, controlada pelos nazistas, como produtora de programas de rádio (um cargo que Sartre conseguiu para ela por meio da intervenção do colaboracionista René Delange, que editava o *Comedia*, um jornal para o qual Sartre escrevia e que era publicado com o apoio do Instituto Alemão em Paris).

Com o dinheiro que ganharam, Beauvoir e Sartre puderam se mudar para quartos maiores no Hôtel La Louisiane, em Saint-Germain-des-Prés. É difícil, de uma distância de 70 anos – e sem uma experiência pessoal de ocupação inimiga –, julgar os limites obscuros entre colaboração e resistência, ou entender completamente a realidade da sobrevivência sob tais circunstâncias. A questão que se levanta é a seguinte: como escritores, Beauvoir e Sartre deveriam ter se mantido em silêncio? Ou suas ações se justificavam porque eles "usavam" os organismos de publicação controlados por nazistas (editoras de jornais e livros), assim como o teatro e o rádio, para seus próprios propósitos "autênticos"?

Quaisquer que sejam as respostas para essas perguntas, uma questão que leitores contemporâneos acham difícil aceitar é a revelação de que Beauvoir mantinha relações sexuais com várias de suas alunas adolescentes. Uma garota, Nathalie Sorokine, foi seduzida por Beauvoir e depois por Sartre e seu amigo Jacques-Laurent Bost (que era também um dos amantes de Beauvoir). A mãe de Sorokine processou Beauvoir, mas o caso foi encerrado depois de uma audiência em que Bost e Sartre negaram seus casos com Sorokine e também que Beauvoir mantivesse relações sexuais com mulheres. Em um contexto mais amplo, Beauvoir é criticada por se unir a Sartre em seu contínuo apoio à União Soviética, mesmo quando ambos sabiam dos assassinatos e *gulags* de Stálin.

> Um homem nunca se colocaria a escrever um livro a respeito da situação peculiar do humano masculino. Mas, se eu desejo me definir, preciso dizer em primeiro lugar: "Sou uma mulher"; sobre esta verdade deve estar baseada toda discussão que se seguir.
>
> Simone de Beauvoir, *O segundo sexo* (1949)

> Houve um sucesso indiscutível em minha vida: minha relação com Sartre. Em mais de trinta anos, apenas uma noite fomos dormir separados.
>
> Simone de Beauvoir, *Hard Times* [Tempos difíceis] (1963)

> A força de sua [de Beauvoir] teoria da alienação como elemento da diferença sexual não vem apenas do fato de que consegue sugerir – embora de modo ligeiramente imperfeito – que estruturas de poder patriarcal funcionam na própria construção da subjetividade feminina, mas também da sua tentativa de mostrar exatamente *como* esse processo acontece. Há um esforço admirável aqui de desenvolver um entendimento inteiramente *social* da subjetividade. A principal falha da sua análise continua sendo a ausência de qualquer discussão real sobre a relação entre o anatômico e o social.
>
> Toril Moi, Simone de Beauvoir*: The Making of an Intellectual Woman* [Simone de Beauvoir: a criação de uma intelectual] (2008)

41

Ferdinand de Saussure

26 de novembro de 1857 – 22 de fevereiro de 1922

Linguista suíço que foi o pai do estruturalismo e que mostrou que a linguagem é um sistema, e não um conjunto de palavras e definições.

Ferdinand de Saussure foi um professor de linguística suíço retraído que mudou nossa compreensão da linguagem e do significado. Sua descoberta aparentemente simples – de que a linguagem não é um conjunto de palavras fixas com significados amplamente inequívocos, mas sim um sistema de signos no qual a ligação entre o significante e o significado é sempre arbitrária – deu origem à disciplina do estruturalismo. Suas ideias radicais foram publicadas postumamente em *Curso de linguística geral* (1916), que o francês Charles Bally (1865-1974) e seu colega suíço, Albert Sechehaye (1870-1946), editaram a partir de anotações de aula feitas pelos alunos de Saussure.

A erosão da certeza do significado fixo na linguagem levou a uma reavaliação de suposições convencionais da epistemologia e da ontologia. O estruturalismo também provou ser uma ferramenta excepcionalmente útil em atividades dependentes da linguagem tais como psicanálise e teoria literária; mas uma extrapolação do método de Saussure significava que a metáfora de uma *linguagem* podia ser aplicada virtualmente a qualquer investigação, dando-nos, assim, conceitos como a "gramática do cinema" para falar sobre a operação de narrativas nesse meio. A concepção de Saussure da linguagem como um sistema forneceu um modelo para dois importantes inovadores: o antropólogo Claude Lévi-Strauss e Roland Barthes, um estruturalista que enxergava todo o mundo como um "texto".

Da linguística comparativa à reconstrução interna

Saussure nasceu em Genebra e, na universidade, estudou sânscrito e linguística comparativa. Estudou nas universidades de Genebra, Paris, Berlim e Leipzig – sendo a última o centro do movimento neogramático, que estudava como mudanças no som da linguagem afetam todas as outras palavras em torno. (O exemplo de Saussure é a palavra francesa *nu*, que em português se escreve também "nu" e tem o mesmo significado, mas que em francês soa também como *nous*, que significa "nós".) Em Leipzig, Saussure foi orientado pelo linguista alemão Karl Brugmann (1849-1919) e pelo linguista holandês Karl Verner (1846-96). Saussure deu aulas por nove anos na França, na École Pratique des Hautes Études, até que aceitou um cargo de professor na Universidade de Genebra em 1891. Sua principal área de ensino era o sânscrito e as línguas indo-europeias, e, durante sua vida, foi conhecido por uma publicação altamente técnica: *Memória sobre o sistema primitivo de vogais nas línguas indo-europeias* (1878). A importância deste trabalho – que seria obscuro de outro modo – é o avanço que proporcionou ao estudo da *linguística comparativa* (a comparação de línguas para se determinar como elas estão relacionadas historicamente) para uma técnica de *reconstrução interna*, que explicava como mudanças sonoras primitivas em uma língua podem explicar aparentes irregularidades gramaticais. A publicação escassa de Saussure em nada diminui sua imponente influência. A linguista Anna Morpurgo Davies afirma que *Memória* "está repleto de riquezas inacreditáveis – cuja maior parte, algumas vezes em forma alterada, tornou-se parte do que agora encontramos em nossos manuais básicos; algumas delas ainda aguardam serem redescobertas".

A linguística estrutural de Saussure

Saussure leva adiante nossa compreensão da linguagem ao propor uma série de dualidades; a primeira se dá entre o *significante* e o *significado*, que juntos compõem um *signo*. Um significante é uma palavra (um som, representado pelos caracteres de um alfabeto ou outro sistema de signos) que usamos para nos referirmos a um significado, que é o conceito ou sentido indicado pelo significante: um livro, por exemplo. A ligação entre significante e significado é arbitrária, não tendo um sentido absoluto. Os sentidos dos signos são alcançados pela concordância da sociedade. Assim, um pato é chamado de "pato", e não de "fomgrat" (embora pudesse ser chamado de "fomgrat" se tal uso se tornasse comum). Para Saussure, a linguagem é "um sistema de signos que expressam ideias". O sentido surge da relação entre significante e significado, que são os dois componentes essenciais do signo.

A segunda dualidade, para Saussure, é entre *langue* e *parole*. *Langue* é linguagem como um sistema de signos, enquanto *parole* se refere a atos da fala, o enunciado individual da linguagem. Mas a linguagem evolui a partir dos atos da fala dos indivíduos ao longo do tempo, o que conduz a uma terceira dualidade saussuriana: a que ele chamou de linguística *sincrônica* e *diacrônica*. Linguística sincrônica olha para a linguagem como algo fixo em um ponto do tempo. A linguística diacrônica estuda atos da fala (*parole*) para saber como a linguagem evolui no tempo por meio da fala.

Saussure continua se concentrando em dualidades quando diz que "fenômenos linguísticos sempre apresentam duas facetas complementares, cada uma delas dependente da outra". A primeira complementaridade tem a ver com produção de som: o ouvido recebe os sons da linguagem que são produzidos pelos órgãos vocais. Uma complementaridade surge entre ouvido e cordas vocais. Em consequência, "não se pode equiparar a linguagem simplesmente com o que o ouvido escuta. Não se pode separar o que é ouvido da articulação oral." Sons, portanto, são parte do sistema de linguagem; entretanto, "sons da fala são apenas o instrumento do pensamento e não possuem existência independente". Percebe-se, a partir daí, que a estrutura da linguagem é formada pela unidade "auditivo-articulatória", que se combina com uma ideia para constituir uma unidade que agora é fisiológica e psicologicamente complexa. Esses sons e ideias adquirem ainda uma outra complementaridade, que consiste em seus aspectos individuais e sociais, em que "um não é concebível sem o outro", como diz Saussure. O quarto aspecto da linguagem é seu caráter histórico. A linguagem não é algo "fixo", mas sim um sistema que se contorce e escapa por nossas mãos ao tentarmos capturá-lo. Isto porque "linguagem, em qualquer momento dado, envolve um sistema estabelecido e uma evolução"; ela é mutável, proteiforme, existindo no presente enquanto é informada pelo passado.

O estruturalismo como ferramenta metodológica: Claude Lévi-Strauss

A descoberta de Saussure de que a linguagem é um sistema de signos levou outros pesquisadores a perceberem que sistemas, em vez de linguagem, seriam apropriados para o método de pesquisa estruturalista. O trabalho antropológico *Tristes trópicos* (1955), de Lévi-Strauss, esteve entre os primeiros a aplicar o estruturalismo como ferramenta metodológica em um campo diferente da linguística. Ele experimentou sua utilidade geral ao aplicá-lo ao problema do "pensamento selvagem", descobrindo que a mente selvagem utiliza os mesmos processos de raciocínio da mente "civilizada". Ele tomou emprestados os conceitos de Saussure de *langue* e *parole* para traçar a teoria da antropologia estruturalista, ao mesmo tempo em que a praticava. Lévi-Strauss desenvolveu o método estruturalista em *Antropologia estrutural* (1958) e o aplicou em *O pensamento selvagem* (1962), *O cru e o cozido* (1964) e *A origem dos modos à mesa* (1968).

O desenvolvimento do estruturalismo e depois do pós-estruturalismo – que começou com Roland Barthes, foi acelerado pelo psicanalista francês Jacques Lacan e encontrou sua expressão última na obra de Jacques Derrida – interrompeu a tendência existencialista na França do modo como fora caracterizada por Jean-Paul Sartre e Simone de Beauvoir e forneceu o ímpeto para incontáveis – ainda que nem sempre convincentes ou totalmente inteligíveis – tentativas de reduzir o mundo a sistemas de signos.

> Linguagens são conhecidas por nós quase sempre pela escrita. Mesmo no caso de nossa língua nativa, a forma escrita frequentemente se intromete. No caso das línguas faladas em partes remotas, é ainda mais necessário dispor do recurso da evidência escrita. O mesmo é verdade, por razões óbvias, no caso de linguagens já mortas. De modo a ter evidências diretas disponíveis, teria sido necessário compilar ao longo da história coleções... contendo gravações de amostras faladas de todas as línguas. Ainda assim, a escrita é necessária quando se deseja publicar os textos assim registrados.
>
> Ferdinand de Saussure, *Curso de linguística geral* (1916)

> O que chamamos de estruturalismo no campo da linguística ou da antropologia, ou em campos similares, não é nada senão uma imitação muito pálida e frágil do que as *hard sciences* [ciências duras], como acredito que sejam chamadas em inglês, têm feito todo o tempo.
>
> Claude Lévi-Strauss, *Mito e significado* (1978)

> O que Saussure quer dizer com a natureza arbitrária do signo? Em um sentido, a resposta é bastante simples. Não existe nenhuma ligação natural ou inevitável entre o significante e o significado. Uma vez que eu falo inglês, posso usar o significante representado por *dog* [cachorro] para falar de um animal de uma espécie particular, mas esta sequência de sons não é mais adequada para tal propósito que uma outra sequência qualquer. *Lod*, *tet* ou *bloop* serviriam igualmente bem se fossem aceitas pelos membros da minha comunidade de falantes. Não existe nenhuma razão intrínseca pela qual um desses significantes, e não outro, deveria estar ligado ao conceito de cachorro.
>
> Jonathan Culler, *Ferdinand de Saussure* (1976)

42

A. J. Ayer

29 de outubro de 1910 – 27 de junho de 1989

Propagador britânico do positivismo lógico que defendia o princípio de verificação para identificar o significado na linguagem e afirmava que toda metafísica é sem sentido, incluindo qualquer discussão a respeito de Deus.

Alfred Jules Ayer tomou o positivismo lógico de Rudolf Carnap (1891-1970) e o refinou em uma forma extremamente clara no livro *Linguagem, verdade e lógica* (1936), uma obra clássica de filosofia analítica e possivelmente o texto mais vendido até hoje por um filósofo britânico. Um empirista radical, na tradição de David Hume, Ayer transformou o positivismo lógico e o princípio da verificação em uma força dominante no mundo de língua inglesa durante a segunda metade do século XX. Ele reverenciava Bertrand Russell e tomou seu lugar como "o maior filósofo da Grã-Bretanha" – ou pelo menos seu filósofo mais conhecido. Ferozmente competitivo e combativo, Ayer estava frequentemente na mídia, desafiando todos os que se envolvessem em questões filosóficas ou políticas. Era um homem de esquerda e um ateísta por toda a vida; gostava particularmente de debates a respeito da existência de Deus e teve enfrentamentos famosos com o historiador de filosofia e padre jesuíta Frederick Copleston (1907-94).

Ayer estabeleceu uma escola em torno de suas ideias ao assumir o moribundo departamento de filosofia da University College, em Londres, onde foi professor da Cátedra de Filosofia da Mente e Lógica (1946-59). Sua relação com a Universidade de Oxford foi complicada por ele ter irritado seus tutores enquanto estudante de graduação ao ser o primeiro a escrever sobre Ludwig Wittgenstein, cujas ideias não eram bem-vindas, ainda mais porque vinham da Universidade de Cambridge; mas, em 1959, Ayer sucedeu a H. H. Price como professor Wykeham de lógica em Oxford.

Ateísmo militante

A mãe de Ayer, Reine Citroën, era uma judia holandesa cujo tio fundou a fabricante de carros Citroën na França. Seu pai, Jules Ayer, era um suíço calvinista francófono e um financista empregado da família Rothschild. A educação de Ayer foi bastante solitária e, em Eton, ele tratava professores e alunos da mesma maneira, com sua língua afiada e com o que o também filósofo Anthony Quinton chamou de seu "ateísmo militante". (Quinton disse sobre Ayer: "ele foi um filósofo de religião somente no sentido de que um dinamitista é um arquiteto".) Precocemente intelectual, Ayer ganhou uma bolsa de Estudos Clássicos para a Christ Church, em Oxford, onde foi orientado por Gilbert Ryle.

Positivismo lógico: Ayer e o Círculo de Viena

Ayer considerava que a filosofia britânica teve início com George Berkeley e David Hume, antes de ser refinada por Bertrand Russell e os analíticos. O pensamento do próprio Ayer a respeito da filosofia começou com suas leituras de Russell. Ele foi influenciado também por Ludwig Wittgenstein, G. E. Moore, Rudolf Carnap, H. H. Price, Gilbert Ryle e W. V. Quine. Ele desenvolveu uma abordagem fortemente redutiva e empírica da filosofia (e de tudo mais, na verdade). Esse foco o conduziu ao positivismo lógico do Círculo de Viena, cujos integrantes principais incluíam Moritz Schlick e Carnap. Ayer viajou para Viena em 1932, e Schlick foi particularmente generoso ao recebê-lo no grupo. Embora

Schlick fosse o fundador do Círculo de Viena, Carnap é seu integrante lembrado com mais frequência, e também aquele que exerceu maior influência sobre Ayer; tanta, que o primeiro e mais famoso livro de Ayer, *Linguagem, verdade e lógica*, é essencialmente uma reorganização das ideias de Carnap sobre verificação. O princípio de verificação afirma que o significado de uma proposição deve poder ser demonstrado empiricamente ou por tautologia lógica. Eu posso verificar a afirmação de que minha mesa mede 1,8 metro por 1,2 metro com o uso de uma fita métrica. Uma afirmação logicamente tautológica é aquela que é válida ou verdadeira em qualquer interpretação. O positivismo lógico de Carnap e do Círculo de Viena entendia todo o conhecimento como rigidamente empírico – ou experimental – e que o método correto para entender o conhecimento empírico era a lógica simbólica.

Um elo crucial entre a escola analítica e os positivistas lógicos foi Ludwig Wittgenstein, ele próprio um austríaco que decidiu lançar sua sorte com Russell e o grupo de filósofos analíticos de Cambridge, que incluía G. E. Moore. Por um breve período entre as guerras mundiais, Wittgenstein se juntava a discussões do Círculo de Viena – ocasiões em que Schlick se mostrava muito ansioso para gravar e transcrever as observações de Wittgenstein. Por fim, Wittgenstein se afastou do grupo, depois de começar a desconfiar de Schlick. Wittgenstein, mais tarde, passaria a ter Ayer em baixa conta, observando que "ele tem algo a dizer, mas é incrivelmente superficial". Anthony Quinton, com mais indulgência, observou: "Havia certa estreiteza na mente de Ayer que a tornava agudamente focada e contribuía para sua força".

Linguagem, verdade e lógica

Linguagem, verdade e lógica é um livro admiravelmente conciso que tem em vista dois objetivos contraditórios ao mesmo tempo: ele parece descrever o sujeito em mãos com transparência e, simultaneamente, fazer julgamentos sobre ele. Então, ao descrever seu método de examinar premissas, Ayer deixa claro ao mesmo tempo que metafísica é território inimigo e que filósofos que se ocupam de metafísica são os inimigos. Ele oferece dicas úteis para lidar com metafísicos, tais como: "Uma maneira de atacar um metafísico que alegou ter conhecimento de uma realidade que transcendia o mundo dos fenômenos seria inquirir a partir de quais premissas suas proposições foram deduzidas".

Carnap sustentava que "as sentenças da metafísica são pseudossentenças que, em uma análise lógica, provam ser frases vazias ou frases que violam as regras da sintaxe. Dos chamados problemas filosóficos, as únicas questões que carregam algum significado são aquelas da lógica da ciência. Compartilhar essa visão é substituir a sintaxe lógica por filosofia." O objetivo de Carnap era simplificar a filosofia, restringindo sua amplitude ao remover a metafísica, a ética e a teologia de seu alcance. Ayer leva essa posição um pouco adiante para alegar que não existe mais nenhuma necessidade de escolas filosóficas conflitantes. De fato, defende ele, nunca houve escolas conflitantes. A crença de que houve consistiu simplesmente no erro de não se entender a lógica e o papel da linguagem. O objetivo de Ayer em *Linguagem, verdade e lógica* é anunciar o fim da filosofia: "Consequentemente, mantenho que não existe nada na natureza da filosofia que garanta a existência de 'escolas' filosóficas conflitantes. E tenciono substanciar isso fornecendo uma solução definitiva aos problemas que constituíram as principais fontes de controvérsia entre filósofos do passado." Um diretor de escola descontente, em Winchester, que considerava *Linguagem, verdade e lógica* uma influência ruim para mentes jovens teria brandido o livro através de uma janela aberta, gritando para Ayer: "O que vem depois?" E Ayer teria respondido a ele: "Não tem depois. A filosofia chegou ao fim. Acabou."

O método empregado por Ayer em sua tentativa de limitar a amplitude do alcance da filosofia foi a utilização do princípio de verificação como uma espécie de herbicida, com o qual planejava limpar o solo para o que ele considerava uma pesquisa filosófica adequada. O primeiro passo era eliminar a metafísica: "Até mesmo as declarações do metafísico que tenta expor uma visão são literalmente sem sentido; então, que de agora em diante possamos perseguir nossas pesquisas filosóficas com tão pouca consideração por eles quanto pelo tipo mais inglório de metafísica que vem de um fracasso em compreender o funcionamento da nossa linguagem." Para Ayer, aquilo que é metafísico nunca pode ser verificado e, portanto, deve ser extirpado do estudo da filosofia. "Descobrir-se-á que grande parte do que passa normalmente por filosofia é metafísico de acordo com esse critério e, particularmente, que não pode ser afirmado significativamente que existe um mundo de valores não empírico, ou que os homens possuem almas imortais ou que existe um Deus transcendental".

Ayer pode ser visto como um pensador cujo gênio reside na forma como ele combina e expressa ideias, e não na concepção de ideias originais. A prosa de Ayer é extremamente escassa, e esta economia empresta a suas declarações um ar de autoridade. Definindo a filosofia, por exemplo, Ayer afirma que a função de um filósofo é "esclarecer as proposições da ciência por meio da exibição de suas relações lógicas e da definição dos símbolos que nelas ocorrem". Ayer nutriu-se amplamente das ideias de Carnap para fazer essas formulações. "A filosofia deve ser substituída pela lógica da ciência", escreveu Carnap em *A sintaxe lógica da linguagem* (1934). Anthony Quinton observou que há pouco de original no pensamento de Ayer, mas que seu caráter derivativo em nada diminui sua força.

Ayer – um filósofo extremamente público

Ayer foi um palestrante brilhante e uma celebridade cosmopolita, assim como filósofo e professor universitário. Ele era um bom dançarino e tinha a reputação de querer ser um sapateador profissional quando criança, uma ambição que foi destruída quando viu Fred Astaire dançando e percebeu que nunca poderia ser tão bom quanto ele. Ele era também um inveterado festeiro e mulherengo.

Uma de suas quatro esposas (três, na verdade, já que ele se casou duas vezes com a mesma) observou que Ayer jogava com as mulheres do modo como outros homens jogam golfe. O biógrafo dele, Ben Rogers, relata como o cargo de Professor Wykeham em Lógica, de Oxford, atingiu seu pico de notoriedade em 1987, quando Ayer, em uma festa repleta de modelos em Nova York, respondeu ao grito de uma mulher em um quarto adjacente. Lá, ele encontrou o boxeador Mike Tyson segurando a então desconhecida modelo Naomi Campbell. Ayer, um homem pequeno mas corajoso, desafiou Tyson.

"Você sabe quem eu sou, porra?", respondeu Tyson. "Eu sou o campeão mundial dos pesos-pesados."

"E eu sou o ex-Professor Wykeham de Lógica", disse Ayer. "Ambos somos proeminentes em nossos campos. Eu sugiro que conversemos sobre isso como homens racionais."

Em certo sentido, Ayer foi a resposta da Inglaterra a Jean-Paul Sartre. Isto porque ele foi o primeiro – e, até hoje, o único – filósofo superstar do país. A França, por outro lado, teve muitos: Claude Lévi-Strauss, Roland Barthes, Michel Foucault e Jacques Derrida, para citar apenas alguns. Apesar de sua descendência francesa e suíça, Ayer se opunha fortemente à filosofia continental, especialmente à vertente francesa. Ele passou algum tempo durante a Segunda Guerra Mundial (1939-45) trabalhando para a inteligência militar na França, onde veio a detestar o existencialismo, particularmente em sua forma sartreana. Em uma crítica ao livro *O ser e o nada* (1943), de 1945, Ayer concluiu que o conceito de ser não tinha sentido, assim como o conceito de nada. Ele rejeitou a filosofia de Sartre e dos demais existencialistas, considerando-a a arte de usar erroneamente o verbo "ser".

A questão de Deus reexaminada

Os últimos dias de Ayer foram marcados por um acontecimento peculiar que levou a especulações de que ele poderia ter revisado sua visão a respeito da existência de Deus. Enquanto era tratado de uma pneumonia em um hospital, em 1988, Ayer engasgou com um pedaço de salmão defumado e ficou, segundo os médicos, clinicamente morto por quatro minutos. Ele fez diversos relatos sobre essa experiência, que foram publicados na imprensa popular por algumas semanas. Ele contou no *Daily Telegraph* como havia sido "confrontado por uma luz vermelha... Consciente de que essa luz era responsável pelo governo do universo. Entre seus ministros, estavam duas criaturas que tinham sido encarregadas do espaço". Essas "experiências" podem ter sido influenciadas pelo fato de que, logo antes desse acontecimento, Ayer estava lendo *Uma breve história do tempo* (1988), de Stephen Hawking. Embora Ayer tenha feito diversos relatos de sua experiência para os jornais, seu médico Dr. Jeremy George, do Hospital Middlesex, contou que Ayer lhe disse: "Eu vi um Ser Divino. Temo que precisarei revisar todos os meus diversos livros e opiniões." Se este relato é verdadeiro, Ayer se vê na companhia de seu mais detestado contemporâneo, Jean-Paul Sartre, que também experimentou um abandono do ateísmo no leito de morte.

O legado filosófico de Ayer é escasso, embora o volume de histórias sobre ele seja grande o suficiente para mantê-lo nas mentes do público pelo menos enquanto seus alunos estiverem vivos. Ayer trabalhou com vigor pelo fim da filosofia, e provavelmente é justo dizer que ele esgotou o campo estreito que buscou explorar.

> A natureza do problema da essência está intimamente ligada ao conceito de uma relação *essencial*, ou seja, aquela que liga os membros de uma relação "essencialmente", ou "realmente", ou "de verdade", em contraposição à relação tomada como mera correlação, que apenas aponta os membros assim correlacionados... O problema das relações essenciais, assim como o problema da essência de uma relação, não pode, dentro da ciência (racional), ser resolvido ou mesmo proposto. Ele pertence à metafísica.
>
> Rudolf Carnap, *A estrutura lógica do mundo e pseudoproblemas na filosofia* (1928)

> O que é importante para nós é perceber que até mesmo as declarações do metafísico que tenta expor uma visão são literalmente sem sentido; então, que de agora em diante possamos perseguir nossas pesquisas filosóficas com tão pouca consideração por eles quanto pelo tipo mais inglório de metafísica que vem de um fracasso em compreender o funcionamento da nossa linguagem.
>
> A. J. Ayer, *Linguagem, verdade e lógica* (1946)

> Eu sou profundamente grato pelo que aprendi nos seminários de Freddie [Ayer]. Vejo que adquiri neles quaisquer habilidades dialéticas

que eu possua. Mas se for descontado o alto astral, esta pode parecer uma escola vazia. Foi ótimo ser um filósofo, mas terá sido a filosofia, desfalcada de sua realização final, uma ótima coisa? Sempre que a discussão de segunda-feira atingia determinado ponto, ouvíamos: "E aqui entregamos as coisas para o cientista ou para o historiador ou o psicólogo". Esse ponto frequentemente coincidia com o momento em que a discussão se tornava interessante, e, por vezes, o sacrifício parecia difícil, enquanto a recompensa – aquilo com que podíamos contar – parecia cada vez menor. Houve noites em que, ao acordar, amaldiçoei a filosofia.

Richard Wollheim, *Ayer: The Man, The Philosopher, The Teacher* [Ayer: o homem, o filósofo, o professor] (1991)

43

Willard Van Orman Quine

25 de junho de 1908 – 25 de dezembro de 2000

Filósofo analítico americano cuja visão científica da filosofia foi além do positivismo lógico e lhe possibilitou o desenvolvimento de uma abordagem holística do conhecimento.

Quine foi um filósofo de Harvard que rompeu com as ideias do Círculo de Viena, que reunia positivistas lógicos, para desenvolver uma abordagem analítica original da filosofia com o intuito de basear a filosofia na ciência. Para Quine, filosofia é ciência, e vice-versa; ele foi o mais proeminente defensor do cientificismo no século XX. Publicou duas obras que ampliaram o alcance da filosofia analítica, antes restrita a uma discussão estreita. No ensaio *Dois dogmas do empirismo* (1951), ele rejeitou a distinção entre proposições analíticas e sintéticas, que era central para o positivismo lógico, em favor de uma visão holística. Em *Palavra e objeto* (1960), Quine desenvolveu sua tese de "indeterminação da tradução", argumentando que não pode haver uma única "tradução" correta dos enunciados de um sujeito, mesmo dentro de seu próprio idioma. Se Ludwig Wittgenstein foi o mais influente filósofo analítico da primeira metade do século XX, Quine é seu sucessor na segunda metade.

Quine teve uma ligação que durou toda a vida com a Universidade de Harvard, lá defendendo sua tese e depois obtendo a Cátedra Edgar Pierce de Filosofia (1956-78). O orientador da sua tese foi A. N. Whitehead, coautor de *Principia Mathematica* (1910-13) junto com Russell, um texto fundador da filosofia analítica (e que tentou derivar regras aritméticas da lógica). Em 1932, Quine viajou para Viena, como havia feito seu contemporâneo A. J. Ayer, para participar de reuniões dos positivistas lógicos do Círculo de Viena. Como Ayer, Quine ficou impressionado com o trabalho de Rudolf Carnap, embora mais tarde ele fosse desafiar o princípio de verificação do filósofo. Na Europa, Quine conheceu ainda o lógico Alfred Tarski (1902-83). Ele conseguiu que Tarski, um judeu polonês, fosse convidado para uma conferência acadêmica em Harvard; o convite salvou a vida de Tarski, pois ele embarcou no último navio que deixou Gdansk antes da ocupação nazista na Polônia.

A influência de Otto Neurath

Embora Carnap tenha sido importante para Quine, o positivista lógico que exerceu a maior influência sobre ele foi o filósofo da ciência Otto Neurath (1882-1945). O naturalismo de Quine começou a tomar forma em Viena durante conversas com Neurath, que usava frequentemente a metáfora de um barco para descrever o trabalho da ciência. A ciência, ensinava ele, é como um barco no qual alterações precisam ser feitas enquanto ele está no mar; nunca há o conforto ou a segurança de se voltar à margem ou para a doca. Ele ensinava que os passageiros (que eram também seus capitães e engenheiros) eram filósofos e cientistas. Filosofia e ciência estão no mesmo barco; o trabalho de ambas é intercambiável. O filósofo de uma época herda um sistema de conhecimento divisado por seus predecessores e usa métodos científicos para desenvolver aquele sistema e modificá-lo de modo a atender a novas descobertas. Esta é a essência do cientificismo de Quine. Como judeu e socialista, Neurath foi forçado a fugir dos nazistas e finalmente conseguiu escapar para a Inglaterra, cruzando o Canal da Mancha em um barco aberto em companhia de outros refugiados.

Além do positivismo lógico: holismo e a indeterminação da tradução

Embora Quine fosse um empirista feroz, ele discordava da distinção feita pelos positivistas lógicos entre declarações analíticas e sintéticas, e também do seu reducionismo. Ele afirmava que tal distinção era uma questão de crença em oposição ao conhecimento e se referia a ela como os dois dogmas do empirismo – dogmas que eram não somente desnecessários para a filosofia, mas também errados. É aqui que reside a principal contribuição de Quine para o pensamento moderno.

A diferenciação entre declarações analíticas e sintéticas foi primeiramente proposta por Immanuel Kant e, mais tarde, adotada por Gottlob Frege e então pelos positivistas lógicos. Explicada de maneira simples, uma declaração analítica é aquela cuja verdade não depende da verificação por meio da experiência. Por exemplo: *um quadrado é uma figura geométrica de quatro lados*. Uma declaração ou proposição sintética, por outro lado, se refere ao que os filósofos denominam "estado de coisas". Por exemplo: *minha cadeira é azul*. O sujeito da sentença é "cadeira", e o predicado é "azul". "Azul", o predicado, fornece mais informação do que a que está contida na definição de "cadeira"; portanto, essa sentença é uma proposição sintética. Quine se opõe ao uso redutivo feito pelos positivistas lógicos da análise sentença-por-sentença porque, na verdade, essas sentenças não ocorrem isoladamente, mas como partes integrantes de um constructo mais amplo – por exemplo, uma teoria. A abordagem parcial (ou atomista) dos positivistas lógicos foi rejeitada por Quine em favor de uma abordagem holística.

O holismo de Quine está elegantemente expresso na tese Duhem-Quine. Pierre Duhem foi um físico e filósofo da ciência francês cujas ideias prenunciaram as de Quine, e, portanto, seu nome foi incluído no título da tese dele. A tese Duhem-Quine sustenta que hipóteses científicas não podem ser testadas em isolamento, porque outras hipóteses serão sempre necessárias para se tirar delas conclusões empíricas. Uma hipótese científica única é sempre mais complexa do que poderia parecer em princípio, porque ela carrega consigo certo volume de bagagem, de suposições de fundo. Todas elas entram em jogo em qualquer experimento científico ou pesquisa filosófica. Para Quine, hipóteses científicas devem ser entendidas e testadas em uma agregação contextual, como um todo.

A tese da indeterminação da tradução de Quine, elaborada primeiramente em *Palavra e objeto* (1960), pode ser vista como um desenvolvimento de sua abordagem holística. Essa tese sustenta que palavras e sentenças não possuem significados únicos, fixos, mas sim uma multiplicidade de significados dependentes do contexto em que se dão. No jargão do pós-estruturalismo, a linguagem é polissêmica; ela admite múltiplos significados. Neste sentido, pode parecer que Quine tem algo em comum com o filósofo pós-estruturalista Jacques Derrida. No entanto, quando a Universidade de Cambridge se propôs a conceder um grau honorário a Derrida em 1992, Quine fez parte de uma delegação de dezoito filósofos liderados pelo professor Barry Smith, editor de *The Monist*, que se opunham à honraria.

Tolerando a metafísica

As críticas de Quine ao empirismo lógico levaram a avanços cruciais na filosofia analítica. Ele ampliou seu campo de atuação – e o número de suas ferramentas – de modo a torná-la tolerante a algum pensamento metafísico. Ele até mesmo reconheceu que sua obra poderia ter um aspecto idealista. Não teria, entretanto, concordado com os pontos de vista metafísicos mais desenvolvidos de dois dos seus alunos mais conhecidos, Saul Kripke e David Lewis. A influência de Quine no pensamento filosófico, segundo medida por aqueles a quem ele orientou, é muito grande. Além de Kripke e Lewis, ele teve entre seus alunos Daniel Dennett, Hilary Putnam, Donald Davidson e Dagfinn Føllesdal. Apesar de sua antipatia por Derrida, Quine pode ser conhecido no futuro como um filósofo analítico cuja obra, ao menos tematicamente, reduziu parcialmente a divisória com a continental.

O controle de qualidade é irregular na imprensa filosófica florescente. A filosofia sofreu por muito tempo, diferentemente das ciências duras, de um consenso vacilante sobre questões de competência profissional. Estudiosos do céu são separáveis em astrônomos e astrólogos tão prontamente como os pequenos ruminantes domésticos são separáveis em ovelhas e cabras, mas a separação dos filósofos em sábios e levianos parece ser mais sensível a referenciais. Talvez isto seja como deveria ser, dada a natureza desordenada e especulativa do tema.

W. V. Quine, *Has Philosophy Lost Contact with People?*
[A Filosofia perdeu contato com as pessoas?] (1979)

Se alguém persegue a filosofia com espírito científico como em uma busca por verdade, então a tolerância com uma filosofia equivocada é tão irracional quanto seria a tolerância com a astrologia por parte do astrofísico.

W. V. Quine, *Quiddities: An Intermittently Philosophical Dictionary*
[Quididades: um dicionário intermitentemente filosófico] (1987)

Ontologia e epistemologia não são assuntos populares, mas Quine conseguiu fazê-las fascinantes por meio do seu uso de prosa clara, frases simples e expressões atraentes. Lembre-se da discussão sobre até onde podemos conhecer a experiência particular, tanto a nossa própria como a dos outros, que começa com: "Como ilustrado por 'Ai'...", e a atenção do leitor foi capturada. Os textos de Quine nos beneficiaram a todos ao incrementar o clima intelectual, tornando a epistemologia e a ontologia acessíveis a pessoas leigas.

John C. Malone, *Ontology Recapitulates Philology: Willard Quine, Pragmatism and Radical Behaviorism*
[A ontologia recapitula a filologia: Willard Quine, pragmatismo e comportamentalismo radical] (2001)

44

Jürgen Habermas

Nascido em 18 de junho de 1929

Teórico crítico alemão defensor da racionalidade comunicativa na esfera pública.

Contrário aos paradigmas do pós-modernismo e pós-estruturalismo do século XXI, o pensamento de Jürgen Habermas está voltado principalmente para a continuação explícita do que ele chama de "projeto iluminista". Seu objetivo é basear a filosofia, a política e o direito em princípios racionais do século XVIII defendidos por Immanuel Kant e depois por Friedrich Hegel e Karl Marx. Em *Mudança estrutural da esfera pública* (1962), Habermas definiu a *esfera pública* como um lugar onde pode acontecer o diálogo racional. Diálogo racional é concebido como *racionalidade comunicativa*, um conceito que ele elabora em *A teoria da ação comunicativa* (1981). Habermas colocou sua própria teoria em prática, tendo mantido diálogos famosos com defensores de posições ostensivamente opostas às dele. Inseriu nessas conversas Michel Foucault e Jacques Derrida, a quem acusava de um perigoso relativismo com consequências negativas para a ética; e, em 2007, Habermas discutiu a questão da religião com o então cardeal Joseph Ratzinger (1927-), o papa Bento XVI, partindo de sua posição de "ateísta metodológico" confesso.

O problema de Heidegger

Como a maior parte dos adolescentes alemães que cresceu durante a Segunda Guerra Mundial, Habermas foi integrante da Juventude Hitlerista. Aos quinze anos de idade, viu-se implantado na frente ocidental da Alemanha durante os meses finais de guerra. A suástica era pouco adequada a Habermas, uma vez que suas tendências de esquerda e sua deformidade física (lábio leporino) faziam dele o tipo de pessoa que os nazistas gostariam de exterminar.

O Julgamento de Nuremberg (1945-6) – a corte internacional que julgou os crimes de guerra da Alemanha – forneceu a Habermas uma epifania que resultou em sua campanha para ressuscitar os valores do Iluminismo. Filmagens de documentários revelando as atrocidades dos campos de morte nazistas revoltaram Habermas a tal ponto que ele se tornou especialmente alerta a qualquer traço de totalitarismo que pudesse resistir na cultura alemã.

Enquanto estudava na Universidade de Bonn para obter doutorado, entre 1951 e 1954, Habermas encontrou um traço como esse na republicação de 1953 do livro de Martin Heidegger *O que é metafísica?* (1935). Nele, Heidegger escreveu: "As obras que estão sendo distribuídas hoje em dia como a filosofia do nacional socialismo nada têm a ver com a *verdade interior e a grandeza desse movimento* (ou seja, o encontro entre tecnologia global e homem moderno), mas foram todas escritas por homens pescando nas águas conturbadas dos 'valores' e 'totalidades'". Para Habermas (e incontáveis outros), aqui estava o fato perturbador da filosofia alemã: Heidegger era, para muitos, o maior filósofo do século – mas era também um nazista (assim como metade dos professores de filosofia da Alemanha). Lidar com Heidegger tornou-se elemento essencial do projeto de Habermas à medida que ele examinava as ruínas do pensamento alemão. A única esperança para a filosofia alemã, do seu ponto de vista, era promover a democracia liberal baseada no princípio do diálogo. Em seu ensaio, *Work and Weltanschauung: The Heidegger Controversy from a German Perspective* [Trabalho e *Weltanschauung*: a controvérsia Heidegger de uma perspectiva alemã] (1989), ele observa que a visão de Heidegger da Segunda Guerra Mundial era:

Os vitoriosos eram os Estados Unidos e a Rússia, semelhantes em sua essência, que agora dividiam a hegemonia mundial. Portanto, a Segunda Guerra Mundial, na visão de Heidegger, não havia decidido nada de essencial. Este é o motivo pelo qual o filósofo se preparou, após a guerra, para perseverar como um quietista nas sombras de um destino ainda não conquistado. Em 1945, restava para ele somente retirar-se da decepcionante história do mundo.

A centralidade do diálogo

Habermas defendeu sua tese *The Absolute and History: On the Schism in Schelling's Thought* [O absoluto e a história: sobre a cisma no pensamento de Schelling] em 1954. Em 1956, tornou-se assistente de Theodor Adorno (1903-69), uma das estrelas mais brilhantes da Escola de Frankfurt, e deu seu programa de teoria crítica de inclinação marxista. Em 1962, Habermas se tornou "professor extraordinário" (ou seja, um professor sem uma cátedra específica) de filosofia na Universidade de Heidelberg e, em 1964, assumiu a cátedra de filosofia e sociologia em Frankfurt, antes ocupada por Max Horkheimer. Em 1971, tornou-se diretor do Instituto Max Planck, em Starnberg, e trabalhou lá até 1983, quando retornou ao seu cargo em Frankfurt e foi nomeado diretor do Instituto de Pesquisa Social. Ele é ainda professor visitante permanente da Universidade de Northwestern, nos Estados Unidos, e Professor Theodor Heuss na The New School, em Nova York. E, no topo de suas realizações acadêmicas, Habermas também é um conhecido intelectual público.

O pensamento de Habermas pode ser descrito como amplamente marxista, embora ele talvez seja melhor entendido como um seguidor de Sócrates (469-399 a.C.). Isso porque, para Habermas, o diálogo é tudo, e, como Sócrates, ele é um defensor do diálogo público. Tendo declarado sua oposição inicial ao revisionismo do Holocausto, ele adentrou a *Historikerstreit* (disputa de historiadores) de 1986, na qual historiadores de direita argumentavam que o Holocausto não era excepcional – apenas mais um em uma longa lista de massacres europeus. Nesse debate público, travado na imprensa, Habermas desafiou ferozmente tal visão.

A carreira de Habermas foi devotada a traçar estratégias de diálogo, descobrindo as precondições que criam a espécie de esfera pública na qual pode ocorrer o diálogo e dando a esses temas consideração teórica e prática em estudos de sociologia, direito, política e filosofia. Poucos pensadores vivos podem igualar sua fluência e domínio de tantas disciplinas. Richard Rorty, ele próprio o principal filósofo americano do período, chamava Habermas de "o principal filósofo sistemático do nosso tempo".

A extensão visualizada por Habermas do projeto iluminista no século XXI significou encarar as ideias de Hegel como se ele fosse um contemporâneo. Onde críticos como Karl Popper veem em Hegel uma tendência historicista com orientação para o totalitarismo (como em Platão e Marx, na visão de Popper), Habermas, sempre sensível ao veneno da tirania, vê em Hegel o último em uma linha de pensadores iluministas que começou com Kant, e ele insere a si mesmo nessa tradição, tirando de Hegel (como fez com Heidegger) aquilo que lhe parece útil a suas pesquisas. Habermas nunca recorre à ideologia; no entanto, não é avesso a usar ferramentas de análise marxista para dar sentido à situação na qual nos encontramos desde o fim da Guerra Fria e o colapso da União Soviética.

Ação comunicativa

Habermas toma emprestadas teorias de intersubjetividade da metafísica e uma compreensão da linguística e das teorias dos atos da fala de J. L. Austin, P. F. Strawson, Stephen Toulmin, John Searle e Ludwig Wittgenstein, de modo a tentar explicar como a comunicação pode acontecer na esfera pública. *Ação comunicativa* é a receita de Habermas para a identificação de objetivos que podem ser alcançados satisfatoriamente pelos indivíduos e pelos grupos dos quais eles são membros. *Ação estratégica* se refere a atos nos quais os agentes buscam atingir unicamente objetivos individuais. Em oposição, a ação comunicativa envolve falantes que buscam definir objetivos que podem ser sujeitos a uma compreensão compartilhada. Esse entendimento baseia-se na inerente razoabilidade do objetivo. Aqui vemos o projeto iluminista em ação de maneira prática: não apenas a razão "pura" das alturas kantianas, mas uma racionalidade prática que é a base para a construção do consenso e, em última análise, para a criação de uma sociedade pacífica. A ação comunicativa possui cinco características essenciais: (1) ela é consensual, (2) coordenada socialmente, (3) racional, (4) baseada em linguagem comum e (5) tem a concordância como objetivo.

Ética do discurso

Habermas, junto com Karl-Otto Apel (1922-) é o criador da *ética do discurso*. Trata-se de um programa ambicioso que pretende combinar a ética deontológica de Kant com as exigências da racionalidade comunicativa em suas aplicações práticas, tais como o discurso político – por exemplo, na elaboração de políticas ou tomada de decisões. Com este fim, Habermas propõe o *princípio do discurso*: "Somente as regras morais que possam ganhar um parecer favorável de todas as pessoas afetadas como participantes de um discurso prático estão aptas a reivindicar validade". Uma vez que isso tenha sido estabelecido, as bases para a racionalidade comunicativa terão sido lançadas: "Essa explicação do ponto de vista moral privilegia o discurso prático como a forma de comunicação que assegura a imparcialidade do julgamento moral e ao mesmo tempo o intercâmbio universal das perspectivas participantes" (*Justification and Application: Remarks on Discourse Ethics* [Justificação e aplicação: observações sobre ética do discurso], 1991.

O discurso filosófico da modernidade: confrontando Derrida

A confrontação de Habermas com Heidegger e sua contínua desconfiança de tendências niilistas no pensamento moderno levaram-no a criticar o pós-modernismo e o pós-estruturalismo como movimentos que haviam abandonado o projeto iluminista baseado na razão e na ciência, em favor de uma série de posições relativistas de valor ético questionável. Em *O discurso filosófico da modernidade* (1985), Habermas confronta Foucault e Derrida. Esperando provocar um diálogo, ele faz uma avaliação esmagadora da continuação empreendida por Derrida da filosofia final de Heidegger: "O ser humano como ser dirigido à morte sempre viveu em relação com seu fim natural. Mas agora é uma questão do fim de sua autocompreensão humanista: no desabrigo do niilismo, não é o ser humano, mas a essência do ser humano que vagueia cegamente." Na visão de Habermas, a filosofia de Derrida é não somente niilista, mas também destrutiva em última análise: "Heidegger prepara a conclusão de uma época que talvez nunca termine, em um sentido histórico-ôntico. A melodia familiar da autossuperação da metafísica também dita o tom para a empreitada de Derrida; destruição ganha um novo nome: desconstrução." Derrida respondeu em *Is There a Philosophical Language?* [Existe uma linguagem filosófica?] (1992) que Habermas havia "visível e cuidadosamente evitado ler-me".

Religião e razão reexaminadas

Em janeiro de 2004, quinze meses antes de se tornar papa, o cardeal Joseph Ratzinger iniciou um diálogo escrito com Habermas a respeito do papel da religião na sociedade. Esse diálogo foi publicado em *Dialética da secularização: sobre razão e religião* (2005). Habermas sempre seguiu a insistência de Hegel sobre o direito da filosofia ao "ateísmo metodológico", o pressuposto de nada no caminho da crença religiosa. Ele também descreve a si mesmo como aluno de Max Weber, no sentido de que ele é um "surdo tonal na esfera religiosa". No entanto, o onze de setembro levou Habermas a observar que a sociedade secular precisava de um novo entendimento da convicção religiosa. (Anteriormente, como acontecia provavelmente com a maioria dos filósofos, ele havia considerado a religião um assunto a ser estudado no que dizia respeito a estágios do desenvolvimento humano.)

Em *Dialética da secularização*, Habermas defende que o Estado secular está fundado na razão prática. Ratzinger, por sua vez, defende que há um fundamento moral pré-político que justifica o Estado. Ele conclui que razão e fé precisam uma da outra: a fé informa a razão para ajudar a raça humana a evitar o tipo de arrogância que leva à criação de armas nucleares ou à visão de pessoas como produtos. Habermas conclui que a existência dos que creem e dos que não creem continuará, e cada um deles deve aceitar este fato sobre o outro. O que ambos os grupos precisam confrontar é a destruição de velhas certezas éticas pela ciência e a existência de um novo tipo de terrorismo que exige um diálogo global.

Ao fim, Habermas nos leva de volta ao mesmo lugar onde começamos. Dois milênios e meio depois que os pré-socráticos buscaram a razão, procurando respostas diferentes daquelas oferecidas pela mitologia, razão e religião continuam em vigor; mas na racionalidade comunicativa de Habermas, e no pensamento filosoficamente sofisticado do ex-papa Bento XVI, elas podem ser vistas menos como polos opostos e mais como complementares entre si.

> Todas as tentativas de descoberta de fundamentos derradeiros, nas quais persistiam as intenções da Primeira Filosofia, romperam-se. Nesta situação, um caminho está se abrindo em direção a uma nova constelação na relação entre filosofia e ciências. Como pode ser visto no caso da história e da filosofia da ciência, explicações formais das condições da racionalidade e análises empíricas da incorporação e desenvolvimento histórico das estruturas de racionalidade se entrelaçam de maneira peculiar. Teorias de ciência empírica moderna, seja na tradição do empirismo lógico, seja na do racionalismo crítico, seja na do construtivismo, fazem uma reivindicação normativa e ao mesmo tempo universalista que não mais se encontra coberta por suposições fundamentais de natureza ontológica ou filosófico-transcendental.
>
> Jürgen Habermas, *A teoria da ação comunicativa*, Volume 1 (1981)

> Acredito que certa forma de comunicação irrestrita traz à tona a mais profunda força da razão, que nos permite superar perspectivas egocêntricas ou etnocêntricas e alcançar uma visão expandida.
>
> Jürgen Habermas, entrevista para Mitchell Stephens (1994)

> Se imaginarmos a discussão filosófica do período moderno reconstruída como uma audiência judicial, ela estaria decidindo uma única questão: como o conhecimento confiável (*Erkenntnis*) é possível?
>
> Jürgen Habermas, *Conhecimento e interesse* (1968)

45

Roland Barthes

12 de novembro de 1915 – 25 de março de 1980

Pós-estruturalista francês que proclamou a morte do autor e que considerava o mundo um texto a ser interpretado.

Roland Barthes tomou a noção estruturalista de Ferdinand de Saussure de que o significado dos signos da linguagem era arbitrário e mutável e desenvolveu sua (talvez) conclusão lógica de que textos são artefatos sociais e semiológicos e de que sua produção por parte do autor não é, como se pensava anteriormente, o resultado de uma produção literária (ou de outras áreas) inteiramente autogerada, onisciente e semelhante à criação divina. Se coube a Santo Agostinho (354-430) proclamar em suas *Confissões* (397-8) o nascimento do "Eu", da voz autoral em primeira pessoa, foi função de Roland Barthes pôr um fim a ele em seu ensaio seminal *A morte do autor* (1967). O que ele quis dizer com a morte do autor? Para Barthes, livros, filmes, fotografias, propagandas – tudo isso, argumentava ele, constitui os produtos de diversos precedentes históricos, sociais e genéricos cujo significado deve ser apreendido por meio da "leitura". O autor não tem mais o controle do texto – é o leitor quem tem. "O nascimento do leitor deve acontecer à custa da morte do autor." A pergunta central feita por Barthes, portanto, no início de uma investigação era: *qui parle*? Quem está falando?

Em *Mitologias* (1957), Barthes ilustra sua visão do mundo como um texto e demonstra como esse texto pode ser decodificado. Em *Grau zero da escrita* (1953) e *S/Z* (1970), ele lançou os fundamentos para o trabalho de pós-estruturalistas como Jacques Derrida e Julia Kristeva, assim como o menos facilmente classificável Michel Foucault.

Decodificando textos

Barthes desenvolve a noção inicial do estruturalismo de que a significância surge da relação entre significante (o signo) e significado (aquilo a que o signo se refere). Mas vai além da possibilidade de uma certa arbitrariedade entre significante e significado para desenvolver uma metodologia que uma multiplicidade de fatores escondidos em funcionamento em qualquer uma das representações que ele denominava "textos". Os textos que mais interessavam Barthes eram os que ele via como os mitos modernos que surgem como resultado do sistema de valores dominante de determinada sociedade.

Em *Mitologias* (1957), Barthes dá dois exemplos de como identificar e decodificar os textos de mitos modernos. Um deles é a representação do vinho tinto na cultura francesa. Ele mostra como o vinho, segundo apresentado na publicidade francesa, é retratado como a bebida nacional, usando referências ao divino e ao secular. Os anúncios publicitários que Barthes decodifica tomam emprestados conceitos do simbolismo católico romano, dando ao significado (vinho) um status quase sacramental, referindo-se (talvez de modo inconsciente por parte dos publicitários) ao processo de transubstanciação do ritual católico, no qual o vinho se torna o sangue de Cristo. Uma vez que o vinho tinto é também a bebida preferida do proletariado francês, seu *robe* vermelho – o termo técnico para a cor de um vinho e sua aparência visual geral – pode se referir à bandeira vermelha dos revolucionários europeus de 1848 (e a cor vermelha continua sendo associada ao socialismo e ao comunismo dos dias atuais). Isso diz respeito ao que está *presente* no texto, mas Barthes indica também o que está *ausente* no texto: ou seja, qualquer sugestão de que o vinho pode ser danoso à saúde ou de que está associado à expansão do alcoolismo na França. Barthes mostra que o vinho tinto, do modo como é retratado na publicidade francesa, é vendido como um produto quintessencialmente francês. Os anúncios funcionam por meio de referências aos símbolos diversos, mas inclusivos da religião e da revolução; eles oferecem ao consumidor uma oportunidade de levantar a bandeira do nacionalismo ao mesmo tempo em que aproveitam um produto anunciado como *bom pra você*.

O outro exemplo famoso das *Mitologias* é a decodificação que Barthes faz da capa de uma edição da revista *Paris Match*, que ele pega um dia enquanto está sentado na barbearia.

> Na capa, um jovem negro num uniforme francês presta continência, enquanto seus olhos estão dirigidos para cima, provavelmente na direção da bandeira tricolor. Tudo isso é o significado da foto. Mas, inocentemente ou não, eu vejo muito bem o que ela significa para mim: que a França é um grande Império, que todos os seus filhos, sem qualquer discriminação de cor, servem fielmente sob sua bandeira e que não existe resposta melhor aos detratores de um suposto colonialismo do que o zelo mostrado por esse negro ao servir seus chamados opressores. Estou novamente, portanto, em face de um sistema semiológico maior: há um significante, ele mesmo já formado com um sistema anterior (um soldado negro está prestando a continência francesa); há um significado (que é aqui uma mistura proposital de francesidade e militarismo); e, finalmente, há uma presença do significado por meio do significante... No mito (e esta é a principal peculiaridade do segundo), o significante já está formado pelos signos da linguagem... O mito tem, de fato, função dupla: ele salienta e notifica, nos faz entender alguma coisa e nos impõe essa coisa.

Estruturalismo, pós-estruturalismo e o declínio do existencialismo

A proclamação feita por Barthes da morte do autor teve um significado para o pensamento ocidental que foi além das fronteiras da linguística e da crítica literária. O *Zeitgeist* teórico representado por Barthes estava no processo de superar o *status quo* radical representado pela vertente do existencialismo e marxismo de Jean-Paul Sartre. O existencialismo de Sartre, Simone de Beauvoir e Maurice Merleau-Ponty (1908-61) tratava-se inteiramente do sujeito (autor); o desenvolvimento inevitável de visões estruturalistas da linguagem, em direção ao pós-estruturalismo liderado por Barthes, identificaria uma lacuna onde antes estava o sujeito. As ramificações eram enormes. A literatura (e o texto em geral) seria liberada da "tirania" da autoria. O significado de textos não mais estaria localizado em um autor de caráter divino e em sua história. O significado se tornaria responsabilidade do leitor, que passava, assim, a gozar de um novo poder. No lugar da figura tradicional do autor, Barthes introduziu o conceito de *scriptor* – a pessoa cujo nome pode estar na capa do livro e é anunciado como autor, mas que é, na verdade, alguém que recombina ou reorganiza textos pré-existentes. Em círculos acadêmicos, pelo menos, este é o verdadeiro legado do fervor revolucionário que sacudiu a França em 1968.

A morte de Roland Barthes

Barthes foi um homem modesto e reservado cujas crises de tuberculose haviam interrompido sua educação formal e o isentado do serviço militar durante a Segunda Guerra Mundial. Seu pai morreu em uma batalha naval da Primeira Guerra Mundial, em 1916, e Barthes viveu com sua mãe por toda a vida. Talvez tenha sido a ausência de um pai o que tornou mais fácil para Barthes aceitar a morte do autor (de quem o pai, a começar por Deus, é o exemplo maior) e, assim, elaborar ideias que viriam a ser desenvolvidas pelo feminismo e pela teoria *queer*. Ironicamente, a morte do próprio Barthes foi acelerada por um evento arbitrário e caprichoso: em 1980, ele foi atropelado por uma van de entrega de lavanderia, dirigida por um motorista bêbado. Barthes estava caminhando para casa, depois de sair de um almoço oferecido por François Mitterrand, que seria eleito presidente da França no ano seguinte. Barthes morreu um mês depois por conta de suas contusões.

Como expor, então, o valor de um texto? Como estabelecer uma tipologia básica de textos? A avaliação primária de todos os textos não pode vir nem da ciência, pois a ciência não avalia, nem da ideologia, pois o valor ideológico de um texto (moral, estético, político, aletológico) é um valor de representação, não de produção (a ideologia "reflete", ela não trabalha). Nossa avaliação pode ser relacionada somente a uma prática, e essa prática é a da escrita. Por um lado, existe o que é possível escrever e, por outro, o que não é mais possível escrever: o que está no interior da prática do escritor e aquilo que a abandonou: quais textos eu consentiria em escrever (ou re-escrever), em desejar, empregar como uma força neste meu mundo? O que a avaliação encontra é precisamente este valor: o que pode ser escrito (reescrito) hoje: o escrevível. Por que o escrevível é o nosso valor? Porque o objetivo da obra literária (ou literatura como obra) é fazer do leitor não um consumidor, mas um produtor do texto.

Roland Barthes, *S/Z* (1970)

Barthes é famoso por razões contraditórias. Para muitos, ele é acima de tudo um estruturalista, talvez *o* estruturalista, defensor de uma abordagem sistemática e científica dos fenômenos culturais. O mais proeminente propagador da semiologia, a ciência dos signos, ele traçou também uma "ciência da literatura" estruturalista. Para outros, Barthes representa não a ciência, mas o prazer: os prazeres da leitura e o direito do leitor de ler idiossincraticamente, em nome do prazer que possa alcançar. Contra uma crítica literária focada em autores – interessada em recuperar o que o autor pensava ou pretendia –, Barthes põe o leitor em primeiro lugar e promove uma literatura que dê ao leitor um papel ativo e criativo.

Jonathan Culler, *Barthes* (1983)

46

Michel Foucault

15 de outubro de 1926 – 25 de junho de 1984

Filósofo e teórico social francês que explorou a arqueologia do conhecimento e os discursos de poder.

Michel Foucault foi além do estruturalismo francês e das tradições fenomenológica e existencial para criar um novo método de pesquisa, que ele descreveu primeiramente como uma abordagem *arqueológica* dos textos e, depois, em 1970, como *genealógica*. Por textos, Foucault se referia ao significado estruturalista ou hermenêutico, incluindo assuntos tão diversos quanto o sistema penal e a sexualidade humana.

O trabalho de Foucault contribuiu em grande medida para retirar o existencialismo da posição de atitude filosófica dominante da França. Em *História da loucura* (1961), ele examinou o uso dos diagnósticos de insanidade como meio de excluir a "alteridade" da sociedade e expôs a natureza não científica do discurso psiquiátrico. *O nascimento da clínica* (1963) deu prosseguimento à sua crítica da história da medicina, e, em *As palavras e as coisas* (1966), Foucault voltou seu olhar crítico para as ciências humanas, o marxismo e a fenomenologia. *A arqueologia do conhecimento* (1969) é uma tentativa de entender como o significado surge no discurso por meio do que Foucault chama de formações discursivas, cuja significância é determinada pelas condições históricas em que ela são faladas ou escritas. Todos esses trabalhos são exemplos do período arqueológico de Foucault, no qual ele desvelou as regras inconscientes que governam o discurso.

Com *Vigiar e punir* (1975), um exame do sistema prisional da França, Foucault inicia seu período genealógico, no qual tenta identificar como um modo de pensamento dominante (discurso de poder) dá lugar a outro. Ele deu prosseguimento a essa abordagem no livro de três volumes *História da sexualidade* (1966), que inclui *A vontade de saber*, *O uso dos prazeres* e *O cuidado de si*.

Foucault era conhecido por rejeitar as disciplinas com as quais trabalhava: filosofia, história, teoria crítica. Por questionar a própria existência dessas matérias, assumidas pela maior parte de seus praticantes, ele é irritante para aqueles que querem classificar pensadores e suas ideias em categorias puras. Foucault desafia a própria atividade de ordenação e classificação histórica como uma relação de poder que sempre serve a outros interesses.

O nascimento de um radical

Foucault foi criado em Poitiers. Seu pai era um cirurgião proeminente que desejava que seu filho seguisse sua profissão, mas uma depressão aguda perseguiu Foucault por toda a juventude, e, além disso, seus interesses estavam em outro lugar. Não era um bom momento para ser um homossexual na França. A experiência de Foucault com a depressão pode ter concentrado sua atenção na história da insanidade e do confinamento, os temas de sua primeira grande obra: *História da loucura*.

Foucault frequentou o academicamente prestigioso Liceu Henri IV, em Paris, onde teve aulas com o filósofo hegeliano Jean Hyppolite (1907-68). Em 1952, graduou-se em psicologia e filosofia na École Normale Supérieure, onde estudou com Maurice Merleau-Ponty (1908-61). Ambos os professores eram frutos das tradições kantiana e hegeliana, que punham o sujeito no centro do mundo. Foucault rejeitou essa ideia e pôs-se a descrever um mundo que não era baseado na subjetividade, mas sim nas estruturas linguísticas organizadoras, que ele chamava de *epistemes*, e caracterizado por relações de poder que determinam ordens sociais. Foucault prenunciou o pós-estruturalismo ao argumentar que a linguagem tem primazia sobre autores no estudo dos textos. Mais tarde viria a rejeitar o conceito de *episteme* e tomar emprestada e adaptar a noção de *genealogias*, do livro *Genealogia da moral* (1887), de Nietzsche: estudar a história de modo a dar conta do que ele chamava de "conhecimentos" e "discurso". Ele identificou e elaborou o conceito de "discurso de poder" para explicar o que é a "história".

Foucault não se sentia confortável na França. Um de seus mentores era o filólogo Georges Dumézil (1898-1986), que conseguiu para Foucault um emprego por meio do departamento cultural da embaixada francesa, na Universidade de Uppsala, na Suécia, em 1954. Lá, Foucault prosperou. Ele não escondeu sua homossexualidade. Embora tenha se visto em diversos embates com as autoridades suecas, resultado de uma inclinação para o álcool e casos sexuais, ele era mais do que tolerado pelos agentes consulares franceses. Foucault ficou em Uppsala por quatro anos, ficou de 1958 a 1960 na Universidade de Varsóvia e depois foi para a Universidade de Hamburgo.

Discurso(s) de poder

Foucault rejeitava as ortodoxias do marxismo e da psicanálise, assim como a tradição fenomenológica que havia definido grande parte da filosofia francesa após *Ser e tempo* (1927), de Heidegger, *O ser e o nada* (1943), de Sartre, e *Fenomenologia da percepção* (1945), de Merleau-Ponty. Foucault argumentava que não existe uma história constituída subjetivamente. O que havíamos imaginado como "história" é na realidade uma série de histórias que são o produto de forças maiores que estão além do controle (ou até mesmo do conhecimento) do sujeito. De fato, para Foucault, a história é a identificação e a descrição de discursos de poder por trás das operações de controle social das populações em diversos momentos e lugares. Foucault rechaçava tentativas de classificá-lo como pensador. Rejeitava os rótulos "pós-moderno" e "pós-estruturalista". Se tivesse que ser alguma coisa, preferia ser identificado como alguém trabalhando na vertente de Friedrich Nietzsche

(1844-1900), com quem compartilhava a data de nascimento. Foucault pode ser considerado nietzscheano, pois também punha as coisas de cabeça para baixo, invertendo o papel do sujeito, e fazia perguntas de maneiras alternativas.

Ele desenvolveu um conjunto de ferramentas voltadas para o pensamento com as quais pôde conduzir o que chamou de "arqueologia do conhecimento". Seu trabalho diferia daquele empreendido pela maior parte dos pensadores pós-kantianos – à exceção de Freud e dos cientistas – porque cada um de seus projetos consistia num estudo ambicioso de um importante tema histórico: insanidade, sistema prisional, sexualidade. Filósofos analíticos não consideram Foucault um filósofo; no entanto, ele utilizou a filosofia para desenvolver conjuntos de ferramentas específicas para diversas tarefas de compreensão, demonstrando assim sua relevância e utilidade. Sua principal contribuição pode não ser seus estudos em si, mas sim o exemplo que ele forneceu para trabalhos futuros.

História da loucura

O primeiro livro de Foucault, *Doença mental e psicologia* (1954), foi escrito sob influência da teoria marxista e da psiquiatria fenomenológica de Ludwig Binswanger (1881-1966). Em *História da loucura* (1961), Foucault rompeu com as novas ortodoxias da fenomenologia e do existencialismo quase no momento em que nasceram e ofereceu uma análise original de como a sociedade enxergou (ou criou) a "loucura" em diferentes momentos da história. Assim, a loucura parte de um status reverenciado de êxtase divino na Grécia Antiga para chegar ao pós-Iluminismo como o diagnóstico médico de uma doença que precisa ser tratada: segregada, confinada, drogada.

Em *O nascimento da clínica* (1963), Foucault desenvolveu depois sua ideia de que o sujeito não era mais o centro do mundo (a ideia pós-estruturalista de "sujeito descentrado"). Nesta obra, o objeto de estudo era a medicina moderna, que Foucault via como composta por uma série de estruturas linguísticas e conceituais. Seguindo Roland Barthes, ele acreditava que a essência da literatura se encontrava no texto, e não no autor.

Foucault ampliou essa ideia de modo a incluir qualquer tema que ele pudesse decidir estudar como um "texto". Tomou dos filósofos da ciência Gaston Bachelard (1884-1962) e Georges Canguilhem (1904-95) a noção de um mundo de objetos que se punha em contradição com o mundo constituído subjetivamente dos fenomenólogos (que Foucault condenava como um mundo de "transcendentalismo narcisista"). A influência de Fernand Braudel (1902-85) e da escola de história dos *Annales* é também evidente, com seu foco na influência de fenômenos extrassubjetivos, como clima e topologia, sobre a história.

Epistemes

A genialidade de Foucault foi combinar aspectos dessas diversas fontes teóricas e ferramentas da moda para seu próprio uso – ferramentas específicas para o trabalho que ele tinha em mãos. Em *As palavras e as coisas* (1966), ele traçou as estruturas linguísticas (*epistemes*) que se encontram por trás da organização de disciplinas acadêmicas e do conhecimento oficial, e mostrou que o "progresso" de um período, com seus *epistemes*, nem sempre é um processo evolutivo suave para outro, mas pode ser caracterizado como uma quebra conhecida como "ruptura epistêmica". O filósofo da ciência americano T. S. Kuhn descreveria um movimento similar em seu livro *A estrutura das revoluções científicas* (1962). Para Foucault, um exemplo de uma quebra ou ruptura epistêmica seria a substituição da teoria de Jean-Baptiste de Lamarck da herança de características adquiridas pela teoria de Charles Darwin da origem das espécies e do mecanismo de evolução. O movimento do lamarckismo ao darwinismo não é uma transição suave, mas sim uma violenta ruptura epistêmica.

Poder e sexualidade

Em seu trabalho mais maduro, Foucault identificou e descreveu as relações de poder que caracterizam governos e instituições, e cujo propósito é exercer controle social. Talvez em lugar nenhum isto esteja mais aparente que nos sistemas de justiça criminal, e o livro de Foucault, *Vigiar e punir* (1975), mostra como modos de controle social operam não apenas em prisões, mas também em escolas, locais de trabalho e outros cenários. Ele voltou sua atenção, depois, para a sexualidade humana, planejando uma obra em quatro volumes dos quais três foram publicados até agora: *A vontade de saber* (1976), *O uso dos prazeres* (1984) e *O cuidado de si* (1984). No primeiro, Foucault recusa a "hipótese repressiva" que defende que a sexualidade é dirigida para o subsolo e para fora de alcance por sociedades repressivas como a da Inglaterra vitoriana. Pelo contrário, argumenta ele, qualquer tentativa de repressão leva a discursos que enfatizam a sexualidade em vez de a reprimirem. Em *O uso dos prazeres*, Foucault volta à Grécia Antiga para explorar sua tolerância – de fato, sua celebração – de uma gama completa de práticas sexuais. Em *O cuidado de si*, ele se dirige a uma descrição de como a tradição cristã nos levou a sermos dominados pelas "ciências da sexualidade".

Um iconoclasta zombeteiro

A obra de Foucault é caracterizada por um sentido de aventura, de jogo, de ousadia. Ela é também desrespeitosa; Foucault assumiu orgulhosa e desafiadoramente uma posição contrária a fundamentos em relação ao seu próprio trabalho (ou seja, ele se recusou a basear suas obras, ou seus resultados, sobre os fundamentos "sólidos" de um sistema racional). As genealogias de Foucault, suas arqueologias do conhecimento e sua articulação dos discursos de poder foram vistas como perigosas por Jürgen Habermas (1929-). Como principal proponente da racionalidade comunicativa (uma afirmação da importância da razão e da racionalidade na linguagem, com implicações sobre a ordem social), Habermas temia que o pós-estruturalismo viesse a conduzir à incerteza, ao relativismo e ao fim da filosofia. Pode-se apenas imaginar como o desânimo de Habermas deve ter encantado Foucault, para quem a incerteza, o relativismo e o fim da filosofia já eram uma realidade.

Foucault amava os Estados Unidos e, a partir de 1980, ele se tornou um professor visitante regular da Universidade da Califórnia, em Berkeley. Suas aulas atraíam multidões de até duas mil pessoas, e ele pôde alcançar um público que possuía conhecimento em filosofia, mas que não carregava a pesada bagagem de ideologias e escolas competitivas da França.

Havia outro motivo pelo qual Foucault amava a Califórnia: ela gozava de um próspero panorama homossexual. Ele era um frequentador assíduo das saunas gays no início dos anos 1980 e também de estabelecimentos sadomasoquistas. Este foi o período em que o pouco conhecido vírus da AIDS estava se tornando uma epidemia. Foucault, por vezes, zombava da ideia de um "câncer gay", mas uma doença relacionada à AIDS seria a causa de sua morte em 1984. Após sua morte, seu parceiro de 21 anos, o sociólogo Daniel Defert (1937-), tornou-se um proeminente ativista contra a AIDS.

Embora a obra de Foucault rejeite o papel central do sujeito e se recuse a honrar as ortodoxias da filosofia – sejam elas hegelianas, marxistas ou freudianas –, sua atitude é tudo menos niilista. É, pelo contrário, alegre, criativa, endiabrada. Em seu ensaio *Sobre a genealogia da ética* (1983), ele observou: "Da ideia de que o Eu não nos é dado, penso que há somente uma consequência prática: temos que criar a nós mesmos como uma obra de arte".

> Se o sexo é reprimido, ou seja, condenado à proibição, à não existência e ao silêncio, então o mero fato de alguém falar sobre ele tem a aparência de uma transgressão deliberada. Uma pessoa que assume tal linguagem se coloca, em certa medida, fora do alcance do poder; ela perturba a lei estabelecida; ela, de certa forma, antecipa a liberdade próxima. Isso explica a solenidade com que se fala sobre sexo hoje em dia.
>
> Michel Foucault, *História da sexualidade, Volume 1* (1976)

É possível especular que antes de Foucault ter alcançado um estágio em sua conceituação do "discurso", no qual o termo privilegiado de sua obra é capaz de suportar todo o seu peso político – um estágio que o conduziria do método arqueológico para o genealógico e que o faria encarar uma consideração das operações de poder e conhecimento –, ele precisou primeiro esvaziá-lo inteiramente de intencionalidade humana e significado "pessoal". Esta mensagem é transmitida pelas marcantes palavras finais da conclusão da *Arqueologia* [*do conhecimento*], uma conclusão que toma a forma de um diálogo imaginário entre Foucault e um de seus detratores. As frases finais, que tanto ecoam quanto modificam as últimas palavras de *As palavras e as coisas*, anunciam a tolice de não conseguir perceber a não individualidade do discurso, sua função como sistema impessoal.

O discurso não é a vida: o tempo dele não é o seu tempo; nele, você não se reconciliará com a morte; você pode ter matado Deus com o peso de tudo o que disse; mas não imagine que, com tudo o que está dizendo, você criará um homem que vai viver por mais tempo do que ele.

Lisa Downing, *The Cambridge Introduction to Michel Foucault*
[Introdução Cambridge a Michel Foucault] (2008)

47

Noam Chomsky

Nascido em 7 de dezembro de 1928

Teórico da linguística americano que estabeleceu a gramática gerativa e se tornou uma voz dominante da dissidência intelectual de esquerda nos Estados Unidos.

Noam Chomsky é um pensador com duas carreiras. Na primeira, ele é um teórico da linguística que criou a gramática transformacional (que depois se tornou gramática gerativa) e fez importantes contribuições para a filosofia analítica. Na segunda, ele é um dissidente político anarcossindicalista, cuja crítica à política externa dos Estados Unidos de 1968 até o presente faz dele a voz de esquerda mais proeminente na esfera pública americana.

As raízes dessas duas paixões gêmeas de Chomsky podem ser encontradas em sua juventude na Filadélfia. Ele é filho de judeus imigrantes que eram socialistas. Em casa, ele ouvia hebraico e iídiche, que, combinados com o inglês, fizeram com que se sentisse confortável com os sons e diferenças de linguagem – e também curioso a respeito deles. A inclinação política de esquerda dos seus pais e tios foi uma influência óbvia, mas também o foi sua própria experiência com insultos e perseguições antissemitas em uma vizinhança predominantemente católica.

Da gramática transformacional à gerativa

A contribuição inicial de Chomsky para a linguística foi desafiar a primazia da linguística estrutural desenvolvida por Ferdinand de Saussure – a noção de que a linguagem é um sistema no qual o sentido é composto de um significado e um significante, além de outras dualidades. Em *Estruturas sintáticas* (1957), Chomsky apresentou o conceito de *gramática transformacional*. Essa abordagem ressoava a tradição de Gottlob Frege, Bertrand Russell e Ludwig Wittgenstein, uma vez que buscava desvelar estruturas lógicas que governassem a linguagem.

Ao identificar *estruturas superficiais* e *estruturas profundas* da gramática, Chomsky mostrou como relações do tipo entre sujeito e objeto não são absolutas, mas sim relativas aos níveis da estrutura gramatical. Estrutura superficial descreve uma sentença do modo como ela é falada e ouvida. Estrutura profunda se refere a uma representação abstrata de uma sentença, e, segundo Chomsky, contém propriedades que são comuns a todas as línguas. A gramática transformacional entende que enunciados têm uma sintaxe, e essa sintaxe é "uma gramática livre de contexto estendida com regras transformacionais". Por meio da criação de um modelo de linguagem usando gramática transformacional, Chomsky pôde demonstrar como, iniciando com um conjunto finito de termos e regras da gramática, um falante tem a possibilidade de falar e compreender um número infinito de enunciados.

A gramática transformacional de Chomsky foi desenvolvida e se transformou na *gramática gerativa*, que é como ele explica a facilidade de uma criança para a linguagem. Crianças começam com uma *gramática universal* inata, e elas só precisam adquirir um conhecimento de características gramaticais específicas para sua língua nativa. Em trabalhos posteriores, Chomsky identifica o que ele chama de *categoria vazia*, um elemento da gramática implícito e não fonético. Chomsky o define assim: "Se algum elemento é 'entendido' em uma proposição particular, então ele está *lá* em representação sintática, seja como uma categoria aberta que é realizada foneticamente ou como uma categoria vazia à qual nenhuma forma fonética está atribuída" (*O conhecimento da língua*, 1986).

Chomsky afirmava que categorias vazias são parte essencial da estrutura da mente humana. Em *Language and Problems of Knowledge* [Linguagem e problemas de conhecimento] (1988), ele faz a ampla alegação de que "a descoberta de categorias vazias e dos princípios que as governam e que determinam a natureza da representação mental e computações em geral pode ser comparada à descoberta nas ciências físicas de ondas, partículas, genes, valência e assim por diante, assim como dos princípios que os sustentam". Chomsky afirma que, ao explorar os subsistemas da gramática, "começamos a enxergar o interior da natureza mais profunda e escondida da mente e a compreender, pela primeira vez na história, como ela funciona". Para ele, o estudo da linguística não é simplesmente uma tentativa de mapear como a linguagem funciona. Ele considera a linguagem a evidência por meio da qual alcançamos um entendimento da mente e do cérebro. Em *Linguagem e problemas de conhecimento*, ele escreve: "Estamos abordando uma situação que pode ser comparada às ciências físicas no século XVII, quando teve lugar a grande revolução científica que lançou as bases para as realizações extraordinárias dos anos que se seguiram e que determinaram grande parte do curso tomado pela civilização desde então".

A postura política de Chomsky

A postura política de Chomsky é singular na vida pública americana. Seu anarcossindicalismo tem origem no seu contato juvenil com a política de esquerda dos pais – seu pai, William Chomsky, era um estudioso de hebraico e um integrante do Industrial Workers of the World (IWW) [Trabalhadores industriais do mundo]. Conhecidos popularmente como "os Wobblies", a IWW é uma organização sindical internacional que une trabalhadores independentemente de sua área de atuação ou representação sindical local e defende o fim do sistema de salários. Em uma entrevista de 1976, Chomsky descreveu sua visão do anarquismo "como um tipo de socialismo voluntário, ou seja, como socialista libertário, ou anarcossindicalista ou anarquista comunista, na tradição de, digamos, [Mikhail] Bakunin [1814-76] e [Peter] Kropotkin [1842-1921]". Com isso,

Chomsky se refere a um tipo de organização social e comunitária de unidades orgânicas representado por delegados que cuidam dos interesses da comunidade em um contexto nacional e internacional mais amplo.

A principal crítica de Chomsky a democracias representativas como as da Grã-Bretanha e dos Estados Unidos é que, embora os eleitores tenham voz na esfera política, eles não a têm no gerenciamento da esfera econômica. Para Chomsky, "o controle democrático da vida produtiva pessoal está no centro de qualquer libertação humana séria... Enquanto indivíduos forem compelidos a oferecerem a si mesmos em aluguel no mercado para aqueles interessados em alugá-los, enquanto seu papel na produção for simplesmente o de ferramentas auxiliares, haverá fortes elementos de coerção e opressão que farão da conversa sobre democracia algo muito limitado".

A crítica franca de Chomsky à política externa dos Estados Unidos começou com a Guerra do Vietnã (1964-70) e continua inabalável na segunda década do século XXI. Ele é um crítico feroz do imperialismo não declarado dos Estados Unidos – seu exercício de poder por meio de forças econômicas e militares –, segundo evidenciado sobretudo por suas guerras no Iraque (2003-11) e Afeganistão (2001-). Para Chomsky, "a potência hegemônica do mundo [os Estados Unidos] concede-se o direito de iniciar guerras segundo sua vontade, sob uma doutrina de 'autodefesa antecipatória' de limites desconhecidos. Direito internacional, tratados e regras de ordem mundial são severamente impostos a outros com postura hipócrita, mas descartadas como irrelevantes para os Estados Unidos".

> Q. É possível vencer a chamada guerra ao terrorismo da nação?
> Chomsky: Se quisermos considerar seriamente essa questão, devemos reconhecer que, na maior parte do mundo, os EUA são considerados um dos principais países terroristas, e com boas razões. Podemos ter em mente, por exemplo, que em 1986 os Estados Unidos foram condenados pela Corte Internacional por "uso ilegal de força" (terrorismo internacional) e depois vetaram uma resolução do Conselho de Segurança que convocava os países (ou seja, os EUA) a aderir ao direito internacional. Este é apenas um de incontáveis exemplos.
>
> Noam Chomsky, *11 de Setembro: havia uma alternativa?* (2001)

[Chomsky] persegue implacavelmente aquilo que enxerga. Ninguém até hoje expôs com mais vigor as crenças hipócritas em que se baseia o papel imperial dos EUA ou delineou com mais eficácia as terríveis ações que o mantêm. Ninguém focou mais convincentemente a violência do nosso mundo ou denunciou mais diretamente a responsabilidade dos Estados Unidos por grande parte dela. Poucos analisaram tão minuciosamente o modo como as aclamadas liberdades dos Estados Unidos mascaram seu poder irresponsável e seu privilégio injustificado.

James Peck, da Introdução a *The Chomsky Reader*
[O leitor de Chomsky] (1987)

48

Jacques Derrida

15 de julho de 1930 – 8 de outubro de 2004

Pensador francês que prolongou os projetos filosóficos do Iluminismo, baseando-se no trabalho de Husserl e Heidegger para criar métodos desconstrucionistas.

Diz-se que Wittgenstein não leu nada e Heidegger leu tudo. Jacques Derrida possuiu a originalidade crua de Wittgenstein e ao mesmo tempo leu mais profundamente que seu mestre Heidegger. Ele é o mais original dos filósofos do século XX cujo trabalho invadiu o século XXI; e é também o mais controverso. Iniciando com uma leitura completamente original de Platão, Derrida embarcou em uma exploração – que tomaria toda a sua vida – de todo o cânone do pensamento ocidental que culminou em uma visão profundamente perturbadora e ainda assim convincente do que a justiça é e de como ela funciona. O estilo de interpretação de textos de Derrida foi chamado de *desconstrução*. Para aqueles que seguem os seus métodos, o estilo "desconstrucionista" de leitura é uma ferramenta poderosa para chegar às causas fundamentais de ideias e mal-entendidos; para os críticos de Derrida, esse estilo não é nada além de fumaça e espelhos, e ele é o maior charlatão a ter se intitulado filósofo até hoje.

Um judeu francês na Argélia

Jacques Derrida (seu nome de batismo era "Jackie") era um *pied noir*, um colono francês vivendo na Argélia antes de ela se tornar independente. Enquanto adolescente, durante a Segunda Guerra Mundial, Derrida desenvolveu uma consciência de si mesmo como "outro", resultado de um sentido de alienação estimulado pelo fato de ser um judeu vivendo em um país árabe (isso era agravado ainda por ele ser membro da seita minoritária sefaradita). Ainda na adolescência, Derrida enfrentaria desafios ainda mais sérios. A França foi dominada pela Alemanha em junho de 1940, e a Argélia passou a ser controlada pelo regime colaboracionista de Vichy.

Leis antissemitas impostas pelo regime não apenas interromperam a educação de Derrida, mas também ameaçaram até mesmo sua existência. Em outubro de 1940, judeus franceses da Argélia foram privados de sua cidadania francesa. Após a guerra, Derrida emigrou para a França. Ele precisou de duas tentativas para conseguir passar no teste de admissão da École Normale Supérieure (ENS). Abstendo-se de símbolos de sucesso, Derrida não obteve seu doutorado até 1980, embora tenha começado sua tese no início dos anos 1950.

Essa era uma época dourada para a ENS. Entre os professores e contemporâneos de Derrida, estavam alguns dos indivíduos mais talentosos na história moderna da França. Sua tese foi supervisionada por Jean Hyppolite (1907-68), e seus companheiros de classe incluíam Michel Foucault, Jean-François Lyotard, Roland Barthes e Louis Marin.

O primeiro e melhor amigo que Derrida fez enquanto frequentava a ENS foi Louis Althusser. Um dos principais intérpretes de Marx, Althusser era também um *pied noir*. Ele viria a ser marginalizado por conta de sua persistente doença mental; e se tornaria um rebelde extremo depois de uma crise de loucura em 1980, na qual que ele estrangulou sua esposa até a morte. A relação de Derrida com Althusser é significativa porque, em seu pensamento, Derrida talvez seja mais sensível à "alteridade" do que qualquer pensador de sua geração.

As origens da desconstrução

Em sua habilidade para descrever, para entender sem julgar (diversos julgamentos já estão vinculados à coisa que é descrita, diria ele), Derrida emprega uma versão do método fenomenológico elaborado por Husserl. Ao colocar colchetes em torno de nossos preconceitos sobre objetos em estudo (incluindo nossa própria consciência das coisas), Derrida examinou o *cogito* de René Descartes – "Penso, logo existo" – na aurora do Iluminismo. O início da desconstrução – um termo com o qual Derrida se sentia desconfortável e que é frequentemente usado incorretamente – foi a investigação feita por ele do livro de Descartes *Meditações sobre filosofia primeira* (1641). O método de Descartes é desmembrar todo o seu suposto conhecimento até que seja possível encontrar um fundamento sobre o qual ele possa existir – o *cogito*: penso. O "Eu", primeiramente apresentado por Agostinho (354-430) em suas *Confissões* (397-8), foi elevado ao nível de um fundamento por Descartes, mas foi posteriormente retirado por Heidegger e Derrida.

Derrida imagina o conjunto de ideias epistemológicas de Descartes como um prédio, e seu método consiste em uma "des-construção" desse prédio. Husserl havia traçado seu método fenomenológico da *redução eidética* em *Meditações cartesianas* (1931), uma série de palestras que ele deu na Sorbonne em 1929. Essas palestras nunca chegaram a aparecer em uma edição alemã durante a vida de Husserl, mas foram traduzidas para o francês por Gabrielle Peiffer e Emmanuel Levinas.

A influência de Husserl sobre Derrida

A importância de Husserl no pensamento de Derrida não poderia ser superestimada. O mais elegante intérprete de Derrida em inglês, Leonard Lawlor, descreve a relação de Derrida com Husserl e a fenomenologia assim: "Somente a fenomenologia pode ... dar-nos conhecimento do sentido como possibilidade do aparecimento do Ser ou da História... Somente a luz fenomenológica pode nos permite falar" (*Derrida e Husserl*, 2002). A *mémoire* de Derrida (sua tese de mestrado) foi *The Problem of Genesis in Husserl's Philosophy* [O problema da gênese na filosofia de Husserl] (defendida em 1954, mas só publicada em 1990). Derrida retornou a Husserl com uma tradução para o francês de *A origem da geometria* (1962), para a qual contribuiu com uma longa introdução. Nela, Derrida observa: "O objeto matemático parece ser o exemplo privilegiado e o segmento mais permanente orientando a reflexão de Husserl. Isso porque o objeto matemático é *ideal*. Seu ser é completamente transparente e esgotado por sua fenomenalidade. Absolutamente objetivo, ou seja, totalmente livre de subjetividade empírica e, ainda assim, apenas o que parece ser."

Derrida se maravilha com a pureza do objeto matemático, talvez porque ele esteja prestes a empreender uma viagem ontológica cuja principal descoberta será que, na linguagem (que infecta todas as nossas realidades), nada é puro. Não existe um Jardim do Éden ideal, assim como não existem um Adão e uma Eva *simplesmente* caídos. O primeiro casal deixou um traço permanente no jardim; o jardim existia neles, e esse traço é um legado para todos os seus descendentes.

Escrever *versus* falar

O segundo e pós-cartesiano estágio de construção da desconstrução por Derrida está voltado para Platão. O pensamento de Platão é definido em uma hierarquia de pares opostos – visível/invisível, essência/aparência, corpo/alma e assim por diante –, mas Derrida refuta esses pares e reverte sua importância. Essência e aparência não estão mais separadas, porque cada uma delas está marcada por um traço da outra. Encontramos essência *na* aparência e vice-versa. Como ele chegou a essa visão?

Segundo o relato de Derrida, o pensamento ocidental privilegiou a palavra falada em detrimento do texto escrito desde pelo menos os tempos de Platão – Sócrates, mestre de Platão, era um falante, e não um escritor. Em *Speech and Phenomena* [Discurso e fenômenos] (1967), Derrida ataca essa supervalorização da palavra falada por meio de uma descrição de como falamos e do papel que o discurso exerce em relação à nossa constituição de nós mesmos e ao nosso entendimento de nós mesmos como seres temporais. Quando falamos, há uma defasagem infinitesimal entre o enunciado do discurso e nossa audição do que acabamos de dizer. O que escutamos nós mesmos dizendo já pertence ao passado, mas nós o apreendemos no nosso presente, enquanto, ao mesmo tempo, olhamos adiante, em direção ao futuro que, num piscar de olhos, já é passado.

Différance

Discursos e fenômenos também trata de Husserl na medida em que Derrida desenvolve a ideia de *différance*. Ele elabora esse conceito sobre as bases estabelecidas pela descrição feita por Husserl de como nós percebemos o tempo. Há *retenção* (do passado imediato) e protensão (antecipação do futuro). Derrida interpreta esse fenômeno como um hiato que nos separa de nós mesmos, à medida que somos ao mesmo tempo falantes e ouvintes da linguagem. Este hiato é a fonte do conceito de Derrida da *différance*. Em estilo tipicamente denso, Derrida descreveria a *différance* em seu trabalho *Espectros de Marx* (1993): "Na incoercível *différance*, o aqui-agora se estende. Sem atrasos, sem demora, mas sem presença, ela é a precipitação de uma singularidade absoluta – singular porque sempre diferindo, precisamente, e sempre outra, vinculando-se necessariamente à forma do instante, *em iminência e em urgência*: mesmo se ela se move em direção ao que resta por vir, há a promessa."

Essa lacuna, ou atraso – essa *différance* –, é similar à defasagem constitutiva que ocorre quando vemos a "nós mesmos" em um espelho. Há uma hesitação, um momento de reconhecimento, e então uma espécie de identificação com o reflexo que é uma parte de nossa própria constituição, ou autoafeição, como descreve Derrida (inspirando-se na definição de Aristóteles de Deus como "pensamento pensando a si mesmo").

No ato de falar, há um momento de hesitação no qual não conseguimos decidir se estamos no passado ou no presente. Derrida usa o termo *não decidido* para indicar esse estado de coisas (em oposição a *indecisão*, que implicaria uma falha de nossa parte; *não decidido* é simplesmente a natureza das coisas). Para Derrida, as velhas hierarquias platônicas caem nesse momento, e nós nos encontramos na posição de Heráclito (535-475 a.C.) quando ele observou que o tempo é como um rio em que não podemos entrar duas vezes no mesmo lugar. Em Heidegger, os argumentos essenciais de *Ser e tempo* (1927) identificam o *Dasein*, ou o ser, como situado no tempo, como *jogado* nele, sendo *ser-para-a-morte* sua definição. Talvez a melhor definição feita por Derrida do termo *différance* – um desenvolvimento das noções de tempo husserlianas e heideggerianas – tenha aparecido na última entrevista que ele concedeu antes de sua morte, em 2004. Ele disse a Jean Birnbaum, do jornal *Le Monde*: "Nunca sou mais assombrado pela necessidade de morrer do que em momentos de felicidade e alegria. Sentir-se feliz e chorar sobre a morte que nos espera são, para mim, a mesma coisa. Quando rememoro minha vida, tendo a pensar que tive a sorte de amar até mesmo os momentos infelizes da minha vida, e de abençoá-los." (*Learning to Live Finally: The Last Interview* [Finalmente aprendendo a viver: a última entrevista], 2007).

A morte tem importância central em Derrida, e ele a relaciona ao conceito de *promessa* que aparece com o desenvolvimento da *différance*. Leonard Lawlor identifica este entendimento-chave que constitui um resultado da atitude desconstrucionista:

> O fantasma do meu pai morto exige que eu vingue seu assassinato injusto; essa exigência pode ser somente uma aporia: como eu posso vingar o assassinato do meu pai? Preciso ter fé. Mas não tendo nada além de fé, eu nunca posso saber quando terminei completamente o cumprimento da promessa; preciso seguir vivendo em nome da promessa. Para Derrida, portanto, temos uma experiência religiosa na qual a morte é "reconcluída" no momento da vida, que é mais que uma vida (equívoca); a vida é a reconclusão da morte: morte em vida. (*Thinking Through French Philosophy* [Pensando por meio da filosofia francesa], 2003).

Hospitalidade, julgamento e "messianismo sem religião"

A preocupação de Derrida com a justiça se concentra no problema da globalização e na situação dos pobres. Derrida identifica temas dentro do contexto de hegemonia dos EUA e do terrorismo global, que são centrais para sua discussão a respeito da justiça: *hospitalidade* e o que ele chama de *o pior* (*le pire*). Todo o *corpus* de Derrida trata de notar que não existem fronteiras finitas na natureza ou na linguagem; elas são, pelo contrário, construções porosas e mutáveis erguidas por aqueles que detêm o poder, com o objetivo de excluir os demais. Isto, em si, afirma Derrida, é injusto. Ao excluir outros, violamos a hospitalidade, que deveria ser um princípio diretivo de inclusão. Em *Da hospitalidade* (1997), Derrida pergunta se poderia haver "uma política, uma ética, um direito que respondessem, assim, às novas injunções de situações históricas sem precedentes, que de fato correspondem a eles, por meio de mudanças na lei, determinando cidadania, democracia, direito internacional etc. de uma nova maneira". No contexto do mundo após o onze de setembro e do novo terrorismo, Derrida fez uma antiga pergunta ontológica: "O que é pior, o pior? Existe uma essência do pior? E ela significa alguma coisa além do mal?" (*O trabalho do luto*, 2001).

Em um nível, a consideração de Derrida a respeito do direito é filosoficamente muito técnica, e nela ele aplica o princípio desconstrucionista da *différance*. Em um tribunal de justiça, o julgamento precisa ser finalmente definido, ou seja, no momento dado, *imediatamente*. Não importa quanta deliberação esteja envolvida, o momento em que um caso é decidido é um momento que, como todos os outros, está manchado pelo passado e já se apressa em direção ao futuro. Existe, paradoxalmente, uma singularidade sobre o momento, assim como um aspecto mecanicamente repetitivo. Nesse momento, um juiz pode estar *certo*, no sentido de que segue a lei segundo ela está escrita (e, como sabemos, esses textos são altamente problemáticos para Derrida); mas o julgamento pode muito bem não ser *justo*.

Em uma de suas últimas entrevistas, uma conversa com Lieven De Cauter, do grupo de reflexão independente radical The BRrussells Tribunal [O tribunal BRussells] (uma referência apropriadamente derridiana ao autonomeado Tribunal Russell-Sartre, que julgou crimes de guerra dos Estados Unidos no Vietnã), Derrida falou sobre os excluídos, que, segundo ele, herdarão o mundo. Ele enxerga messianismo sem religião no heterogêneo e informe movimento antiglobalização, que, embora repleto de contradições, serve ao propósito de reunir "os fracos do planeta, todos aqueles que se sentem esmagados pela hegemonia econômica, pelo mercado liberal, pelo soberanismo etc.". Algumas de suas últimas palavras: "Acredito que esses fracos são os que provarão ao fim serem os mais fortes e os que representam o futuro".

O problema de ler Derrida

Os críticos de Derrida dizem que sua obra é ininteligível. Ler Derrida é mais fácil quando se dispõe de um conhecimento enciclopédico do pensamento ocidental, sobretudo da linguagem técnica da fenomenologia.* Quando os críticos reclamavam que a obra de Derrida é ininteligível, ele argumentava que isso acontecia porque eles não estavam familiarizados com o objeto e a terminologia da tradição; eles não dominam a linguagem.

Filósofos analíticos e continentais se encontram em um *dialogue de sourds*: os primeiros têm a intenção de estabelecer as bases linguísticas da verdade, enquanto os segundos (pelo menos os derridianos) estão convencidos de que isto é impossível. Para Derrida, não existe pessimismo ou niilismo nesse entendimento. É simplesmente uma verdade ontológica, e uma que o faz particularmente sensível às nuances de tudo aquilo que ele decida estudar. Seu obituário no *The Times* observou: "O que pode ser dito sobre seu trabalho é que cada publicação é uma manifestação singular de uma resposta paciente aos contornos, ritmos e transformações do assunto sendo examinado".

O filósofo alemão Jürgen Habermas, que propôs a racionalidade comunicativa, temia que Derrida estivesse conduzindo o mundo em direção a um lamaçal ético de desconexão desconstruída e relativismo. Derrida observou sucintamente em *Existe uma linguagem filosófica?*: "Aqueles que me acusam de reduzir a filosofia à literatura ou a lógica à retórica (veja, por exemplo, o último livro de Habermas – *O discurso filosófico da modernidade*), evitaram visível e cuidadosamente ler-me".

---

* Algo que este autor não reivindica para si mesmo.

Agora, a "linguagem cotidiana" não é inocente ou neutra. É a linguagem da metafísica ocidental e carrega consigo não apenas um número considerável de pressupostos de todos os tipos, mas também pressupostos inseparáveis da metafísica, que, embora pouco observados, estão atados a um sistema.

Jacques Derrida, *Posições* (1972)

Junto com Ludwig Wittgenstein e Martin Heidegger, Jacques Derrida... será lembrado como um dos três filósofos mais importantes do século XX. Nenhum pensador nos últimos cem anos exerceu maior impacto que ele sobre pessoas de mais áreas e diferentes disciplinas. Filósofos, teólogos, críticos literários e de arte, psicólogos, historiadores, escritores, artistas, juristas e até mesmo arquitetos encontraram em seus escritos recursos para conclusões que levaram a um renascimento extraordinário da arte e das humanidades ao longo das últimas quatro décadas. E nenhum pensador foi mais profundamente mal compreendido.

Mark C. Taylor, *What Derrida Really Meant*
[O que Derrida realmente queria dizer],
New York Times (14 de outubro de 2004)

49

Richard Rorty

4 de outubro de 1931 – 8 de junho de 2007

Filósofo pós-analítico americano que reviveu o pragmatismo como uma resposta filosófica distintamente americana ao final do século XX.

A obra de Richard Rorty anunciou o fim da filosofia analítica como única tendência na filosofia americana do final do século XX. Ao rejeitar a tradição analítica, parte de sua educação, Rorty reinterpretou a tradição americana do pragmatismo e desenvolveu, assim, o neopragmatismo – um conjunto de ferramentas para investigar problemas que dizem respeito a pessoas comuns, e não somente a professores de filosofia. Seu livro mais importante é *Filosofia e o espelho da natureza* (1979), no qual refuta a tradição representacionalista que sustenta que somente podemos ter ciência dos objetos através da mediação das ideias que os representam (como em Descartes e Locke). Rorty desafiou a noção de objetividade, concluindo por fim que não existem verdades universais. Tornou-se tão crítico da estreiteza de pensamento da filosofia que renunciou à Cátedra Stuart de Filosofia em Princeton para se tornar Professor Kenan de Humanidades na Universidade da Virgínia. (Em *The Philosopher as Expert* [O filósofo como especialista] (2009), Rorty observou com desdém: "A filosofia, nos Estados Unidos, é apenas mais uma especialidade acadêmica".) Dos pensadores de língua inglesa após a Segunda Guerra Mundial, ele está entre os de estilo de prosa mais claro, junto com os primeiros pragmatistas William James e George Santayana.

Influência de Dewey

O pragmatista que mais influenciou Rorty foi John Dewey – o primeiro pensador americano a se voltar para problemas da democracia usando a filosofia como ferramenta para ajudar a construir resultados mais desejáveis na política. Ele fez isso em grande parte por meio de um exame da importância do diálogo informado na política (incluindo o papel do jornalismo), mas usou a educação efetiva como premissa para todo o conceito de democracia. Aos quinze anos, Rorty frequentava o Hutchins College, na Universidade de Chicago, uma escola experimental que havia sido planejada pelo colega de Dewey e seu parceiro de estudo, o reformador educacional Robert Maynard Hutchins (1899-1977). O jornalista da revista *New Yorker* A. J. Liebling se referia ao Hutchins College como uma "coleção de neuróticos juvenis".

Rorty foi um garoto incomumente sensível que foi intimidado o suficiente quando criança para se lembrar do Hutchins College como sua fuga da perseguição. O conceito de liberdade pessoal foi, portanto, estabelecido prematura e permanentemente para Rorty, cujos pais eram comunistas. O senso mais amplo de liberdade política de Rorty pode ter se originado do fato de que seus pais deixaram o Partido Comunista Americano em 1932 para se tornarem trotskistas. Ele conta como seu pai "quase chegou a acompanhar John Dewey ao México como homem de relações públicas para a Comissão de Inquérito presidida por Dewey" (*Trotsky and the Wild Orchids* [Trótski e as orquídeas selvagens], 1992). Rorty estava se referindo ao inquérito de 1940 realizado pelos americanos marxistas para investigar se Leon Trótski (1879-1940) era ou não culpado de traição na União Soviética. A Comissão Dewey decidiu que ele era inocente, mas Trótski foi assassinado no México, segundo ordens do líder da União Soviética, Joseph Stálin. As consequências sangrentas do pensamento foram novamente impressas na consciência de Rorty, então com nove anos, quando o assistente de Trótski, John Frank, escapou de ser assassinado no México e foi viver incógnito por algum tempo na casa de Rorty em Flatbrookville, Nova Jersey. Apenas três anos depois, Carlo Tresca (1879-1943), um líder anarcossindicalista e integrante do Industrial Workers of the World, ou "wobblies" (outro amigo dos pais de Rorty), foi assassinado em Nova York, possivelmente pela polícia secreta de Stálin, a NKVD.

Naturalismo darwiniano

Em seu ensaio autobiográfico *Trótski e as orquídeas selvagens* (1992), Rorty alcança em apenas sete mil palavras um esboço da gênese de seu pensamento, que não é apenas filosófico e político: tem também um componente científico. Rorty descreve sua fascinação infantil pelas orquídeas selvagens que floresciam perto de sua casa de Nova Jersey. Para ele, elas "são as últimas e mais complexas plantas a terem se desenvolvido no curso da evolução". Aqui encontramos o gérmen do naturalismo de Rorty, que deriva do trabalho de Charles Darwin sobre a origem das espécies. Rorty usava Darwin para apoiar sua visão de que nem o vocabulário da ciência nem o da filosofia é inatamente mais importante que o outro; de que esses "vocabulários" somente ganham significância por meio de sua eficácia comprovada quando empregados na pesquisa científica ou filosófica. Em outras palavras, eles não constituem, em si mesmos, conhecimento ou verdade absoluta.

Percepção, verdade e ironismo

Em *Filosofia e o espelho da natureza*, Rorty atacou dois pilares do empirismo: a teoria representacional da percepção e a teoria da correspondência da verdade. A primeira sustenta que a mente age de modo a espelhar o que existe na natureza, uma ideia presente na obra de Descartes, Locke e Kant. A teoria da correspondência da verdade diz que a "verdade" está de acordo com a "realidade"; que uma declaração pode corresponder a um estado de coisas, com "o modo como as coisas são".

Rorty diz que "verdades" suscitadas dessa maneira são simplesmente o resultado de truques que fazemos com a linguagem para chegar aos resultados que desejamos. Ele acredita que filósofos e cientistas "forçam" a linguagem com frequência demasiada para executar o truque de "fornecer" o argumento que desejam formular. Ele desafia a *raison d'être* da filosofia analítica, argumentando que ela propõe e "resolve" somente as questões que acredita serem relevantes para a filosofia, em uma linguagem criada com esse propósito específico. Isso, defende ele, nada tem a ver com a realidade.

Rorty propõe que compreendamos que os vocabulários da ciência e da filosofia são contingentes. Nós os selecionamos e abandonamos de acordo com sua utilidade para formular perguntas e dar respostas. Palavras, paradigmas, doutrinas filosóficas – tudo isso, na opinião da Rorty, é útil como ferramenta para a investigação de problemas, mas não deveria ser fetichizado ou confundido com "a verdade". A ideia de "verdade", entendida como algo fixo, *lá fora* no mundo, já não é possível. Em *Contingência, ironia e solidariedade* (1989), Rorty afirma que "a verdade não pode estar lá fora – não pode existir independentemente da mente humana – porque sentenças não podem existir assim ou estar lá fora. O mundo está lá fora, mas descrições do mundo não estão." Ele chama essa noção de *ironismo*.

A ironia é um fator fundamental da mente investigativa, e Rorty a identifica nas obras de Proust, Nietzsche e Heidegger. Na coleção de Proust, *Em busca do tempo perdido* (1913-27), o protagonista constantemente reinterpreta eventos à medida que encontra personagens – e sua própria memória – ao longo do tempo. É essa falta de vontade de oferecer interpretações fixas que caracteriza o ironista. Para Rorty, a postura irônica tem três características definidoras: "dúvidas radicais e contínuas" sobre o próprio vocabulário, assim como sobre o dos outros; a noção de que argumentos formulados em determinado vocabulário não podem nem subscrever nem dissolver essas dúvidas; e um entendimento de que um vocabulário não está "mais próximo da realidade do que outros" (*Contingência, ironia e solidariedade*).

O pensamento de Rorty é original em seu resgate e reformulação do pragmatismo, e corajoso em sua recusa combativa da agenda filosófica analítica. Ele rejeita as "verdades" convenientes e fáceis do representacionalismo em favor da exploração mais difícil das verdades contingentes. Seu pensamento encoraja uma multiplicidade de conversas a respeito da natureza da liberdade humana, conduzidas em um espírito de desacordo racional. Em *Achieving Our Country: Leftist Thought in Twentieth-Century America* [Alcançando nosso país: pensamento esquerdista nos Estados Unidos do século XX] (1998), Rorty define sua filosofia política neopragmática em oposição à do que ele denomina "esquerda crítica", exemplificada pelo pós-estruturalista Michel Foucault. A esquerda crítica, afirma ele, não consegue fornecer respostas práticas para os problemas sociais que pode identificar. Em oposição, a esquerda progressiva – melhor representada por John Dewey – está voltada para a ideia de progresso por meio da ação pragmática, pela qual pode-se alcançar a democracia. Ação pragmática, para Rorty, significa participação no processo democrático, que, segundo ele, declinou nos Estados Unidos após a Guerra do Vietnã.

Rorty observa em *Trótski e as orquídeas selvagens*: "Eu desejava um modo de ser tanto intelectual quanto esnobe espiritual e amigo da humanidade – um recluso nerd e um lutador por justiça".

> Os pragmatistas esperam romper com o quadro que, nas palavras de Wittgenstein, "nos mantêm cativos" – o quadro cartesiano-lockeano de uma mente buscando entrar em contato com uma realidade fora de si. Eles iniciam, então, com uma explicação darwiniana dos seres humanos como animais fazendo seu melhor para lidar com o ambiente – fazendo seu melhor para desenvolver ferramentas que lhes permitirão gozar de mais prazer e menos dor. Palavras estão entre as ferramentas que esses espertos animais desenvolveram.
>
> Richard Rorty, *Philosophy and Social Hope*
> [Filosofia e esperança social] (1999)

> O apelo duradouro de Rorty tem fontes diversas. Uma delas é a abrangência e urgência de seus pontos de vista, pois ele nunca foi tímido na apresentação de seu chamado para o abandono da verdade objetiva contra o grande pano de fundo do progresso cultural do Ocidente.
>
> James Tartaglia (ed.), *Richard Rorty* (2009)

50

Julia Kristeva

Nascida em 24 de junho de 1941

Pensadora búlgaro-francesa que sintetizou o marxismo, a fenomenologia, o estruturalismo e a psicanálise para criar um conjunto de ferramentas interpretativas.

Julia Kristeva é a principal herdeira das tradições estruturalista e pós-estruturalista. Seu estilo de raciocínio singular utiliza conclusões retiradas da fenomenologia, do marxismo, da psicanálise e da semiótica. Ela introduziu dois termos importantes no discurso intelectual popular: *intertextualidade* e *abjeção*. Intertextualidade, um elemento fundamental da teoria pós-estruturalista, se refere ao modo pelo qual o significado de um texto é informado por outros textos e nossa própria leitura acumulada desses textos. *Abjeção*, ou o *abjeto*, descreve a condição de pessoas marginalizadas: mulheres, negros, doentes mentais, criminosos. A obra de Kristeva inclui escritos filosóficos, biográficos e ficcionais. Uma aluna (e crítica) precoce de Jacques Lacan, ela é psicanalista. A partir de suas leituras de psicanálise e do linguista suíço Ferdinand de Saussure, ela desenvolveu o conceito original da semiótica, que descreve um aspecto da linguagem que é pré-simbólico, anterior à gramática.

Bulgária e o grupo Tel Quel

Como muitos importantes pensadores franceses do século XX – Albert Camus, Jacques Derrida, Louis Althusser, Hélène Cixous (1937-) e Luce Irigaray (1932-) –, Kristeva é uma cidadã francesa naturalizada, o que pode explicar em parte seu interesse pelos marginalizados, pelo *abjeto*. Ela nasceu e foi criada na Bulgária sob o regime comunista, assim como seu colega Tzvetan Todorov (1939-), filósofo e crítico literário búlgaro-francês. Em 1960, Kristeva se juntou ao grupo de filósofos Tel Quel, que se juntou em torno do jornal de mesmo nome e durou até 1982. Fundado pelo marido de Kristeva, o romancista Philippe Sollers (1936-), o movimento Tel Quel tinha como foco o criticismo social e literário radical; entre seus membros, estiveram Foucault, Derrida e Barthes.

Abjeção

Em *Powers of Horror: An Essay on Abjection* [Poderes do horror: um ensaio sobre abjeção] (1980), Kristeva usa o termo *abjeção* para descrever a situação complexa do sujeito que não é simplesmente alienado, mas que é "radicalmente excluído" e atraído "para o local onde o significado deixa de existir". Em abjeção, "um certo 'ego' que se fundiu com seu mestre, um superego, marginalizou o abjeto. Ele fica na periferia e não parece concordar com as regras do jogo decididas pelo superego." O abjeto inclui qualquer um que seja alienado da sociedade: imigrantes, negros, mas também homossexuais e transexuais, mães solteiras, criminosos e doentes mentais. Kristeva usa a imagem do cadáver – uma pessoa que uma vez foi, mas já não é – para descrever o status do abjeto. Não totalmente reconhecido como um sujeito (uma pessoa) e considerado mais como objeto, o abjeto habita um mundo obscuro de existência parcial. A interpretação psicanalítica de Kristeva do abjeto leva-a a concluir que todos nós experimentamos a abjeção em nossa rejeição do maternal. Ela argumenta que nós precisamos rejeitar a mãe com quem temos uma identidade compartilhada desde o momento em que somos concebidos, de modo a criarmos uma identidade nova e separada para nós mesmos.

Intertextualidade

Intertextualidade oferece uma nova compreensão da nossa própria subjetividade e sua relação com os textos. Saussure descobriu a estrutura da linguagem para mostrar a natureza arbitrária do significante e do significado. Barthes declarou a morte do autor, dando primazia ao texto. Em um sentido, esses desenvolvimentos são um desafio para a linha de pensamento descendente da tradição idealista que se inicia em Kant e culmina na tradição fenomenológica de Husserl, segundo a qual nós, o *sujeito*, somos os responsáveis por atribuir significado ao mundo. Em pensadores tão distintos como Hegel e Karl Jaspers, encontramos uma elaboração dos mecanismos pelos quais os sujeitos não estão presos em um mundo solipsista de sua própria autoria, mas sim reconhecem as subjetividades uns dos outros e, por acordo mútuo, chegam à intersubjetividade – um mundo de significado compartilhado.

Kristeva retira a noção de intertextualidade da sua leitura do filósofo e crítico russo Mikhail Bakhtin (1895-1975). Em *Desire in Language* [O desejo na linguagem] (1977), ela apresentou esta descoberta fundamental de Bakhtin: "Qualquer texto é construído como um mosaico de citações; qualquer texto é a absorção e a transformação de outro". A noção de *intertextualidade* substitui a de intersubjetividade, e a linguagem poética é lida no mínimo como *dupla*. Autores tomam emprestado – conscientemente ou não – de outros textos. Leitores trazem para a leitura de cada novo texto toda uma história pessoal de leitura, que incorpora os textos lidos e – conscientemente ou não – toda a tapeçaria da qual aqueles textos já lidos são parte inevitável. Em *A revolução da linguagem poética* (1974), Kristeva diz, com peculiar obscuridade, que o mecanismo de intertextualidade é a "transposição de um (ou vários) sistema(s) de signos para outro".

Semiótica

O uso feito por Kristeva do termo *semiótica* não deve ser confundido com aqueles feitos por Saussure ou C. S. Peirce. Ela combina conclusões retiradas da prática da psicanálise à sua própria leitura de filosofia, de modo a identificar dois componentes essenciais da linguagem: o *simbólico* e o *semiótico*. O simbólico é regido por regras gramaticais e sociais. Parte da experiência de abjeção deve ser excluída desse mundo simbólico. É a esse mundo que pertence a teoria da linguagem de Saussure, segundo a qual palavras (o significante) e coisas (o significado) existem em uma relação de significação arbitrária.

Mais importante para Kristeva é a semiótica, que enriquece nosso entendimento da linguagem ao focar sua expressão vocal. Esta contém elementos pré-verbais, cuja fonte são os ritmos corporais – não somente aqueles do sujeito como uma pessoa separada, mas também nossas experiências pré-linguísticas no interior do útero. Kristeva toma emprestado de Platão o termo *chora* para descrever esse fenômeno. Ela afirma que, mesmo depois que a criança adquire a linguagem, com seu sistema de sinais paternalmente dominado, um Eu maternal e pré-linguístico continua existindo após o nascimento. Esse Eu pré-linguístico existia para além de regras (gramaticais ou sociais) e tem um aspecto que é selvagem e indomável. Ele encontra sua expressão última na linguagem poética, que frequentemente desafia as regras linguísticas.

O interesse de Kristeva pela linguagem e sua afirmação de que a intertextualidade é a nova intersubjetividade não significam a morte do sujeito. Significam apenas que o sujeito é expresso na linguagem e é profundamente influenciado por ela. O sujeito é essencial (textos não leem a si mesmos!), e Kristeva tenta realocar a subjetividade em meio aos detritos do mundo pós-empírico, pós-analítico, pós-estruturalista. Aqui, Kristeva conclui que a subjetividade vem em uma variedade de pluralidades: masculina, feminina, estrangeira, psicótica, e uma multiplicidade de sexualidades. O que esses diversos sujeitos têm em comum é que sua subjetividade está fundamentada no corpo. É por isso que Kristeva presta tanta atenção à semiótica; às articulações primordiais e físicas da linguagem.

De acordo com Kristeva, todos nós (independentemente do gênero) aprendemos o ritmo da vida, a música do ser, no interior do útero. A separação do útero e o nascimento em um mundo dominado pelas instituições do paternalismo alienam o sujeito feminino. Como resultado, as experiências, ações e enunciados desse sujeito são diferentes daqueles do homem. Então, embora Kristeva reconheça e descreva a alienação feminina, ela é famosa (ou infame) por não se alinhar ao cenário feminista dominante. Feministas podem se opor ao trabalho de Kristeva por conta da grande ênfase que ela dá ao maternal e à experiência do sujeito tanto no interior do útero quanto fora dele – a rejeição da mãe na busca por uma identidade separada. Isto está em desacordo com o pensamento de Simone de Beauvoir,* que denunciou a maternidade em *O segundo sexo* (1949), a bíblia da segunda onda do feminismo.

Uma crente nas palavras

Entrevistada pelo jornal britânico *The Guardian* em 2006, Kristeva afirmou: "Eu não sou uma crente, eu acredito nas palavras. Há somente uma ressurreição – é a ressurreição nas palavras." O contexto dessas observações foi a publicação de *This Incredible Need to Believe* [Essa incrível necessidade de crer] (2009). Em sua introdução, ela escreve: "Diferentemente de Freud, eu não afirmo que a religião é somente uma ilusão e uma fonte de neuroses. Chegou o tempo de reconhecermos, sem medo de 'assustar' pessoas de fé ou agnósticos, que a história do cristianismo preparou o mundo para o humanismo." O trabalho de Kristeva nunca é "meramente" estético ou meramente técnico: ele sempre implica uma descoberta ética e sempre nota o contexto político no qual se desenvolve.

Em seu estudo *Hanna Arendt* (1999), Kristeva considera o trabalho de outra refugiada do totalitarismo e outra estudiosa da tradição cristã. Arendt foi aluna de Heidegger, e Kristeva coloca Heidegger no centro de suas pesquisas. Ao descrever Arendt, Kristeva poderia estar falando de si mesma: "Hoje consideramos difícil aceitar que a vida, um valor sagrado tanto nas democracias cristãs como nas pós-cristãs, é o produto recente de uma evolução histórica... É precisamente o questionamento desse

---

* Ironicamente, Kristeva é cofundadora do Prêmio Simone de Beauvoir para trabalhos sobre igualdade de gênero.

valor fundamental – sua formação na escatologia cristã, bem como os perigos que enfrenta no mundo moderno – que unifica silenciosamente todo o trabalho de Arendt." O mesmo poderia ser dito sobre a obra de Kristeva; em toda a sua variedade, complexidade e investigações em diversas disciplinas, ela faz a filosofia e o pensamento relevantes para a vida como um valor sagrado.

> A criança-rainha torna-se irremediavelmente triste antes de proferir suas primeiras palavras; isto acontece porque ela foi separada da mãe, sem retorno e desesperadamente, uma perda que lhe faz tentar encontrá-la novamente, assim como tenta encontrar outros objetos de amor, primeiro, na imaginação e depois, em palavras.
>
> Julia Kristeva, *Sol negro: depressão e melancolia* (1987)

Posfácio

A filosofia está morta, de acordo com o físico britânico Stephen Hawking (1942-). "Como podemos entender o mundo em que nos encontramos?", pergunta ele em *O grande projeto: novas respostas para questões definitivas da vida* (2010). "O universo teve um criador? Tradicionalmente, essas são perguntas da filosofia, mas a filosofia está morta." No seu modo de ver, os cientistas assumiram as questões "reais" da filosofia e estão ocupados respondendo a elas. Ao fim, eles terão respostas para todas elas, não deixando nada a ser feito pela filosofia. A filosofia é um dinossauro.

Mas afirmar que a filosofia está morta é o mesmo que dizer que o pensamento está morto. Martin Heidegger (1889-1976) disse que filosofia *é* pensamento; e o que diz respeito à ciência é objeto de ampla reflexão por parte da filosofia. De fato, a filosofia da ciência é um campo que cresceu muito desde que R. V. Quine (1908-2000) questionou o positivismo lógico e que T. S. Kuhn (1922-96) identificou os meios pelos quais paradigmas científicos se erguem e declinam.

Na verdade, ciência e revoluções científicas nos fornecem uma comparação útil com o estado da filosofia profissional de hoje (nem todo o pensamento que forma nosso mundo é feito por filósofos, e vamos abordar esse fato daqui a pouco). Na ciência, diz Kuhn, temos um paradigma predominante, ou conceito diretivo, que cria toda uma visão de mundo que inclui a visão popular do homem de si mesmo em relação com o universo e ainda uma visão de como os cientistas "fazem" ciência. Um bom exemplo de um paradigma diretivo seria a teoria do matemático egípcio Ptolomeu (segundo século d.C.) de que o Sol se move em torno da Terra: a teoria geocêntrica do universo. Com os estudos do astrônomo polonês Copérnico (1473-1543), inverte-se o paradigma. Não, diz ele, é a *Terra* que gira em torno do *Sol*. Em princípio, há um caos e descrença. Pessoas são torturadas e queimadas na fogueira pela Igreja porque o quadro heliocêntrico parece ser contrário a Deus. Depois de um tempo, entretanto, a revolução copernicana já não parece tão revolucionária, e os cientistas voltam ao trabalho, passando a fazer o que fazem.

Ciência de laboratório

O que os cientistas fazem? Eles fazem experiências. Cientistas – centenas de milhares (se não milhões) deles ao redor do mundo – desenvolvem hipóteses e as testam experimentalmente. Quando um experimento parece funcionar – quando ele pode ser repetido por diversos pesquisadores e os resultados podem ser replicados –, então se estabelece um bloco a mais de construção do paradigma dominante. Deste modo, os cientistas seguem fazendo experiências até que um cientista revolucionário como Albert Einstein adentre o cenário e diga: "Não, não acho que seja assim que isso funciona. É mais *assim*." O cientista médio, entretanto, é um experimentador do dia a dia, fazendo o que Kuhn chama de *bench science.** Cientistas como Einstein ou Richard Feynman (1918-88) são raros. E podem estar se tornando mais raros à medida que a ciência passa a estar mais e mais ligada a corporações.

Na filosofia, quando Immanuel Kant fez sua chamada "virada copernicana", houve uma mudança de paradigma similar no pensamento moderno. Ele defendeu que o conhecimento humano não apenas consistia em *mais* do que as simples recepções de impressões do sentido, mas também que ele era *diferente em espécie*. Em vez de as impressões do sentido serem "escritas" em uma *tabula rasa* passiva (ou uma folha em branco), como filósofos de Aristóteles a John Locke considerariam, o

---

* NT: literalmente, "ciência de banco", uma alusão à ciência feita diariamente nos bancos de um laboratório.

conhecimento vem do poder da subjetividade humana no ato da percepção. Kant deu primazia ao sujeito em detrimento do objeto: foi esta a sua virada copernicana.

O progresso da filosofia

A ascendência do sujeito sobre o objeto levou quase inevitavelmente a alguém como o filósofo alemão Friedrich Nietzsche declarar que Deus estava morto. E talvez tenha sido igualmente inevitável que alguém como Ludwig Andreas von Feuerbach viesse a afirmar a divindade do homem. Depois, Karl Max buscou os valores do homem em termos de sua história e relações econômicas e materiais; Roland Barthes declarou a morte do autor; e Jacque Derrida desconstruiu a linguagem até nos acharmos nus diante dela, expostos por nossas tentativas de proferir enunciados significativos, confrontados pelo que está presente em virtude de sua ausência nas palavras que nos usam.

Portanto, os filósofos estiveram ocupados.

Mas como eles se ocuparão no século XXI? E quem serão eles? Vamos tentar responder à segunda pergunta primeiro. Os novos pensadores podem não ser mais filósofos profissionais, uma vez que pressões econômicas levam a crer que haverá menos destes. Quantos existem agora? A Associação Filosófica Americana conta com mais de 11 mil membros pagantes. Este fato evoca em mim um momento *aqui-para-lá*, em que me pergunto como passamos de um punhado de filósofos gregos em Mileto, 2.500 anos atrás, para 11 mil filósofos americanos hoje em dia. E este número sequer dá conta dos filósofos na Grã-Bretanha e no resto do mundo anglófono; ele omite toda a Europa, o que significa um número muito grande de filósofos. O que todos eles fazem?

Morte do *superstar* filosófico

Pode ser que nós tenhamos visto o último dos *superstars* da filosofia. Jacques Derrida é provavelmente o último filósofo cujo nome pode ser reconhecido pelo público em geral (embora esse público quase certamente não o tenha lido). Sartre foi um recente, assim como Bertrand Russell. Charles Darwin, Karl Marx e Sigmund Freud são gigantes perenes (e dois deles eram predominantemente cientistas). Por que motivo o passado teve mais nomes importantes entre os pensadores? Quem são os pensadores de amanhã e que estão entre nós hoje?

Em seu ensaio, *O futuro da filosofia*, John Searle (1932-) afirma que a era dos gigantes filosóficos terminou porque agora temos mais filósofos bem treinados que em qualquer outra época, e que eles estão ocupados resolvendo problemas filosóficos. De acordo com Searle, eles são todos tão bons no que fazem que ninguém se destaca. De determinada perspectiva, esta é uma postura muito generosa a ser assumida, um pouco como um general examinando suas divisões e alegando que cada um de seus soldados é um herói. Mas, do mesmo modo que talvez tenhamos mais equipamentos militares do que inimigos, pode ser que tenhamos mais filósofos que problemas. Como o general que deseja que o governo continue elevando o orçamento militar para proteger o seu emprego e os dos seus soldados, o professor de filosofia necessita mais financiamento para manter sua equipe de filósofos, todos eles ocupados em resolver problemas filosóficos.

Velhos problemas

Que problemas? J. L. Austin observou certa vez que os gregos haviam identificado cerca de mil problemas filosóficos e que, depois de Ludwig Wittgenstein, eles estavam prestes a serem resolvidos. A. J. Ayer afirmou que o trabalho de resolver problemas filosóficos estava quase terminado. Por outro lado, John Searle acredita que há muito mais a fazer. "Eu estimaria que aproximadamente noventa por cento dos problemas filosóficos deixados a nós pelos gregos permanecem conosco", diz ele, "e que ainda não encontramos um modo científico, linguístico ou matemático de responder a eles".

Richard Rorty suspeitava que grande parte da preocupação da filosofia moderna com a linguagem era, no fundo, uma desculpa para se ocupar. Problemas são o que os filósofos dizem que eles são, e eles se resolvem quando os filósofos assim afirmam (mas somente no mundo dos jogos de linguagem que alguns filósofos compartilham com outros a quem persuadem). Rorty estava falando como um neopragmatista cujo herói era John Dewey, mas ele pode ter tido George Santayana em mente quando renunciou ao seu posto de filosofia em Princeton e trocou-o por um de humanidades na Universidade da Virgínia. Santayana abandonou seu cargo em Harvard por uma existência errante pela Europa, finalmente se fixando na Itália de Mussolini, onde ficou doente e morreu. Santayana deixou a academia cheio de desprezo por um jardim coberto pela "erva daninha do academicismo trivial e estreito".

A abdicação de Rorty do seu cargo não significou um abandono da filosofia; o que mudou foi que ele não mais ganhava seu dinheiro trabalhando como professor. Agora ele era um professor de humanidades e, em Stanford, ele chegou até mesmo a trabalhar no departamento de literatura (confirmando, talvez, a opinião de alguns filósofos analíticos de que alguém que flerta tanto com a filosofia continental não é um filósofo, mas sim um mero literato).

Novos problemas

No que trabalharão os pensadores à medida que o século XXI se desenrolar? Alguns darão aulas de história da filosofia e da ciência – um trabalho que precisa ser executado. Entender toda a série de perguntas sobre as quais os filósofos filosofaram – que, no caso de Aristóteles, Kant e Hegel, significa *tudo* – fornecerá pistas para a solução de problemas do passado e do futuro. E esses problemas não dirão respeito somente à linguagem e à matemática. Eles incluirão ainda novos problemas que surgirão daquilo que acontece conosco no mundo atual. O terrorismo levanta questões importantes sobre crença e razão. Como o diálogo pode ser possível entre os pontos de vista fundamentalista e pós-iluminista?

Nossas respostas ao terrorismo demandam estudo e orientação filosóficos: guerra preventiva; o uso da tortura; respeito pelas fronteiras internacionais em busca daqueles que julgamos nossos inimigos. O que é um cálculo aceitável de mortes civis? O que dizer sobre prisão perpétua sem *habeas corpus*? A "guerra ao terror": o que isso significa? O que é "terror"? Quem é terrorista? O Ocidente deveria usar os valores de seus inimigos na busca por eles? E, caso sim, como isso nos afeta? Os governos deveriam restringir nossas liberdades civis para lutar contra o terrorismo (para proteger nossas liberdades civis...)?

Para além da guerra, a globalização suscita questões sobre escassez para dezenas de milhões de pessoas ao redor do mundo. Será que deveríamos desafiar o ponto de vista dos que negam as mudanças climáticas? Os governos têm o dever de proteger os recursos da Terra? As corporações têm o direito de explorar esses recursos até que eles estejam esgotados?

Há muitas outras questões éticas a serem enfrentadas por filósofos, do aborto a avanços na biotecnologia. A guerra nuclear tem ameaçado a humanidade por mais de 65 anos. Alguns especialistas acreditam que, ainda durante o tempo de vida da maior parte dos leitores deste livro, algum grupo terrorista detonará um dispositivo nuclear.

Embora esses temas estejam longe de compor uma lista exaustiva das questões disponíveis à análise dos filósofos modernos, eles devem mantê-los ocupados por algum tempo.

Agradecimentos

Peg Culver, diretora da Biblioteca Pública Bancroft, em Salem, Nova York, foi uma companheira constante e sempre agradável durante minha pesquisa para este livro. Ela obteve dúzias de livros por meio de empréstimos entre bibliotecas para o pequeno vilarejo no norte do estado de Nova York, onde foi escrito o primeiro rascunho deste livro e ajudou a tornar possível que eu trabalhasse fora de uma grande cidade ou instituição. Obrigado sequer chega perto de expressar minha gratidão. Peg foi habilmente assistida por Susan Getty, Rebecca Brown e Julie Brown.

Eu completei este trabalho em Londres, e tenho um enorme débito de gratidão com Rachel e David Allison e com Ginny Goudy. Sua amizade firme e apoio são inestimáveis.

Durante o processo de edição, desfrutei a hospitalidade de Oliver Ray, Chris Sauer, Jennifer Donofrio e Sarah Johnson, em Tucson, Arizona. Meu irmão, Brian Trombley, foi um gracioso anfitrião em Nashua, Nova Hampshire; e eu concluí o trabalho na casa de Angela Kaset e Bruce McGaw, em Nashville, Tennessee.

As seguintes pessoas ajudaram em diversas maneiras, pelas quais sou grato: Babette Babbich, Professor de Filosofia, Universidade Fordham; Jürgen Braungardt, psicoterapeuta, Oakland, Califórnia; Al Budde e Nancy Flint-Budde; Charles Carlson, Departamento de Filosofia, Universidade de Texas A&M; Felicia Dougherty; Professor Sigrid Close, Departamento de Astronáutica e Aeronáutica, Universidade de Stanford; Nancy Fitzpatrick; Hans Herlof Grelland, Professor de Química quântica (Física) e Filosofia, Universidade de Adger; Professor Pete Gunter, Departamento de Filosofia e Religião, Universidade do Norte do Texas; Laureen Jean Harrington; Dr. Charles Krecz, Departamento de Filosofia, Universidade do Texas, em Austin; Irma Kurtz; Professor Leonard Lawlor, Departamento de Filosofia, Universidade do Estado da Pensilvânia; William L. McBride; Arthur G. Hansen, Professor Distinto de Filosofia, Universidade Purdue; John J. McDermott, Professor Distinto de Filosofia e Humanidades, Universidade de Texas A&M; Professor David Mowry, Professor Distinto, SUNY Plattsburgh; Dr. Paul Nnodim, Professor Associado, Departamento de Filosofia, Faculdade de Massachusetts de Artes Liberais; Rabbi Norman e Naomi Patz; Fred e Norene Russo; Sean Sayers, Professor de Filosofia, Universidade de Kent; Matthew Silliman, Professor de Filosofia, Faculdade de Massachusetts de Artes Liberais; Dr. Caren Steinlight; Beth Steves; Glenn Stokem; Dr Robin Waterfield.

Agradeço às seguintes universidades e bibliotecas públicas por fornecerem livros por meio de empréstimo entre bibliotecas: Biblioteca Pública Clifton Park-Halfmoon; Faculdade de Saint Rose; Biblioteca Pública Crandall, Glens Falls, Nova York; Biblioteca Livre Gloversville, Nova York; Biblioteca Estadual de Nova York; Biblioteca do Instituto Politécnico Rensselaer; Biblioteca Pública de Saratoga Springs; Biblioteca Pública de Schenectady; Biblioteca da Faculdade Skidmore; SUNY Albany; SUNY Plattsburgh; SUNY Stony Brook; Biblioteca do Union College; Biblioteca Pública de Waterford.

Richard Milbank sugeriu que eu escrevesse este livro, e nós desfrutamos muitas horas de discussão estimulante desde a concepção do livro até a edição final; não acredito que um autor possa encontrar um editor mais agradável. Ian Pindar é um editor extraordinariamente atento, e ele melhorou este texto enormemente. Toby Mundy, CEO da Atlantic Books, é um grande amigo, e, por muitas décadas, desfrutei de seu constante apoio e sábios conselhos.

Glossário

a posteriori* / *a priori Dois tipos de conhecimento. O conhecimento *a posteriori* é formado empiricamente, depois de ser experimentado. O conhecimento *a priori* é formado antes da experiência. Immanuel Kant afirmou que as verdades da geometria nos são dadas *a priori*.

abjeção Julia Kristeva usa *abjeção*, ou o *abjeto*, para descrever a condição do marginalizado: mulheres, negros, doentes mentais, criminosos.

abrangente, o Na obra de Karl Jaspers, é o horizonte indefinido além de nossa própria perspectiva, "*sendo* ele mesmo, que sempre parece se afastar de nós, na própria manifestação de todas as aparências que encontramos". O abrangente aparece no curso da interação humana que ele descreve como a **luta amorosa**.

absolutismo A teoria política de que o governo tem poder de ação absoluto, sem necessidade de aval alheio.

absoluto, o ver *espírito*

absurdo, o O ensaio de Albert Camus, *O mito de Sísifo* (1942), caracterizou a posição do homem como a de Sísifo, da mitologia grega, condenado a passar a eternidade rolando uma pedra até o topo de uma montanha, somente para vê-la rolar abaixo novamente. O absurdo é criado no conflito impossível entre nosso desejo de significado e a indiferença do universo. Camus propõe o reconhecimento desse fato em lugar do suicídio ou do salto de fé kierkegaardiano.

afinidade eletiva Termo criado por Max Weber em *A ética protestante e o espírito do capitalismo* (1905) para descrever o fato de que a visão de mundo do protestantismo possuía uma afinidade inerente com os objetivos do capitalismo, o que facilitou sua ascendência conjunta.

alienação Descrição de Karl Marx da situação do trabalhador no regime capitalista. O objeto do trabalho, o produto, era alienado dele (i.e., não era feito para seu uso). Além disso, o trabalhador era alienado de si mesmo por seu trabalho, porque este não era parte do que Marx chamava de sua "vida-espécie" ou "ente-espécie".

anarquismo Posição política que defende a abolição de todos os governos e sua substituição por livres associações, grupos ou coletivos de voluntários. Foi proposta em diversas formas por William Godwin, Pierre-Joseph Proudhon e Mikhail Bakunin.

anomia No pensamento de Émile Durkheim, é a situação de afastamento de normas sociais compartilhadas, que pode resultar de uma divisão alienante do trabalho no regime capitalista, e o principal motivo sociológico (em oposição ao individual, psicológico) para o suicídio.

ansiedade Søren Kierkegaard caracterizava a posição da humanidade diante da morte como ansiedade ou temor. Esse tema foi depois elaborado por Martin Heidegger como *ser-para-a-morte*.

arco reflexo ver *teoria do arco*.

associativismo Doutrina epistemológica que diz que a associação de ideias ou experiências com coisas ou eventos na memória dá conta do nosso entendimento a respeito delas. Foi defendida pelos empiristas britânicos John Locke, David Hume, James Mill e J. S. Mill.

atomismo lógico Noção segundo a qual problemas filosóficos podem ser resolvidos ao serem quebrados em átomos de significado. Está exposta no artigo "A filosofia do atomismo lógico" (1918), de Bertrand Russel, e no *Tractatus Logico-Philosophicus* (1921), de Ludwig Wittgenstein.

autenticidade No livro *Ser e tempo* (1927), de Martin Heidegger, é a condição do ***Dasein***, ou ser humano, chegando a um acordo sobre sua definição como **ser-para-a-morte**. Também é usada por Jean-Paul Sartre e os existencialistas.

ceticismo Conceito iniciado por Pirro de Elis, que afirmava que todas as tentativas de se alcançar o conhecimento são inconclusas. Passou, a partir de então, a representar a ideia de que o conhecimento ou crença racional é impossível.

chora Termo tomado emprestado de Platão por Julia Kristeva para descrever a experiência pré-linguística, que é maternal, uma vez que a maior parte dela acontece no estágio fetal de desenvolvimento.

cidadania ativa Termo cunhado pelo idealista britânico T. H. Green, que defendia a aplicação prática de princípios idealistas e liberais na vida pública. Ele acreditava que o objetivo apropriado da filosofia era a ação.

cientificismo A visão filosófica de que somente reivindicações científicas de conhecimento são significativas.

classe (1) Na *matemática*, classe aparece na teoria dos conjuntos como uma coleção de conjuntos (ou, algumas vezes, outros objetos matemáticos), o que é identificado por uma propriedade compartilhada por todos os membros. (2) Em *sociologia* e *teoria política*, é um termo que denota o status de um indivíduo. Pode ser determinado pelo nascimento (nobreza, comum) ou, no sentido usado por Karl Marx, para descrever a relação de uma pessoa com uma matriz de poder econômico; por exemplo, burguesia (proprietários do capital) ou classe trabalhadora.

comunitarismo Em oposição ao liberalismo, com seu foco no papel do indivíduo em busca do bem social, o comunitarismo trata da colaboração entre grupos e Estado na tentativa de alcançar o bem social.

consequencialismo Em ética, é a noção de que o valor de uma ação deve ser determinado a partir de suas consequências.

Dasein Termo usado pelo filósofo alemão Martin Heidegger para se referir à condição humana do ser. Ele o definiu em seu discurso inaugural como reitor em Freiburg, em 1933, como "o poder do princípio do nosso ser espiritual-histórico (*Dasein*). Esse princípio é a configuração da filosofia grega."

demarcação, problema da Termo usado por Karl Popper para denotar a questão crucial na filosofia da ciência, que é identificar as diferenças entre o que é ciência e o que não é.

deontologia / ética deontológica Uma posição filosófica que implica agir de acordo com um código de ética ou um senso de dever, independentemente das consequências. É o oposto de **consequencialismo**.

desmitologização Estilo de interpretação dos Evangelhos estabelecido pelo existencialista Rudolf Bultmann em seu ensaio *Novo Testamento e mitologia* (1941), que buscava traduzir de modo não mitológico o que os autores do Novo Testamento somente puderam traduzir mitologicamente.

dialética Termo normalmente associado a Friedrich Hegel, cujo método dialético envolvia a formulação de uma tese, contrariada por uma antítese, produzindo uma síntese.

dualismo A ideia de que mente e corpo são separados (em oposição ao **monismo**, segundo o qual são unidos). Platão era um dualista, assim como René Descartes.

Duhem-Quine, tese Argumento na obra de Pierre Duhem e W. V. Quine de que a hipótese científica não pode ser testada isoladamente, porque outras hipóteses serão sempre necessárias para delas se extrair conclusões empíricas. Era parte do **holismo** de Quine.

***élan* vital** No livro *A evolução criadora* (1907), de Henri Bergson, é um termo que se refere aos aspectos da vida e da evolução que não podem ser reduzidos a uma explicação mecânica.

empirismo A ideia de que o conhecimento deriva da experiência.

empirismo lógico Um desenvolvimento do **positivismo lógico** no qual pensadores como W. V. Quine abandonaram sua postura original antimetafísica.

empirismo radical Termo usado por William James para investigações que levam em conta não apenas o que é experimentado empiricamente, mas também as relações obtidas entre os objetos de estudo (incluindo o observador e o ato de observar).

episteme Termo utilizado por Michel Foucault para se referir a conjuntos de relações ou regras ou formações que governam a produção de conhecimento.

equilíbrio pontuado Termo apresentado por Stephen Jay Gould e Niles Eldredge em seu artigo "Equilíbrio pontuado" (1972), que afirma que a lacuna nos registros fósseis na teoria da evolução existe porque a evolução ocorre de maneira intermitente, e não em taxas constantes.

erro categorial Um erro identificado por Gilbert Ryle em *O conceito de mente* (1949). Um erro categorial "representa os fatos da vida mental como se eles pertencessem a um tipo ou categoria lógica, quando, na verdade, eles pertencem a outra".

Escola de Frankfurt O Instituto de Pesquisa Social – mais popularmente conhecido como Escola de Frankfurt – é também um termo genérico para abranger a teoria crítica marxista que se tornou famosa pelo trabalho de Max Horkheimer, Theodor Adorno, Erich Fromm e Herbert Marcuse. Durante a Segunda Guerra Mundial, o instituto *se mudou para a Universidade de Columbia, em Nova York.*

escola dos Annales Grupo que surgiu em torno de Lucien Febvre e Marc Bloch e de sua revista *Annales: économies, sociétés, civilizations*. Eles estavam preocupados menos com a narrativa e cronologia políticas do que com a análise de tendências de longo prazo e estruturas. Ferdinand Braudel é um historiador dos Annales.

escolástica Filosofia medieval dos fundadores da Igreja desenvolvida para definir a ortodoxia e treinar teólogos nas habilidades lógicas necessárias à defesa da ortodoxia contra a heresia e contra os argumentos dos "infiéis". O ponto alto da filosofia escolástica foi a obra de São Tomás de Aquino.

esfera pública Termo utilizado por Jürgen Habermas em *Mudança estrutural da esfera pública* (1962) para descrever o "lugar" do discurso público no Iluminismo, seja o Parlamento ou um café. Ele considera que a modernização comprometeu a esfera pública, mas acredita que uma tendência ativista orientada para a democracia pode reinventá-la.

espírito Na obra de Friedrich Hegel, há três tipos de espírito: subjetivo, objetivo e absoluto. O espírito subjetivo é a existência física e psicológica dos seres humanos. O espírito objetivo descreve a estrutura do mundo comunal do lado de fora. O espírito absoluto refere-se ao conhecimento e à liberdade acumulados ao longo do tempo e expressos na religião, na arte e na filosofia. A história do mundo é dirigida ao espírito absoluto.

estágio do espelho Na obra de Jacques Lacan, é um termo que se refere à suposição da criança de uma unidade (imaginária) com a imagem do corpo. Isso põe em movimento uma tendência de o sujeito sempre procurar a totalidade imaginária.

estruturalismo Termo amplo para descrever uma série de atividades interdisciplinares que derivam do trabalho de Ferdinand de Saussure, que afirmava que a linguagem devia ser entendida como um sistema com uma estrutura especial, e não como um determinado conjunto de palavras com significados rígidos. Gradualmente, essa metodologia cresceu para incluir o estudo de tudo – desde movimentos históricos até filmes –, que pudesse ser interpretado como um sistema cujos signos fossem identificáveis e decodificáveis. Entre os primeiros estruturalistas, estiveram Claude Lévi-Strauss e Roland Barthes, embora Barthes logo tenha se tornado um pós-estruturalista (ver *pós-estruturalismo*).

eterno retorno / eterna recorrência Conceito da obra de Friedrich Nietzsche baseado na ideia de que cada momento deve ser vivido como se fosse ocorrer de novo e de novo, num círculo sem fim.

ética do discurso Um projeto ambicioso na filosofia de Jürgen Habermas com o objetivo de combinar a ética deontológica kantiana às exigências da **racionalidade.**

existencialismo Tendência filosófica europeia (que começa com Søren Kierkegaard, passa por Martin Heidegger e Karl Jaspers e chega até Jean-Paul Sartre, Maurice Merleau-Ponty e outros) que descreve uma preocupação com o status ontológico do sujeito após a morte de Deus (embora Kierkegaard fosse cristão, assim como o importante existencialista Gabriel Marcel).

facticidade Na obra de Jean-Paul Sartre e Simone de Beauvoir, facticidade é a situação na qual o sujeito encontra a si mesmo: gênero, filiação, nacionalidade, habilidades etc. É no contexto dessa situação que o sujeito confronta sua liberdade, limitada pela facticidade. Essa situação dá origem ao **absurdo**.

falácia naturalista Em *Principia Ethica* (1903), de G. E. Moore, é a ideia de que o "bem" pode ser definido em termos de propriedades naturais, tais como "agradável", "desejado" ou "evoluído". Moore acreditava que o bem não é analisável. O bem é "um daqueles inúmeros objetos do pensamento que são incapazes de serem definidos, porque eles são os termos finais por referência aos quais tudo que é passível de definição deve ser definido".

fato social Em *As regras do método sociológico* (1895), Émile Durkheim definiu fatos sociais como "fatos com características muito distintivas: eles consistem em modos de agir, pensar e sentir, externos ao indivíduo e dotados de um poder de coerção, motivo pelo qual o controlam".

fé animal Visão de George Santayana de que o raciocínio não é a fonte do conhecimento e da crença; em vez disso, eles resultam do fato de nossa existência animal (fé animal). O fato de que eu estou com fome e não há comida prova a existência do Eu e do mundo externo.

feminismo, segunda onda do Período que começou com a publicação de *O segundo sexo* (1949), de Simone de Beauvoir, que oferecia um exame histórico da situação humana usando análises marxistas e fenomenológicas. A primeira onda do feminismo foi o período das sufragistas do século XIX e início do século XX. A terceira onda do feminismo está interessada em questões como direitos de reprodução, raça e classe no que dizem respeito às mulheres.

fenomenologia Escola de filosofia desenvolvida por Edmund Husserl que usa o método da **redução eidética** para eliminar preconceitos (suspendendo-os) e assim apreender as essências dos fenômenos estudados. É a vertente dominante do pensamento do século XX e continua a alimentar o **pós-estruturalismo**.

filosofia analítica A ampla tendência na filosofia de língua inglesa que começou com o trabalho de Gottlob Frege, que fundamentou a aritmética na lógica. Foi retomada por Bertrand Russell e G. E. Moore, juntamente com Ludwig Wittgenstein, que criaram um estilo de filosofia que reduzia os problemas aos seus componentes, dispensando abordagens metafísicas por considerá-las sem sentido.

filosofia da linguagem comum ver *filosofia linguística.*

filosofia linguística Um programa de pensamento que considera que problemas filosóficos podem ser resolvidos (ou dissolvidos) por um entendimento apropriado e pela aplicação da linguagem.

fundacionalismo A ideia de que o conhecimento precisa ser construído sobre fundações seguras. O fundacionalismo moderno começa com René Descartes e seu *cogito ergo sum*: "Penso, logo existo".

funderentismo Termo criado por Susan Haack para evitar os problemas lógicos tanto do fundacionalismo (infinito regresso) como do puro coerentismo (circularidade). Ela usa o exemplo de uma solução de palavras cruzadas: chegar a uma resposta a partir de uma pista é como usar uma fonte fundamental, ou seja, baseada em evidências empíricas; resolver a palavra cruzada por interligação das palavras é como justificação por meio de coerência. Haack sustenta que tanto o fundacionalismo quanto o coerentismo são necessários ao conhecimento.

hermenêutica / círculo hermenêutico Originalmente um termo usado para descrever a interpretação de textos bíblicos, tornou-se, nas mãos de estudiosos alemães do século XIX, como Friedrich Schleiermacher e Wilhelm Dilthey, uma ferramenta para análise de "textos" mais amplos, como grupos e sociedades. A hermenêutica foi desenvolvida no século XX por Martin Heidegger, Hans-Georg Gadamer e Paul Ricoeur. O círculo hermenêutico se refere à análise de textos pela relação das partes com o todo, e em um contexto histórico que dê conta do sujeito.

historicismo Ideia de que resultados são determinados historicamente. Essa visão recebeu um desafio famoso de Karl Popper em *A pobreza do historicismo* (1957) e em *A sociedade aberta e seus inimigos* (1945). Segundo ele, por acreditarem em "leis" da história que tudo abrangem, Platão, Hegel e Marx foram os precursores do **totalitarismo**.

holismo A tese de que o todo é maior que a soma de suas partes. É um ponto de vista essencialmente antirredutivo.

idealismo transcendental Doutrina de Immanuel Kant segundo a qual objetos da percepção não se dão simplesmente à consciência. Ela afirma, pelo contrário, que o sujeito executa um papel ativo na percepção desses objetos.

incorporação / sujeito incorporado Preocupação filosófica com a incorporação do sujeito humano. O problema da incorporação é fundamental no trabalho de existencialistas como Søren Kierkegaard, Jean-Paul Sartre, Maurice Merleau-Ponty e, mais tarde, Julia Kristeva.

instrumentalismo A ideia de que o valor de um conceito ou teoria deve ser determinado por sua habilidade de explicar e prever fenômenos (em oposição à sua habilidade de descrever a realidade objetiva).

intencionalidade Na fenomenologia de Edmund Husserl, é o meio pelo qual objetos da consciência são constituídos (veja **constituição**). O mestre de Husserl, Franz Brentano, havia reintroduzido o termo na filosofia moderna, tomando-o emprestado do escolástico Agostinho. Mas o termo também pode ser encontrado no poema de Parmênides, escrito no quinto século a.C., *Da natureza,* e na discussão do problema do que *é.*

intersubjetividade Refere-se a mecanismos ou condições nas quais nossa experiência ou percepção do mundo pode ser confirmada e compartilhada com outros. É um tema particularmente significativo na **fenomenologia** e no **existencialismo**.

intertextualidade Termos cunhado por Julia Kristeva em seu ensaio *A palavra, o diálogo e o romance* (1966) para se referir à interconexão infinita de textos: "Qualquer texto é construído como um mosaico de citações; qualquer texto é a absorção e a transformação de um outro".

intuição Termo levemente distorcido usado muitas vezes para se referir ao fenômeno de se tornar imediatamente consciente de alguma coisa. É especificamente definido por Henri Bergson em *A evolução criadora* (1907): "Por intuição, me refiro ao instinto que se tornou desinteressado, autoconsciente, capaz de refletir sobre o seu objeto e de alargá-lo indefinidamente".

jouissance Termo central na obra de Jacques Lacan, que o utiliza para se referir a uma espécie de prazer orgástico que vai além do falogocentrismo – termo de Jacques Derrida para denominar o discurso dominado pelo homem. *Jouissance* é uma espécie de tendência rebelde, dissidente, que busca a felicidade suprema, um *id* deixado sem supervisão paterna, livre para fazer o que quiser, sem interferência do ego ou do superego.

lamarckismo Teoria da área de biologia evolutiva promulgada por Jean-Baptiste de Lamarck segundo a qual as características adquiridas de uma espécie podem ser herdadas pelas gerações que a sucederem. Ela foi substituída pelas pesquisas de Gregor Mendel, que forneceram a base genética para a teoria da evolução.

lei dos três estados Ideia evolucionária sobre o desenvolvimento intelectual do homem, formulada por Auguste Comte em seu *Curso de filosofia positiva* (1830-42), de que "cada vertente do nosso conhecimento passa sucessivamente por três diferentes condições teóricas: a Teológica ou fictícia; a Metafísica ou abstrata e a Científica ou positiva".

logicismo Escola de matemática que sustenta que os conceitos fundamentais da matemática podem ser deduzidos a partir das leis da lógica. Esta foi a tarefa assumida por Bertrand Russell e A. N. Whitehead em *Principia Mathematica* (1910-13).

luta amorosa Conceito que faz parte do núcleo da obra de Karl Jaspers e que se refere à maneira como cada ser humano, ou *Existenz*, confronta o outro no diálogo: "Em *Existenz*, o homem que está, ele mesmo, presente, fala. Ele fala a um outro *Existenz* como um indivíduo insubstituível a outro" (*A filosofia da existência*, 1956).

mais-valia, teoria da Teoria de Karl Marx de que, quando um trabalhador produz bens a partir de matérias-primas, eles adquirem um novo valor que gera lucro para o capitalista à custa do trabalho não remunerado do trabalhador.

materialismo A visão ontológica de que tudo que existe o faz em forma material, ocupando espaço.

materialismo dialético Termo usado por Joseph Dietzgen para descrever um método de compreensão da realidade por meio da combinação do materialismo de Feuerbach e a dialética de Hegel. Era a filosofia oficial da União Soviética e outros países comunistas.

materialismo histórico Visão materialista da história elaborada por Karl Marx. Em *Uma contribuição à crítica da economia política* (1859), ele escreveu: "O modo de produção determina os processos da vida social, política e intelectual de maneira geral".

método fenomenológico / redução fenomenológica ver *fenomenologia*.

método transformativo Ludwig Feuerbach mostrou a Karl Marx um dispositivo para criticar Hegel, que afirmava que o pensamento era o sujeito e a existência era o predicado, estabelecendo a possibilidade do materialismo. O método transformativo toma o homem como sujeito e o pensamento como predicado. Feuerbach "põe Hegel de cabeça pra baixo".

monismo Do grego *monos* (único), significa a noção de unidade, como na indivisibilidade de mente e corpo. É o oposto do dualismo, onde mente e corpo são concebidos como separados.

multiplicidade Termo inventado por Henri Bergson e definido por Gilles Deleuze em *Bergsonismo* (1966) como uma característica daquilo que não pode ser contado ou contabilizado pela lógica ou por metodologias redutoras. Bergson desenvolveu sua teoria da multiplicidade depois de estudar o matemático Georg Friedrich Bernhard Riemann; o teorema da singularidade de Riemann identifica a multiplicidade de um ponto.

natalidade Termo usado por Hannah Arendt para descrever a situação a partir da qual o sujeito segue em direção ao seu futuro, repleto de possibilidade de liberdade. Foi formulado para suplementar a visão de seu professor Martin Heidegger de que somos caracterizados por ser-para-a-morte.

naturalismo A crença de que todos os fenômenos podem, em última análise, ser apreendidos pelos métodos usados nas ciências naturais.

niilismo Termo usado primeiramente por Ivan Turgueniev em seu romance *Pais e filhos* (1862) para descrever uma atitude que nega todas as verdades morais e valores tradicionais. É frequentemente usado para descrever a condição de quem não acredita em nada. Friedrich Nietzsche é erroneamente descrito como um niilista, mas o que ele desejava era descobrir novos valores após a "morte de Deus", e não continuar sem nenhum.

Olhar, o Tema apresentado por Simone de Beauvoir em seu romance *Ela veio para ficar* (1943) e usado por Jean-Paul Sartre em *O ser e o nada* (1943) para denotar o olhar que se apropria de outro, sempre com conteúdo sexual, porque, para Sartre, só se pode ser um ser sexual.

ontologia Vertente da filosofia que se ocupa com as questões do ser: o que significa *ser*? O que é a existência? É a primeira pergunta da filosofia, e em sua *Metafísica*, Aristóteles definiu a metafísica como o estudo do "ser enquanto ser".

Outro, o Na fenomenologia (e sobretudo no existencialismo de Jean-Paul Sartre e Simone de Beauvoir), o Outro é um sujeito necessário mas ameaçador. Por um lado, ao me reconhecer, o Outro confirma minha existência e cria uma ligação intersubjetiva (ver **intersubjetividade**). Por outro, o olhar do Outro me reduz ao status de um objeto e nega minha subjetividade.

paradoxo de Russell Uma falha que Bertrand Russell expôs no primeiro volume do livro *Leis básicas da aritmética* (1893), de Gottlob Frege. Ela envolve o conceito do conjunto de todos os conjuntos que não são membros de si mesmos. Se tal conjunto existisse, ele seria membro de si mesmo somente se não fosse membro de si mesmo. Russell encontrou uma solução para o paradoxo por meio do desenvolvimento da teoria de tipos, que permitiu a separação entre propriedades, relações e conjuntos. O erro de Frege, argumentou Russell – e era um erro fatal –, foi supor que classes e seus membros obedeciam a um único e homogêneo tipo em vez de um número de tipos que obedeciam a uma hierarquia.

pós-estruturalismo Tendência que considera o pensamento indeterminado, porque ele é produzido por meio das inter-relações de textos, e não (como na filosofia do Iluminismo) por um "Eu" autoral. O movimento sucedeu à fenomenologia, ao existencialismo e ao estruturalismo na França, tomando com liberdade conceitos emprestados de todas as três escolas e ao mesmo tempo superando-as. Pós-estruturalistas proeminentes incluem Roland Barthes, Jacques Derrida e Julia Kristeva.

positivismo Termo criado por Auguste Comte para descrever a ideia de que todos os fenômenos podem ser entendidos pelo método científico. Comte usou seu método positivista para estudar assuntos que agora seriam tratados pela sociologia. Foi sobre bases estabelecidas por Comte que Émile Durkheim criou a sociologia como disciplina acadêmica.

positivismo lógico Doutrina desenvolvida principalmente por Moritz Schlick e Rudolf Carnap (líderes do Círculo de Viena) que considerava que a metafísica não tinha sentido e que uma declaração significativa era aquela verificável com o uso da análise lógica.

práxis Literalmente, "ação", do grego *prattein* (fazer). No pensamento de Karl Marx, refere-se à unidade de teoria e prática no socialismo.

princípio da maior felicidade No utilitarismo de Jeremy Bentham e J. S. Mill, é um termo usado para definir uma ação moralmente correta: aquela que traz a maior quantidade de felicidade para o maior número de pessoas. Veja **utilitarismo**.

psicologismo Tendência a derivar fatos ou leis da psicologia para outras áreas (normalmente a lógica ou a matemática). Tanto John Locke quanto David Hume fizeram isso. Ao estabelecer o **logicismo** no início do século XX, Gottlob Frege acusou Edmund Husserl de psicologismo em seu livro *Filosofia da aritmética* (1891). Husserl criticou o psicologismo em *Prolegômenos à lógica pura* (1900).

racionalidade comunicativa No trabalho de Jürgen Habermas, é a noção de que a racionalidade humana é um produto necessário da comunicação bem-sucedida.

racionalismo crítico Termo usado por Karl Popper para rejeitar a dependência da verificabilidade como teste de significado, defendida pelo Círculo de Viena. Em vez disso, ele argumentava que a falseabilidade deve ser o critério para o trabalho científico; hipóteses devem ser concebidas com o intuito de atrair tentativas de falsificá-las.

redução eidética Método empregado na fenomenologia de Edmund Husserl e seus seguidores pelo qual preconceitos contingentes e empíricos são "suspendidos" de modo que a reflexão possa dar acesso às essências.

regresso de Bradley Argumento empregado por F. H. Bradley em *Aparência e realidade* (1893) para afirmar que relações – incluindo o pensamento – são contraditórias. Elas são apenas aparências, e não realidade.

segunda onda do feminismo ver *feminismo, segunda onda do.*

semiótica / teoria dos signos Campo de estudo desenvolvido por Ferdinand de Saussure para estudo de sistemas. Saussure a utilizou para estudar o sistema da linguagem, mas seu trabalho conduziu rapidamente ao estruturalismo e levou a aplicação da semiótica a uma série mais ampla de sistemas (sociais, políticos, textuais etc.). As unidades de significado estudados por semióticos são chamadas de signos.

ser-lançado Em *Ser e tempo* (1927), de Martin Heidegger, é a situação da nossa existência em que nos vemos "jogados" para dentro do mundo de acordo com circunstâncias que são peculiarmente nossas (nossa **facticidade**), sobre as quais não temos escolha.

ser-para-a-morte Na filosofia de Martin Heidegger é a condição definidora da nossa existência, ou ***Dasein***. A morte é o destino, e nossas vidas são vividas no contexto da compreensão desse fato (ou não, o que seria inautêntico). Ver **autenticidade**.

significante / significado Na teoria estruturalista de Ferdinand de Saussure, são os dois elementos de um signo. O significante é o som-imagem, ou a forma escrita, enquanto o significado é o componente mental do signo. Assim, o significante "cadeira" trará à mente o conceito de uma cadeira. No entanto, observou Saussure, a relação entre significante e significado é arbitrária.

situação-limite Baseado em seus primeiros trabalhos em psiquiatria, é um termo usado por Karl Jaspers para se referir a um momento quando o sujeito humano enfrenta extremos de culpa ou ansiedade. Nestes momentos, o potencial do ser humano para liberdade indeterminada se manifesta como a possibilidade de transcendência.

solipsismo A ideia de que, para uma pessoa, somente o seu Eu e as suas experiências existem. É o oposto de **intersubjetividade**.

sujeito descentrado O conceito de que a pessoa individual, o "Eu", não é o único autor de textos; de que estes são o resultado de forças históricas/linguísticas/estruturais, do escrever em si. Uma elaboração precoce desse conceito foi o ensaio de Roland Barthes *A morte do autor* (1967). É um conceito-chave na obra de Jacques Lacan, Michel Foucault, Jacques Derrida e outros pós-estruturalistas.

Super-homem (*Übermensch*) Conceito apresentado por Friedrich Nietzsche em *Assim falou Zaratustra* (1883) para descrever o homem que tenta ultrapassar sua posição atual por meio do esforço de sua vontade. O super-homem precisa ser também o criador dos seus próprios valores.

teleologia O estudo dos "fins". A crença de que eventos e fenômenos acontecem com algum "fim" e, portanto, são explicáveis (e têm significado). A noção criacionista de que Deus criou o mundo em seis dias e pôs sobre ele toda a vida é teleológica e contradita pela ciência evolutiva. A filosofia de Aristóteles é baseada na premissa teleológica de que uma causa inicial é responsável por colocar o mundo em movimento. Esta noção foi superada pela descoberta da gravidade por Isaac Newton.

teoria crítica Seu significado original refere-se a um método de interpretação desenvolvido pelos membros da Escola de Frankfurt, incluindo Theodor Adorno, Max Horkheimer e Herbert Marcuse, que empregava ideias marxista e freudiana. Mais tarde, passou a ser usado de modo pouco rígido para descrever as atividades de pós-estruturalistas.

teoria da coerência da verdade Teoria formulada por F. H. Bradley em *The Nature of Truth* [A natureza da verdade] (1906) que sustenta que uma proposição é verdadeira na medida em que é uma parte necessária de um todo sistematicamente coerente.

teoria do arco A teoria do arco reflexo de John Dewey afirma que "estímulos sensoriais, conexões centrais e respostas motoras serão vistos não como entidades separadas e completas em si mesmas, mas como divisões do trabalho, fatores funcionais no interior de um todo único concreto".

teoria do valor-trabalho Teoria importante para Karl Marx, embora desenvolvida por Adam Smith e David Ricardo, que sustenta que apenas o trabalho pode contribuir para o valor de um produto. Em oposição, a teoria econômica neoclássica afirma que o valor de um produto é determinado pelo seu valor de consumo e seu uso-valor relativo.

teoria dos conjuntos Conjuntos são coleções de objetos, e a teoria dos conjuntos é o ramo da matemática que estuda conjuntos. Ela é importante para a filosofia porque conjuntos são considerados os mais puros dos objetos matemáticos e fornecem um terreno para o resto do conhecimento matemático. A teoria dos conjuntos infinitos, desenvolvida por Georg Cantor, pavimentou o caminho para o logicismo de Gottlob Frege e Bertrand Russell.

teoria dos jogos Uma tentativa de descrever matematicamente o comportamento de sujeitos em jogos da vida real, como economia e política, uma espécie de cálculo de escolhas.

teoria dos signos ver *semiótica.*

teoria pictórica da linguagem Desenvolvida por Ludwig Wittgenstein em seu *Tractatus Logico-Philosophicus* (1921). Na teoria pictórica do significado, uma frase compartilha uma forma pictórica com um estado de coisas. Para ilustrar seu argumento, Wittgenstein compara a linguagem à notação musical, que ele descreve como a forma pictórica do estado de coisas que é a composição musical.

teoria *queer* Disciplina da teoria crítica que explora a natureza socialmente construída das sexualidades.

tipos, teoria de Solução de Bertrand Russell para o paradoxo autorreferencial que surge a partir da noção de "classe de todas as classes que não são membros de si próprias", que envolve hierarquia de tipos, na qual os itens são definidos por referência a um tipo inferior, evitando assim a autorreferência.

tolerância repressiva Em seu ensaio *Tolerância repressiva* (1965), Herbert Marcuse identificou o mecanismo que governa a servidão como "a ideologia da tolerância, que, na realidade, favorece e fortalece a manutenção do *status quo* de desigualdade e discriminação".

totalitarismo Sistema de governo no qual o Estado tem controle de todas as instituições, públicas e privadas. Os exemplos fascistas (Alemanha, Itália, Espanha) e comunistas (União Soviética, China) do totalitarismo no século XX foram caracterizados pelo regime de partido único e a utilização dos militares e forças policiais para manter a ordem e punir o desvio. Regimes totalitários exigem adesão ao dogma e desencorajam o livre pensamento, a argumentação ou a discordância. Como resultado, eles se tornam intelectualmente fracos. O desestímulo do livre pensamento conduz à estagnação na ciência e na filosofia.

transcendentalismo Ver *transcendentalismo americano.*

transcendentalismo americano Uma tendência entre os intelectuais da Nova Inglaterra em meados do século XIX que acreditavam na capacidade do indivíduo de alcançar o conhecimento espiritual (transcendental) por meio da intuição – sem recorrer à religião organizada ou aos departamentos de filosofia das universidades, como o de Harvard. Representantes proeminentes foram Ralph Waldo Emerson e Henry David Thoreau.

Übermensch ver *super-homem*

unitarismo Seita cristã que rejeita o conceito da Santa Trindade que define Deus ao mesmo tempo como Pai, Filho e Espírito Santo.

utilitarismo Teoria ética proposta Jeremy Bentham, James Mill e J. S. Mill, resumida assim pelo último: "Ações são certas na proporção em que tendem promover felicidade e são erradas na medida em que tendem a promover o inverso da felicidade".

virada copernicana Em *Crítica da razão pura* (1781), Kant afirmou que espaço, tempo e relações causais devem ser atribuídas à mente capaz de perceber. Isso foi para a filosofia o que a declaração de Nicolau Copérnico de que a Terra gira em torno do Sol (e não o contrário) foi para a astronomia, no sentido de que incomodou o paradigma dominante.

vontade de poder Conceito elaborado por Friedrich Nietzsche em *Assim falou Zaratustra* (1883-5) em referência a uma força de vida que precede e conduz não apenas a existência humana, mas todas as coisas, incluindo o mundo inanimado.

Bibliografia

Anônimo, *No Subject: Encyclopedia of Lacanian Analysis*, http://nosubject.com/Main_Page.

Adamson, Robert, *Fichte*. Londres: Wm. Blackwood and Sons, 1881.

Allison, Henry E., *Kant's Transcendental Idealism: An Interpretation and Defense*. New Haven: Yale University Press, 1983.

Amery, Colin, 'Wittgenstein's Poker: A Moment of Destiny', http://www.philosophos.com/philosophy_article_11.html.

Ayer, A. J., *Bertrand Russell*. Chicago: University of Chicago Press, 1972.

Babich, Babette, 'On the "Analytic-Continental" Divide in Philosophy: Nietzsche and Heidegger on Truth, Lies and Language', in *A House Divided: Comparing Analytic and Continental Philosophy*, ed. C. G. Prado. Amherst: Prometheus/Humanity Books, 2003, pp. 63-103.

Bailly, Lionel, *Lacan: A Beginner's Guide*. Oxford: Oneworld Publications, 2009.

Baldwin, Thomas, *G. E. Moore*. Londres: Routledge, 1990.

Barrett, William, *Irrational Man: A Study in Existential Philosophy;* Nova York: Doubleday, 1958.

Berkowitz, Roger, 'Bearing Logs on Our Shoulders: Reconciliation, Non-Reconciliation and the Building of a Common World', *Project MUSE – Theory & Event*, Volume 14, Edição 1 (2011).

Berkowitz, Roger, et al., eds, *Thinking in Dark Times: Hannah Arendt on Ethics and Politics*. Nova York: Fordham University Press, 2010.

Berkowtiz, Roger, 'Why We Must Judge', *Democracy Journal*, Outono de 2010.

Berlin, Isaiah, *Freedom and Its Betrayal: Six Enemies of Human Liberty*. Londres: Chatto, 2002.

Boas, George, 'Review of History of Western Philosophy', *Journal of the History of Ideas*, Volume 8 (1947), pp. 117-123.

Bohman, James, 'Jürgen Habermas', in *Stanford Encyclopedia of Philosophy*, http://plato.stanford.edu/entries/habermas/ (17 de maio de 2007).

Bohman, James, *Public Deliberation: Pluralism, Complexity and Democracy*. Cambridge: MIT Press, 2000.

Boucher, David, ed., *The British Idealists.* Cambridge: Cambridge University Press, 1997.

Bowie, Andrew, 'Obituary of Hans-Georg Gadamer', *Radical Philosophy* (Júlio/Agosto, 2002).

Bowler, Peter J., *Evolution: The History of an Idea.* Berkeley: University of California Press, 2003.

Bowler, Peter J., *Monkey Trials and Gorilla Sermons: Evolution and Christianity from Darwin to Intelligent Design.* Cambridge: Harvard University Press, 2007.

Brent, Joseph, *Charles Sanders Peirce: A Life.* Bloomington: Indiana University Press, 1998.

Candlish, Stewart, 'The Truth About F. H. Bradley', *Mind*, Volume 98, No. 391 (1989), pp. 331-48.

Capra, Fritjof, *The Tao of Physics.* Boston: Shambhala, 1975.

Cartwright, David E., *Schopenhauer: A Biography.* Nova York: Cambridge University Press, 2010.

Caygill, Howard, *A Kant Dictionary.* Oxford: Blackwell, 1995.

Chodorow, Nancy, *The Reproduction of Mothering: Psychoanalysis and the Sociology of Gender.* Berkeley: University of California Press, 1978.

Chomsky, Noam, *The Chomksy Reader.* Nova York: Pantheon, 1987.

Chomsky, Noam, 'The Relevance of Anarcho-syndicalism', *The Jay Interview* (25 de julho de 1976) http://www.chomsky.info/interviews/19760725.htm.

Cladis, Mark, ed., *Durkheim and Foucault: Perspectives on Education and Punishment.* Oxford: Durkheim Press, 1999.

Cohen-Solal, Annie, *Jean-Paul Sartre: A Life.* Nova York: New Press, 2005.

Critchley, Simon, e Schroeder, William, R., eds, *A Companion to Continental Philosophy.* Oxford: Blackwell, 1998.

Culler, Jonathan, *Barthes.* Londres: Fontana, 1983.

Culler, Jonathan, *Ferdinand de Saussure.* Ithaca: Cornell University Press, 1976.

Damrosch, Leo, *Jean-Jacques Rousseau: Restless Genius.* Nova York: Houghton Mifflin, 2005.

Davies, Anna Morpurgo, 'Saussure and Indo-European linguistics', in *The Cambridge Companion to Saussure*, ed. Carol Sanders. Cambridge: Cambridge University Press, 2004.

Deleuze, Gilles, *Bergsonism.* Nova York: Zone Books, 1988.

Deleuze, Gilles, e Guattari, Félix, *What Is Philosophy?* Nova York: Columbia University Press, 1996.

Dennett, Daniel C., 'Dennett and Carr Further Explained: An Exchange', *Emory Cognition Project*, Relatório No. 28, Departamento de Psicologia, Emory University (Abril de 1994).

Derrida, Jacques, 'For a Justice to Come', entrevista com Lieven De Cauter (5 de abril de 2004) http://archive.indymedia.be/news/2004/04/83123.html.

Derrida, Jacques, *Learning to Live Finally: The Last Interview*, com Jean Birnbaum. Brooklyn: Melville House, 2007.

Desmond, Adrian, e Moore, James, *Darwin: The Life of a Tormented Evolutionist.* Londres: Norton, 1994.

Detmer, David, *Sartre Explained: From Bad Faith to Authenticity.* Peru, IL: Carus, 2008.

Dilthey, Wilhelm, 'The Rise of Hermeneutics', in *Hermeneutics and the Study of History: Selected Works, Volume IV*, eds, R. A. Makkreel e F. Rodi. Princeton, NJ: Princeton University Press, 1996.

Downing, Lisa, *The Cambridge Introduction to Michel Foucault.* Cambridge: Cambridge University Press, 2008.

Dykhuizen, George, *The Life and Mind of John Dewey.* Cardondale: Southern Illinois University Press, 1978.

Dynes, Wayne R., et al., eds, *Encyclopedia of Homosexuality.* Nova York: Garland, 1990.

Eagleton, Terry, *Marx.* Nova York: Routledge, 1999.

Eco, Umberto, *Kant and the Platypus.* Nova York: Harvest, 1999.

Edmundson, Mark, *The Death of Sigmund Freud: The Legacy of His Last Days.* Nova York: Bloomsbury, 2007.

Eliot, T. S., *Knowledge and Experience in the Philosophy of F. H. Bradley.* Nova York: Farrar Strauss, 1964.

Embree, Lester, 'A Representation of Edmund Husserl (1859-1938), Círculo Husserl (Junho de 1988).

Eribon, Didier, *Michel Foucault.* Cambridge: Harvard University Press, 1992.

Feenberg, Andrew, *Heidegger and Marcuse: The Catastrophe and Redemption of History.* Nova York: Routledge, 2005.

Fernández-Armesto, Felipe, *1492: The Year the World Began.* Nova York: HarperOne, 2010.

Ferrarello, Susi, 'On the Rationality of Will in James and Husserl', *European Journal of Pragmatism and American Philosophy*, Volume 1, No. 1 (2009).

Ferreira, Phillip, *Bradley and the Structure of Knowledge.* Albany: State University of New York Press, 1999.

Fox, Michael, *The Accessible Hegel.* Amherst: Humanity Books, 2005.

Freadman, Richard, *Threads of Life: Autobiography and the Will.* Chicago: University of Chicago Press, 2001.

Fussell, Paul, *The Great War and Modern Memory.* Nova York: Oxford University Press, 1975.

Garff, Joakim, *Søren Kierkegaard: A Biography.* Princeton: Princeton University Press, 2005.

Glassman, Peter, *J. S. Mill: The Evolution of a Genius.* Gainesville: University of Florida Press, 1985.

Glazebrook, Trish, *Heidegger's Philosophy of Science.* Nova York: Fordham University Press, 2000.

Glendinning, Simon, *The Idea of Continental Philosophy.* Edimburgo: Edinburgh University Press, 2006.

Glock, Hans-Johann, *What is Analytic Philosophy?* Cambridge: Cambridge University Press, 2008.

Golumbia, David, 'Quine, Derrida and the Question of Philosophy', *The Philosophical Forum*, Volume 30, No. 3 (Setembro de 1999).

Graef, Hilde, *Scholar and the Cross: The Life and Works of Edith Stein.* Westminster: Newman Press, 1958.

Grelland, Hans H., 'Husserl, Einstein, Weyl and the Concepts of Space, Time and Space--Time', in *Space, Time and Spacetime*, ed. Vesselin Petkov. Nova York: Springer, 2010.

Guerlac, Suzanne, *Thinking in Time: An Introduction to Henri Bergson*. Ithaca: Cornell University Press, 2006.

Gunter, Pete A. Y., 'Bergson, Mathematics and Creativity', *Process Studies*, Volume 28, No. 3-4 (1999), pp. 268-88.

Guyer, Paul, ed., *The Cambridge Companion to Kant*. Cambridge: Cambridge University Press, 1992.

Haack, Susan, *Evidence and Inquiry: A Pragmatist Reconstruction of Epistemology*. Amherst: Prometheus, 2009.

Habermas, Jürgen 'America and the World', conversa com Eduardo Mendieta, *Logos*, edição 3.3 (Verão de 2004).

Habermas, Jürgen, *Jürgen Habermas on Society and Politics: A Reader*, ed. Steven Seidman. Boston: Beacon Press, 1989.

Habermas, Jürgen, 'Work and Weltanschauung: The Heidegger Controversy from a German Perspective ', *Critical Inquiry*, Volume 15, No. 2. (Inverno de 1989), pp. 431-56.

Hamlyn, D. W., 'Gilbert Ryle and *Mind*', *Revue Internationale de Philosophie*, No. 223 (2003), pp. 5-12.

Hanna, Robert, *Kant and the Foundations of Analytic Philosophy*. Nova York: Oxford University Press, 2004.

Hannay, Alastair, *Kierkegaard: A Biography*. Cambridge: Cambridge University Press, 2001.

Harding, Walter, *The Days of Henry Thoreau: A Biography*. Nova York: Knopf, 1965.

Hawking, Stephen e Mlodinow, Leonard, *The Grand Design*. Nova York: Bantam Books, 2010.

Herbstrith, Waltraud, *Edith Stein: A Biography*. São Francisco: Ignatius Press, 1992.

Hill, Claire Ortiz, e Haddock, G. E. R., *Husserl or Frege? Meaning, Objectivity and Mathematics*. Peru, IL: Carus Publishing Co., 2000.

Hodges, Michael P. e Lachs, John, *Thinking in the Ruins: Wittgenstein and Santayana on Contingency*. Nashville: Vanderbilt University Press, 2000.

Irvine, Andrew D., 'Principia Mathematica', *Stanford Encyclopedia of Philosophy* (2010) http://plato.stanford.edu/entries/principia-mathematica.

Irvine, Andrew D., 'Russell's Paradox', *Stanford Encyclopedia of Philosophy* (2009) http://plato.stanford.edu/entries/russell-paradox/#SOTP.

Isaacson, Walter, *Einstein: His Life and Universe*. Nova York: Simon & Schuster, 2007.

Jones, Robert Alun, *Emile Durkheim: An Introduction to Four Major Works*. Beverly Hills: Sage Publications, 1986.

Jung, Joachim, 'The Future of Philosophy', paper given at Twentieth World Congress of Philosophy, Boston (10–15 August 1998) http://www.bu.edu/wcp/Papers/Cont/ContJung.htm.

Kaelin, E. F. e Schrag, Calvin O., eds, *American Phenomenology: Origins and Developments*. Dordrecht: Springer, 1988.

Kahn, Michael, *Basic Freud: Psychoanalytic Thought for the 21st Century*. Nova York: Basic Books, 2002.

Kellner, Douglas, 'Radical Politics, Marcuse, and the New Left', *Introduction to Collected Papers of Herbert Marcuse, Volume 3.* Abingdon: Routledge, 2001.

Kenny, Anthony, *Frege: An Introduction to the Founder of Modern Analytic Philosophy.* Chichester: Wiley-Blackwell, 2000.

Kim, Sung Ho, 'Max Weber', *Stanford Encyclopedia of Philosophy* (2007)
http://plato.stanford.edu/entries/weber.

Kim, Sung Ho, *Max Weber's Politics of Civil Society.* Cambridge: Cambridge University Press, 2004.

Kirk, G. S. e Raven, J. E., *The Presocratic Philosophers.* Cambridge: Cambridge University Press, 1962.

Kirkbright, Suzanne, *Karl Jaspers: A Biography – Navigations in Truth.* New Haven: Yale University Press, 2004.

Kretzmann, Norman, et al., eds., *The Cambridge History of Later Medieval Philosophy.* Cambridge: Cambridge University Press, 1982.

Kristeva, Julia, 'Interview with John Sutherland', *Guardian* (14 de março de 2006).

Kuehn, Manfred, *Kant: A Biography.* Cambridge: Cambridge University Press, 2001.

Lacan, Jacques, '*Les Clefs de la Pyschanalyse*', *L'Express* (31 de maio de 1957).

Lachs, John, 'George Santayana', in *The Cambridge Dictionary of Philosophy*, ed. Robert Audi. Cambridge: Cambridge University Press, 1995.

Lane, Christopher, *The Burdens of Intimacy: Psychoanalysis and Victorian Masculinity.* Chicago: University of Chicago Press, 1998.

Lawlor, Leonard, *Derrida and Husserl: The Basic Problem of Phenomenology.* Bloomington: Indiana University Press, 2002.

Lawlor, Leonard, 'Intuition and Duration: an Introduction to Bergson's "Introduction to Metaphysics"', in *Bergson and Phenomenology*, ed. Michael R. Kelly. Basingstoke: Palgrave Macmillan, 2010.

Lawlor, Leonard, 'Jacques Derrida', *The Stanford Encyclopedia of Philosophy* (2006) http://plato.stanford.edu/entries/derrida/#Rel.

Lawlor, Leonard, *Thinking Through French Philosophy: The Being of the Question.* Bloomington: Indiana University Press, 2003.

Malone, John. C., 'Ontology Recapitulates Philology: Willard Quine, Pragmatism and Radical Behaviorism', *Behavior and Philosophy*, No. 29 (2001), pp. 63-74 (2001).

Liszka, James Jakób, *A General Introduction to the Semiotic of Charles Sanders Peirce.* Bloomington: Indiana University Press, 1996.

Luscombe, David, *Medieval Thought.* Oxford: Oxford University Press, 1997.

Macey, David, *The Lives of Michel Foucault.* Nova York: Vintage, 1995.

McAfee, Noëlle, *Julia Kristeva.* Nova York e Londres: Routledge, 2004.

McBride, William Leon, *Sartre's Life, Times and Vision du Monde.* Londres: Routledge, 1996.

McCormick, John, *George Santayana: A Biography.* Nova York: Knopf, 1987.

MacIntyre, Alasdair, *Edith Stein: A Philosophical Prologue, 1913-1922.* Lanham: Rowman & Littlefield, 2006.

McClintock, John, e Strong, James, *Cyclopaedia of Biblical, Theological and Ecclesiastical Literature*, Supplement, Volume 1. Nova York: Harper & Brothers, 1885.

McLellan, David, *Karl Marx.* Harmondsworth: Penguin, 1975.

McLellan, David, *Karl Marx: His Life and Thought.* Nova York: Harper & Row, 1973.

Madison, G. B., 'Hermeneutics: Gadamer and Ricoeur', in *The Columbia History of Western Philosophy*, ed. Richard H. Popkin. Nova York: Columbia University Press, 1999.

Maier-Katkin, Daniel, *Stranger from Abroad: Hannah Arendt, Martin Heidegger, Friendship and Forgiveness.* Nova York: Norton, 2010.

Malpas, J. E., *Heidegger's Topology: Being, Place, World.* Cambridge: MIT Press, 2007.

Manser, Anthony, e Stock, Guy, *The Philosophy of F. H. Bradley.* Nova York: Oxford University Press, 1987.

Marcuse, Herbert, *Eros and Civilization: A Philosophical Inquiry into Freud.* Londres: Routledge, 1987.

Marcuse, Herbert, *One Dimensional Man.* Boston: Beacon Press, 1964.

Marcuse, Herbert, 'The Problem of Violence: Questions and Answers' (1967) http://www.marxists.org/reference/archive/marcuse/works/1967/questions-answers.htm.

Mikics, David, *Who Was Jacques Derrida? An Intellectual Biography.* New Haven: Yale University Press, 2009.

Miller, James, *The Passion of Michel Foucault.* Nova York: Simon and Schuster, 1993.

Misak, C. J., *Truth and the End of Inquiry: A Peircean Account of Truth.* Nova York: Oxford University Press, 2004).

Mises, Ludwig von, *Marxism Unmasked: From Delusion to Destruction.* Irvington-on-Hudson, NY: Foundation for Economic Education, 2006.

Mitchell, Juliet, *Psychoanalysis and Feminism: A Radical Reassessment of Freudian Psychoanalysis.* Londres: Allen Lane, 1974.

Moi, Toril, *Simone de Beauvoir: The Making of an Intellectual Woman.* Oxford: Oxford University Press, 2008.

Monk, Ray, *Bertrand Russell: The Spirit of Solitude 1872-1921.* Nova York: Free Press, 1996.

Monk, Ray, *Bertrand Russell: The Ghost of Madness 1921-1970.* Nova York: Free Press, 2001.

Monk, Ray, *Ludwig Wittgenstein: The Duty of Genius.* Nova York: Free Press, 1990.

Mullarkey, John, *Bergson and Philosophy.* Edimburgo: University of Edinburgh Press, 1999.

Mullarkey, John, e Lord, Beth, eds, *The Continuum Companion to Continental Philosophy.* Nova York: Continuum, 2009.

Murray, Michael, 'Heidegger and Ryle: Two Versions of Phenomenology', *The Review of Metaphysics*, Volume 27, No. 1 (Setembro de 1973), pp. 88-111.

Mussolini, Benito, 'The Doctrine of Fascism', *Enciclopedia Italiana.* Roma: Treccani, 1932.

Natanson, Maurice, *Husserl: Philosopher of Infinite Tasks.* Evanston: Northwestern University Press, 1973.

Naugle, David K., *Worldview: The History of a Concept.* Grand Rapids: Wm. B. Eerdmans, 2002.

Norton, David Fate e Taylor, Jacqueline, eds, *The Cambridge Companion to Hume.* Cambridge: Cambridge University Press, 1993.

Oliver, Kelly, 'Julia Kristeva's Feminist Revolutions', *Hypatia*, Volume 8, No. 3. (Verão de 1993), pp. 94-114.

Parr, Adrian, ed., *The Deleuze Dictionary.* Edimburgo: University of Edinburgh Press, 2005.

Pax, Clyde, *An Existential Approach to God: A Study of Gabriel Marcel.* The Hague: Martinus Nijhoff, 1972.

Perry, Ralph Barton, *The Thought and Character of William James.* Cambridge: Harvard University Press, 1948.

Pickering, Mary, *Auguste Comte: An Intellectual Biography*, Volume I. Cambridge: Cambridge University Press, 1993.

Plant, Raymond, *Hegel.* Nova York: Routledge, 1999.

Pollock, Griselda, 'Dialogue with Julia Kristeva', *Parallax*, Edição 8 (Julho-Setembro de 1998), pp. 5-16.

Poole, Roger, *Kierkegaard: The Indirect Communication.* Charlottesville: University of Virginia Press, 1993.

Porter, Roy, *The Creation of the Modern World: The Untold Story of the British Enlightenment.* Nova York: Norton, 2000.

Prado, C. G., *A House Divided: Comparing Analytic and Continental Philosophy.* Amherst, NY: Humanities Press, 2003.

Preucel, Robert W., *Archaeological Semiotics.* Malden: Wiley-Blackwell, 2010.

Preston, Paul, *Comrades! Portraits from the Spanish Civil War.* Londres: HarperCollins, 1999.

Quammen, David, *The Reluctant Mr Darwin: An Intimate Portrait of Charles Darwin and the Making of His Theory of Evolution.* Nova York: Norton, 2006.

Quinton, Anthony, 'Alfred Jules Ayer 1910-1989', *Proceedings of the British Academy*, Volume 94 (1997).

Reston, Jr., James, *Dogs of God: Columbus, the Inquisition and the Defeat of the Moors.* Nova York: Anchor, 2006.

Richardson, Robert D., *Nietzsche's New Darwinism.* Nova York: Oxford University Press, 2004.

Richardson, Robert D., *William James: In the Maelstrom of American Modernism.* Houghton Mifflin, 2006.

Richman, Sheldon, 'Fascism', in *Fortune Encyclopedia of Economics*, ed., David R. Henderson. Nova York: Time, Inc., 1993.

Ringer, Fritz, *Max Weber: An Intellectual Biography.* Chicago: University of Chicago Press, 2004.

Rockmore, Tom, *Kant and Idealism.* New Haven: Yale University Press, 2007.

Rockmore, Tom e Margolis, Joseph, eds, *The Heidegger Case: On Philosophy and Politics.* Philadelphia: Temple University Press, 1992.

Rorty, Richard, entrevista com Josefina Ayerza em *Flash Art* (Novembro/Dezembro de 1993).

Ross, Kelly. L., 'Ludwig Wittgenstein (1889-1951)', http://www.friesian.com/wittgen.htm.

Russell, Bertrand, 'Some Replies to Criticism', in *My Philosophical Development.* Londres: Unwin, 1959.

Russell, Bertrand, 'The Cult of "Common Usage"', *The British Journal for the Philosophy of Science*, Volume 3, No. 12 (1953), pp. 303-7.

Sacks, Jonathan, *The Politics of Hope.* Londres: Jonathan Cape, 1997.

Safranksi, Rüdiger, *Martin Heidegger: Between Good and Evil.* Cambridge: Harvard University Press, 1998.

Safranksi, Rüdiger e Frisch, Shelley, *Nietzsche: A Philosophical Biography.* Nova York: Norton, 2002.

Safranksi, Rüdiger e Osers, Ewald, *Schopenhauer and the Wild Years of Philosophy.* Cambridge: Harvard University Press, 1991.

Sandel, Michael J., *Justice: What's the Right Thing to Do?* Nova York: Farrar, Straus & Giroux, 2009.

Sayers, Sean, 'F. H. Bradley and the Concept of Relative Truth', *Radical Philosophy*, No. 59 (Outono de 1991), pp. 15-20.

Seymour-Jones, Carole, *A Dangerous Liaison: A Revelatory New Biography of Simone De Beauvoir and Jean-Paul Sartre.* Nova York: Overlook, 2009.

Shabel, Linda, 'Kant's "Argument from Geometry"', *Journal of the History of Philosophy*, Volume 42, No. 2 (2004), pp. 195-215.

Shin, Sun-Joo, 'Peirce 's Logic', *Stanford Encyclopedia of Philosophy* (2011) http://plato.stanford.edu/entries/peirce-logic/.

Simon, Linda, *Genuine Reality: A Life of William James.* Nova York: Harcourt Brace, 1998.

Singer, Peter, *Hegel: A Very Short Introduction.* Oxford: Oxford University Press, 1983.

Skorupski, John, *Why Read Mill Today?* Londres: Routledge, 2006.

Sluga, Hans, *Heidegger's Crisis: Philosophy and Politics in Nazi Germany.* Cambridge: Harvard University Press, 1993.

Sluga, Hans e Stern, David. G., eds, *The Cambridge Companion to Wittgenstein.* Cambridge: Cambridge University Press, 1996.

Specter, Matthew G., *Habermas: An Intellectual Biography.* Nova York: Cambridge University Press, 2010.

Spiegelberg, Herbert, *The Phenomenological Movement: A Historical Introduction* Dordrecht: Kluwer, 1984.

Spurling, Hilary, 'The Wickedest Man in Oxford', *The New York Times* (24 de dezembro de 2000).

Steiner, George, *Martin Heidegger.* Nova York: Viking, 1979.

Stephens, Mitchell, 'Jacques Derrida and Deconstruction', *New York Times Magazine* (23 de janeiro de 1994).

Stephens, Mitchell, 'Jürgen Habermas: The Theologian of Talk', *Los Angeles Times Magazine* (23 de outubro de 1994).

Taylor, Charles, *Hegel.* Cambridge: Cambridge University Press, 1975.

Thornhill, Christopher J., *Karl Jaspers: Politics and Metaphysics.* Londres: Routledge, 2006.

Turner, Stephen P., ed., *The Cambridge Companion to Weber.* Cambridge: Cambridge University Press, 2000.

Turner, Stephen P., *Emile Durkheim: Sociologist and Moralist.* Londres: Routledge, 2003.

Wartofsky, Marx W., *Feuerbach.* Cambridge: Cambridge University Press, 1977.

Waterfield, Robin, *The First Philosophers: The Presocratics and the Sophists.* Oxford: Oxford University Press, 2000.

Webster, Richard 'The Cult of Lacan: Freud, Lacan and the Mirror Stage' (1994) http://www.richardwebster.net/thecultoflacan.html.

Westphal, Kenneth, 'G. W. F. Hegel', in *A Dictionary of Continental Philosophy*, ed. John Protevi. New Haven: Yale University Press, 2006.

Wheen, Francis, *Marx's Das Kapital: A Biography.* Nova York: Atlantic Monthly Press, 2007.

Wicks, Robert, *Schopenhauer.* Malden: Blackwell, 2008.

Wiener, Norbert, *Ex-Prodigy: My Childhood and Youth.* Cambridge: MIT Press, 1964.

Wittgenstein, Ludwig, *Wittgenstein in Cambridge: Letters and Documents, 1911-1951*, ed. Brian McGuinness. John Wiley and Sons, 2008.

Wolin, Richard, *Heidegger's Children: Hannah Arendt, Karl Lowith, Hans Jonas and Herbert Marcuse.* Princeton: Princeton University Press, 2001.

Wolin, Richard, *The Seduction of Unreason: The Intellectual Romance with Fascism from Nietzsche to Postmodernism.* Princeton: Princeton University Press, 2004.

Wollheim, Richard, 'Ayer: The Man, The Philosopher, The Teacher', in *A. J. Ayer: Memorial Essays*, ed. A. Phillips Griffiths. Cambridge: Cambridge University Press, 1991.

Young, Julian, *Friedrich Nietzsche: A Philosophical Biography.* Nova York: Cambridge, University Press, 2010.

Young-Bruehl, Elisabeth, *Hannah Arendt: For Love of the World.* New Haven: Yale University Press, 2004.

Stephen Trombley é escritor, editor e cineasta vencedor do Emmy Award. Colaborou com Alan Bullock na segunda edição do livro *The Fontana Dictionary of Modern Thought* e foi editor do *The New Fontana Dictionary of Modern Thought*. Escreveu os livros *A Short History of Western Thought* (Atlantic, 2012); *The Execution Protocol*; *Sir Frederick Treves: The Extraordinary Edwardian*; *The Right to Reproduce*; e *"All That Summer She Was Mad": Virginia Woolf and her Doctors*.

QUER SABER MAIS SOBRE A LEYA?

Fique por dentro de nossos títulos, autores e lançamentos.

Curta a página da LeYa no Facebook, faça seu cadastro na aba *mailing* e tenha acesso a conteúdo exclusivo de nossos livros, capítulos antecipados, promoções e sorteios.

A LeYa também está presente no Twitter, Google+ e Skoob.

www.leya.com.br

facebook.com/leyabrasil

@leyabrasil

instagram.com/editoraleya

google.com/+LeYaBrasilSãoPaulo

skoob.com.br/leya

1ª edição Janeiro 2014
papel de miolo Pólen Soft 70 g/m²
papel de capa Supremo 250 g/m²
tipografia Adobe Garamond Pro
gráfica Pancrom